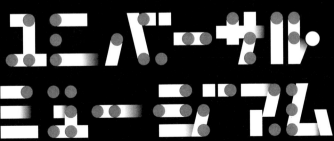

ユニバーサル・ミュージアム

さわる!"触"の大博覧会

"UNIVERSAL MUSEUM":
Exploring the New Field of Tactile Sensation

表紙図版使用作品
高見直宏「叢雲—エクトプラズムの群像」
松井利夫「つやつやのはらわた」
ユニバーサル・ミュージアム研究会「信楽射真ワークショップ作品」
三木製作所「富士山立体地図」
加藤可奈衛「くっつける住処」
島田清徳「境界 division - m - 2021」
ユニバーサル・ミュージアム研究会「信楽射真ワークショップ作品」
わたる（石川智弥＋古屋祥子）「てざわりの旅」
守屋誠太郎「attitude IX」
片山博詞「渇くひと」
間島秀徳「Kinesis No.743 (dragon vein)」
酒百宏一「LIFE works @ 大阪 #2020-2021」
小野一葉（京都市立芸術大学）「糸杉のある麦畑　二次創作」

ごあいさつ

―――――

国立民族学博物館長

吉田憲司

　私ども国立民族学博物館（みんぱく）は、博物館機能をもつ文化人類学・民族学とその関連分野の大学共同利用機関として1977年に大阪千里の70年万博の跡地に開館いたしました。みんぱくには現在、専任教員が52名おりますが、それぞれが世界各地でフィールドワークをおこない、人類の文化と社会についての調査・研究に従事しています。みんぱくがこれまでに収集してきた標本資料、モノの資料は、現在、34万5千点を超えます。これは、20世紀後半以降に築かれた民族学コレクションとしては、世界最大規模のものです。また、みんぱくは、施設の規模の上で、現在、世界最大の民族学博物館となっています。

　みんぱくは、その博物館のあり方として、立場の異なるさまざまな人びとの出会いと相互の交流、啓発の場、「フォーラムとしてのミュージアム」の実現という目標を掲げ、誰にでも優しいミュージアムというコンセプトのもと、ユニバーサル・デザイン、あるいはインクルーシヴ・デザインの導入や、多言語対応の拡大を図ってきました。今回の特別展のタイトルとなっている「ユニバーサル・ミュージアム」という言葉が意味するのは、そのような、誰もが楽しめ、安心して利用できるミュージアムのあり方なのだろうと思います。

　ただ、ここでいう「ユニバーサル・ミュージアム」という言葉については、あらかじめ指摘しておかなければならないことがあります。「ユニバーサル・ミュージアム」という用語は、英語由来の語ですが、英語では、universal museum というのは universal survey museum，つまり世界全体を俯瞰し探究するミュージアムをさし、具体的には、ヨーロッパなら大英博物館やルーヴル美術館、アメリカならメトロポリタン美術館、そして日本ならまさにこのみんぱくといった、世界をカヴァーする総合博物館・美術館をさす言葉だという点です。英語世界にもそのまま通用する言葉を探すとすれば、それはむしろ inclusive museum というべきかもしれません。

　とはいえ、今回の特別展の実行委員長である、本館の広瀬浩二郎准教授の活躍もあって、日本では、すでに、誰もが楽しめる、安心して利用できるミュージアムという意味でユニバーサル・ミュージアムという言葉が久しく使われ、定着してきているという状況がみられます。みんぱくの特別展のタイトルに、あえてその「ユニバーサル・ミュージアム」という語を用い、その英語名にも""をつけて"Universal Museum"と表記したのは、日本発の「ユニバーサル・ミュージアム」という概念をこれから世界に向けて発信し、英語圏での語用そのものを転換させようという、広瀬准教授の強い意志と熱意の表れにほかなりません。

　ミュージアムという装置は、その成立時から、人間のさまざまな感覚の中でも視覚だけを特権化するかたちで営まれてきました。「観覧者」という言葉づかいや、「作品に手を触れないでください」という展示場でよくみる但し書きがそのことを明確に物語っています。

　西洋の哲学では、プラトン以来、視覚と聴覚を高級感覚、触覚や味覚や臭覚は低級感覚とする、とんでもない感覚の序列化が常識化し、永く、芸術に関わることが出来るのは、視覚や聴覚といった高級感覚のみで、低級な触覚・味覚・嗅覚から芸術は生まれないと考えられてきました。

　視覚のみに依存する絵画と、聴覚のみに依存する音楽を頂点にして、彫刻をその次に置き、手に持って使う工芸はさらにその下に位置づけるというのは、その後もある種、常識化し、美術館、博物館における部門構成や芸術大学での学部構成などに現在でも生き残ってきているように見うけられます。

　博物館、美術館の原型は、16、17世紀にヨーロッパの王侯貴族が競って築き上げた驚異の部屋、珍品陳列室にあります。そこで形成されたコレクションがその後成立する美術館・博物館に継承されていくことになりますが、そこでは、常にコレクションを見せることに意義が求められました。やはり、西欧近代というのは、視覚を特権化した時代であり、博物館・美術館はその申し子ということになるのだろうと思います。

　民族学博物館についてみても、欧米では、港町という港町に世界との交易を通じて集まった器物を収める博物館、つまり民族学博物館が成立していきますが、日本では、あの堺ですら、そうしたコレクションや博物館は成立しませんでした。堺で集積されたのは茶器であり、それが茶道の中で実際に手にして用いられていった。そのコレクションは、見せることでなく、手で触れて用いること、「用」を中心に成立してきたという歴史があります。使用することが目的ですから、それを広く一般に展示公開するということは想定されていません。このことは、あるいは、権力者が公衆の面前に出るのでなく、むしろ自らの姿を隠すことによって権威と権力を維持してきたという、日本の古くからの政治のありかたと、どこか

でつながっているのかもしれません。

　みんぱくは、開館当初から露出展示を優先し、手の届くところにある展示物にはさわってもかまわないという原則をたて、いわば西洋由来の博物館の制度に対する挑戦を続けてきました。

　広瀬浩二郎准教授がこれまで展開してきた「ユニバーサル・ミュージアム」に関するさまざまな活動は、こうした視覚偏重のミュージアムという制度、あるいは近代という制度に対する挑戦であり、触覚の復権を強く訴えるものであるといえます。それは、みんぱくの目指す、誰一人取り残さず、誰にでも優しいミュージアム、「フォーラムとしてのミュージアム」とまさに軌を一にする試みです。

　触覚や、視覚以外のさまざまな感覚の復権をめざし、博物館のあり方を考えなおしてみようという今回の特別展は、上で述べた日本の歴史に照らして、文字通り、日本の博物館ならではの試みだといえます。

　今回の特別展には、その趣旨に共感・賛同して、多くのアーティストの皆さんが参加してくださいました。その結果、この特別展は、既成の価値観や認識論を超えて、現代における芸術の可能性を探る試みにもなっていると思います。

　図らずも、この特別展は、新型コロナウイルス感染症の地球規模での流行のもと、密閉・密集・密接のいわゆる「3密」が忌避され、人と人との直接の「触れあい」が敬遠されるなかで、開催されることとなりました。この状況のもとで、「触」に焦点を当てた展示を開くことは、この特別展の挑戦の意義と重みをいやがおうにも増すとともに、開催する私どもの責任をより大きくするものと自覚しております。

　感染の防止には最大限の対策を講じてまいります。

　特別展「ユニバーサル・ミュージアム ── さわる！"触"の大博覧会」を通じて、触覚をはじめとする人間の感覚のありかたを改めて問い直し、「ユニバーサル・ミュージアム」と「ユニバーサルな社会」の実現に私たちが一歩でも近づけることを期待しております。

　今回の特別展の開催にあたりましては、ご参加いただいたアーティストの皆さまをはじめ、多くの機関、個人の方々から多大なご協力をいただきました。お力添えを賜りました皆さまに、この場をお借りして、心より御礼申し上げます。

2021年9月

目次
Contents

第4章　歴史にさわる

第5章　音にさわる

第6章　見てわかること、さわってわかること

第7章　ユニバーサル・ミュージアムの未来

凡例

Notes to the Reader

・本書は、2021年9月2日から11月30日まで国立民族学博物館で開催される特別展「ユニバーサル・ミュージアム ― さわる！ "触"の大博覧会」にあわせて出版される同展の図録である。

・図録の第0〜6章までの各章は、それぞれ展示のセクション0から6までに相当し、概ね展示順に作品・資料写真を掲載した。ただし一部展示順と図録掲載順が違うものもある。

・出展する全作家・資料提供者の作品・資料を掲載したが、紙幅の都合上、必ずしも全ての出展作品・資料の写真を網羅したものではない。

・会期中、一部展示替えを行う。そのため、図録掲載作品・資料が展示されていない場合がある。展示替え作品・資料については、巻末の出展作品・資料リストに記した。

・作品・資料写真に付したキャプションの記載順番は、作品・資料番号／作品名／作家・資料提供者・所蔵者である。

・作品・資料番号は、展示での番号を基本とし、一部は図録用にアルファベットで枝番を付した。屋外展示の作品番号は、「屋外-1」のようにした。

・作品・資料の名称として「レプリカ」「複製」と表記されているものがある。制作者・所蔵者の意思を尊重し、あえて二つの用語の統一はしなかった。

・所蔵者名は、博物館・美術館、法人等の公共機関に限り明記した。

・各章概説は広瀬浩二郎が執筆した。

さわると　わかる　　わかると　かわる！

総論

「未開の知」に触れる
── 東京2020オリンピック・パラリンピックの先へ ──

─────────

広瀬浩二郎

◉ はじめに ── 「ユニバーサル」とは何か

　2021年には東京でオリンピック、パラリンピックが開催される。その関係もあり、「障害」が日本社会のさまざまな分野で話題になるだろう。とくにパラリンピックは、若い世代の方々に障害について興味を持ってもらう絶好のチャンスである。オリパラ終了後、障害に対する意識がどう変わるのか、本書の読者とともにしっかり確認・検証していきたい。

　僕は最近、「ユニバーサル・ツーリズム」をめざす活動に力を入れている。その一環として、2019年10月19日〜20日に奈良県の飛鳥で「歴史体感ツアー」を実施した（詳細は本書第4章の北井利幸による論考「歴史体感ツアーの試み」[p.126]を参照）。読者の中でも、ユニバーサル・ツーリズムという言葉をどこかで見聞きしたことがある人が多いかもしれない。2021年のオリンピック、パラリンピック開催前後には、海外からたくさんの選手・団体が日本を訪れるだろう。国内でもオリパラ効果で人の移動が活発となるはずである。

　そんな大イベントを目前にして、さまざまな分野で「観光」が話題となっている。ユニバーサル・ツーリズムは、21世紀の観光を促進する際のキーワードで、「誰もが楽しめる旅行」という意味で用いられる。観光庁もユニバーサル・ツーリズムを主題とする研修会を企画・実施している。しかし、ユニバーサル・ツーリズムという言葉だけが先走りして、内容が伴っていないというのが僕の印象である。「誰もが楽しめる」のはすばらしいことだが、それを実現する方法は多様だろう。やや安易に、そして曖昧に「ユニバーサル」という語が使われているのではないかと感じる。

　たとえば、高齢者や障害者が参加しやすいツアーが増える。車いすユーザーや僕のような全盲者、いわゆる身体障害者が気楽に旅行できる環境が整備される。これがユニバーサル・ツーリズムだと考えている人が少なくない。たしかに、今まで旅行に出る機会が限られていた人々に、参加しやすいツアープランを提供す

るのは大事であり、新たなビジネスともなるだろう。しかし、そこで完結していては、真の「ユニバーサル」にはならない。

　意地悪な言い方になるが、高齢者・障害者向けのツアーが増えれば、当事者たちは当然喜ぶ。でも、そういったツアーは世間の大多数を占める健常者、マジョリティには直接的なメリットがない。2021年にはオリパラ関連で施設整備等の予算が付き、障害者・高齢者向けのツアーも盛んになるとしても、2022年以降、そのブームは萎んでしまうのではないか。「ユニバーサル」を具体化し、持続可能な事業として展開できるかどうかは、健常者をどれだけ、どこまで巻き込んでいけるのかがポイントとなる。ユニバーサル・ツーリズムが、従来の健常者の旅行スタイルに対して、何か新しい気づき、新鮮な驚きをもたらす。これが僕の目標である。

　僕はこの10年余、「ユニバーサル・ミュージアム」（誰もが楽しめる博物館）の実践的研究に取り組んできた。障害者、とくに視覚に障害のある人がもっと自由に博物館に来ることができるようにしたい。この単純な願望が、僕のユニバーサル・ミュージアム研究の土台になっているのは間違いない。国立民族学博物館を拠点として、僕は共同研究プロジェクトを立ち上げ、ユニバーサル・ミュージアムのネットワーク作りに力を注いでいる。ユニバーサル・ミュージアムが単なる障害者対応、バリアフリーでとどまっていたら、ネットワークが全国に広がることはなかっただろう。

　たとえば、目の見えない人の鑑賞を意識して、さわる展示を行うとしよう。この展示を楽しむのは視覚障害者だけだろうか。来館者の9割以上は健常者、目が見える人である。ここで、目が見える人にとって「さわる」とはどんな意味を持つのかと考えることになる。現代は視覚優位・視覚偏重の時代といわれる。授業や講演におけるパワーポイントの多用を想起するまでもなく、情報の入手・伝達手段として、視覚は最重要の感覚である。視覚は便利だが、それに頼り過ぎていることが問題なのではないだろうか。世の中には、さわらなければわからないことがある。さわる展示は、健常者たちに視覚以外の感覚の可能性を実感させることができる。博物館でのさわる体験は、視覚中心の生活スタイルを問い直すきっかけにもなるはずである。

　この10年でユニバーサル・ミュージアムの理念は各地の博物館・美術館に普及した。博物館の職員・ボランティア研修でユニバーサル・ミュージアムを取り上げるケースも増えている。また、各大学の学芸員養成課程のプログラムでも、ユ

ニバーサル・ミュージアムが紹介されるようになった。ユニバーサル・ミュージアムの実践事例を観光・まちづくりなどの分野に応用していこうというのが僕のスタンスである。

　先述の飛鳥ツアーには、視覚障害者7名、健常者15名ほどが参加した。健常者にも積極的にさわる体験をしてもらい、視覚障害の有無に関係なく、「目に見えない古代の歴史」に思いを馳せた。ツアー企画の第一段階では、通常の（健常者向けの）飛鳥ツアーに視覚障害者が加わる場合、どんな情報提供をすればいいのかを検討する。当然、見ることではなく、さわったり聴いたりする要素が重要になる。次に、そのさわったり聴いたりする観光メニューが、健常者にどんな影響を及ぼすのかを吟味していく。結果的に、通常のツアーとは一味違う「体感ツアー」が生まれる。飛鳥のユニバーサルツアーは成功したので、こういった事例を各地に広げていきたいと願っている。

　繰り返しになるが、東京オリパラを契機として、障害者への関心が高まるのは喜ばしい。ただ、世間一般のトレンドは、障害者にチャンスを与えよう、マイノリティの人々にももっと社会参加してもらおうという発想である。健常者側の「上から目線」が見え隠れしているというのは言い過ぎだろうか。

　大学の障害学生支援室、公共交通機関の人的サポートなどの充実はありがたいが、それだけでは「健常者＝多数派・強者・支援者」「障害者＝少数派・弱者・被支援者」という二項対立の壁（常識）を乗り越えることはできない。2022年以降、ポスト・オリパラの日本社会において、障害に対する注目を持続・発展させるためには、当事者発の実践的研究の深化が不可欠である。以下では、「障害／健常」の二項対立の壁に挑戦する僕自身の最近の取り組みを報告しよう。

● 「障害」の多様なとらえ方

　本稿で僕が読者に伝えたいのは、障害をどのようにとらえるかということである。常識（健常者の視点）とは異なる「障害」の新たな定義があることを読者のみなさんとともに確認していきたい。僕が述べるのは視覚障害関連のトピックスだけだが、本稿を通じて、読者の障害のとらえ方が少し変われば嬉しい。

　僕は正真正銘の全盲である。13歳で失明し、その後の40年ほどを「お先真っ暗」状態で生きてきた。「お先真っ暗」でも、それなりに楽しく日々暮らしているのだから、全盲とはたいした障害ではないともいえる。視覚障害者とは、目が見えない人、見えにくい人を指す。目が見えない、見えにくいことそのものは「障

害」ではない。目が見えないことに付随して、さまざまな不自由が生じてくる。その代表が読み書きである。

　僕は普段、点字を愛用している。点字は、視覚障害者が簡単かつ自由に読み書きできる究極の「触覚文字」である。僕は点字による読書を通じて知識を蓄え、大学入試にも合格することができた。点字は視覚障害者の情報入手・伝達のために不可欠な文字だが、最大の弱点は健常者との互換性がないことだろう。

　小学校での講演を頼まれると、時々こんな話をする。「点字でカンニングペーパーを作っておいたら便利だよ。机の中に点字の紙を入れておき、手でこそっとさわれば、先生には怪しまれずにカンニングができるぞ」。僕としては点字の特徴、おもしろさを子どもたちに知ってもらいたいと願っている。僕の話を聴いた子どもたちは大喜びするが、同じ小学校からは二度と講演依頼がこなくなってしまう。

　さわって読む、さわって書くという面で、点字はほんとうによくできた文字だといえる。問題なのは、その点字を読める健常者がほとんどいないことである。目が見えなくなって、最初にぶつかる読み書きの不自由は、点字を習得することで克服できる。でも、健常者と情報を共有しようとすると、触覚文字である点字の特徴がハードルとなる。たとえば、僕たち視覚障害者が大学受験をする際、入試問題を点訳してもらう必要がある。点字で書かれた解答用紙は墨字（通常の視覚文字）にしてもらわないと、採点ができない。点訳者（点字に習熟した健常者）がいなければ、どんなに実力があっても、視覚障害者は大学受験できないということになる。

　最近はパソコンの普及により、点字と墨字の互換性、視覚障害者の読書環境はずいぶん改善された。僕自身、日々大量のEメールを処理しているが、送信する相手の大半は、点字を知らない健常者である。とはいえ、社会の多数派が目で見る文字を使用し続けるなら、視覚障害者の読み書きの不自由は解消されないだろう（その不自由を逆手に取るカンニングのアイディアは、なかなかいいと思うのだが）。

　目が見えないことに起因するもう一つの不自由、不便は単独歩行である。僕は目が見えないが、身体の他の部分は健康で、通勤で毎日 10,000 歩くらいは歩いている。通勤路など、慣れた道では周囲の健常者がびっくりするほどの速さですたすた歩くことができる。でも、初めて行く場所、知らない道を歩くのは極端に苦手である。目が見える人が道を歩くのと、全盲の僕が歩くのはどこが違うのか。

　健常者が道を歩く場合、無意識のうちに周囲の状況を視覚的に確認し、安全を

確保した上で、足を踏み出す。これを「確認型の歩行」と呼ぶことにしよう。一方、僕が歩く場合、かっこよく言えば「僕の前に道はない」のである。自分の周りに何があるのかがわからない。前には危険が待ち構えているかもしれないが、とりあえず一歩踏み出してみる。恐る恐る一歩ずつ進むことによって、「僕の後に道ができる」のである。こういった視覚障害者の歩き方を「探索型の歩行」と呼ぶことにしよう。

本稿のキーワードは、「確認」と「探索」である。健常者は「よし、何もないぞ」「うん、大丈夫だ」と、安心して道を歩く。視覚障害者は「たぶん、何もないよな、大丈夫かしら」と、不安・危険と隣り合わせで、ハラハラ、ドキドキしながら歩く。両者の歩き方の違いは、人生に向き合う姿勢にも影響しているのではなかろうか。

「視覚障害者の単独歩行は『筋書きのないドラマ』に似ている」というのが僕の持論である。従来、視覚障害者の単独歩行に付きまとうハラハラ、ドキドキは不自由・不便の代表とみなされてきた。実際、僕自身も障害物にぶつかる、道に迷うなど、日常的にハラハラ、ドキドキと付き合って（付き合わされて）いる。しかし、このハラハラ、ドキドキを「筋書きのないドラマ」と考えてみると、障害のとらえ方が変化する。痩せ我慢に聞こえるかもしれないが、視覚障害者は毎日歩くだけで「筋書きのないドラマ」の演出家、主人公になれるのである。

一般に、障害とは「○○ができない、できにくい」という形で認識される。視覚障害は「目が見えない・見えにくい」、それに付随して「読み書きができない」「単独歩行ができない」ということになる。「○○ができない」状況を支援機器などの力で補うという発想も大事だが、それだけで障害の意味を変えるのは難しい。障害を否定形ではなく、肯定形で定義できないかというのが僕の希望である。

「単独歩行ができない」という否定形を肯定形へ転換するヒントを僕に与えてくれたのが、アントニオ猪木が座右の銘にしている詩だった。猪木がプロレスを引退する時に朗読した「道」という詩がある。

「この道を行けばどうなるものか、危ぶむなかれ。危ぶめば道はなし。踏み出せばその一足が道となり、その一足が道となる。迷わず行けよ。行けばわかるさ。」

アントニオ猪木は格闘家として、さまざまな挑戦を続けてきた。異種格闘技戦など、「道なき道＝未知なる道」を歩んできたともいえる。挑戦することによって自分は成長してきたのだという自負が、「道」の詩に凝縮されている。猪木の生き方（行き方）は、確認型ではなく探索型だろう。

　多少強引だが、「道」に込められた闘魂スピリットは、視覚障害者が単独歩行する際の心境につながっている。「危ぶめば道はなし」「踏み出せばその一足が道となり、その一足が道となる」。これは探索型歩行のエッセンスを表現した言葉だといえよう。アントニオ猪木と視覚障害者を結び付けるのはまったくのこじつけだが、僕は勝手に猪木に対する尊敬の念を強くしている。探索型人生の先達として、やはり猪木は偉大である。アントニオ猪木の詩を媒介として考えると、障害のとらえ方が変わってくる。肯定形といえるかどうかはさておき、障害者が健常者とは異質の経験（生き方＝行き方）をしているのは間違いない。その異質性を当事者から積極的に発信していくのが僕の役割なのだろう。

●「無視覚流鑑賞」の意義

　次に、ユニバーサル・ミュージアムに関する僕の近年の活動を紹介したい。この５年ほど、僕が力を入れて広めようとしているのは「無視覚流鑑賞」である。読んで字のごとく、「視覚を使わない鑑賞」という意味だが、これは視覚優位・視覚偏重のミュージアムのあり方に一石を投じる実験と位置づけることができる。博物館・美術館では「見学」という語が当たり前に使われている。つまり、古今東西、ミュージアムとは目で見ることを大前提としている文化施設なのである。そんなミュージアムにおいて、無視覚流鑑賞はどのような意義を有しているのだろうか。

　これまで、僕は視覚以外の感覚、とくに触覚で楽しめる展示の可能性を模索してきた。展示アドバイザーとして、全国各地の展覧会、多種多様なイベントに協力するケースも増えている。さわる展示はユニバーサルな（誰もが楽しめる）ものだという認識が定着してきたのは嬉しい。一方で、僕自身が視覚障害の当事者なので、さわる展示は福祉的な事業、全盲者の鑑賞法の疑似体験だと誤解されてしまうことも少なくない。

　障害理解、疑似体験が狙いではないことを明確にするために、無視覚流という新しい言葉を使用している。これまでの美術鑑賞は視覚中心に行われてきたが、無視覚流はまったく新しい流派、スタイルである。視覚に頼らないからこそわかることを健常者に伝えていくのが無視覚流鑑賞の要諦といえる。

　僕が無視覚流という語を初めて使ったのは、2016年の兵庫県立美術館の企画展である。「つなぐ×つつむ×つかむ－無視覚流鑑賞の極意」という展覧会で、会期は７月〜11月の４か月間だった。この展覧会の評判がよく、僕も達成感を味わ

うことができたので、2016年以降、無視覚流の理念を他分野にも応用している。

「無視覚流鑑賞の極意」展は、たいへん意地悪な展覧会だった。まず入口でアイマスクが渡され、すべての来場者は目隠し状態で会場に入る。いきなり目隠しをして会場内を歩くというのは、健常者にとって、かなりハードルが高い。会場内では、壁に張られたロープを辿って、ゆっくり歩いていく。恐る恐る一歩ずつ前進する。まさに探索型歩行である。ロープが切れた所に美術作品が置かれている。中型のブロンズ製彫刻である。目の前（といっても見えないが）の作品にじっくりさわってもらう。「どうぞ自由にさわってください」と言われても、作品を見て鑑賞することに慣れている人は戸惑うだろう。何を、どうさわればいいのかがわからないのである。

そこで、さわり方のポイントを手解きする音声ガイドを作った。僕が作品にさわりながら、どんなことがわかるのかを解説する「生の声」が無視覚流鑑賞の音声ガイドである。この音声ガイドを手がかりとして、来場者は作品鑑賞にトライする。一つの作品を10分くらいかけて、ゆっくり、丁寧にさわっていく。作品をさわり終わって、またロープを伝って移動すると、2番目の作品がある。同じような触察鑑賞をして、さらに3番目の作品へと進む。三つの作品鑑賞を終え、カーテンを開けて会場を出る。ようやく、ここでアイマスクを外すことができる。最初から最後まで、作品を見せない・見ないことにこだわった展示だった。

おそらく読者のみなさんは、なぜわざわざアイマスクをしなければならないのかと、疑問を感じるだろう。ブロンズ彫刻は表面が冷たくて、手触りはつるつる、ごつごつしたものが多い。こういった触感は、アイマスクをしなくても十分わかる。さわって温度・形状・質感を味わうだけなら、アイマスクをする必要はない。ここで思い出していただきたいのが、先述した「確認」と「探索」の違いである。

たとえば今、みなさんの前に机があるとしよう。みなさんは10メートル以上離れた所から見ても、「あそこに机がある」と、形や大きさを把握することができる。一目瞭然の視覚は便利である。机であることがわかった後に、「さあ、じっくりさわってください」と言われても、あまり興味が湧かないだろう。健常者が物にさわる場合、確認型の触察になりがちである。「これって机でしょ」「うん、やはり机だ」。見た後にさわる鑑賞は、視覚で得た情報を触覚で確かめる、補うだけで終わってしまう。

それでは、僕のような視覚障害者はどうだろうか。「あなたの前に机がある」と言われても、ほんとうに机があるのか、僕にはわからない。そこで、手を伸ばし

てさわってみる。手を動かしつつ、点の情報を線にして、面へと広げていく。視覚では、立体の全体像が一瞬にして目に飛び込んでくる。触覚では、自分で手と頭を動かして、立体の像を作り上げなければならない。これはパズルのピースを組み合わせるプロセスに似ている。時間がかかり、面倒だが、だからこそ知的でおもしろい作業ともいえる。

　さあ、机の横幅はどれくらいあるのかな。まだある、まだある……、ああ、ここまでか。意外と大きい机なんだな。では、縦はどうだろう……。こういった過程を経て、机の全体像を探索していくのである。無視覚流鑑賞は、健常者に探索型の触察を楽しんでもらう手段ということができる。余談になるが、見た目に騙されず、材質の良し悪しをチェックしたい時は、机にさわってみることをお勧めする。

　兵庫県立美術館の企画展では、ヘンリー・ムーアの「母子像」という作品を展示した。目で見れば、なんとなく母の部分、子の部分が判別できる。一方、無視覚流鑑賞では何がどうなっているのか、曖昧模糊とした状態でさわり始める。ハラハラ、ドキドキしながら手を動かす。音声ガイドを聴きつつ触察を続けると、徐々に母子像の姿がはっきりしてくる。そんな能動的な鑑賞体験をしてもらうために、アイマスクが必要なのである。

　普段、視覚に依存して生活する人々が、視覚を使わない解放感、楽しみを知るのが無視覚流鑑賞の意義だといえる。僕は「視覚を使わない」と「視覚を使えない」を意識的に区別している。昨今、学校教育の現場ではアイマスクによる視覚障害者体験、耳栓による聴覚障害者体験、車いす・高齢者などの疑似体験が盛んに行われるようになった。僕もこういった授業の講師を頼まれることがよくある。さまざまな「生き方＝行き方」をシミュレーションにより経験するのは重要なことであり、想像力を鍛える面でも教育的効果が大きいだろう。しかし、僕は疑似体験、シミュレーション体験が「○○を使えない」レベルで終わっていることに不満を感じている。

　たとえば、目隠しをして30分くらい歩いてみる。これは「視覚を使えない」経験になるだろう。実際に小学校などでアイマスク体験の授業をした後、子どもたちに感想を書いてもらうと、以下のようなコメントが頻出する。「目の見えない人のたいへんさが理解できた」「階段が怖かった」「目の不自由な人を助けてあげようと思った」。「目のありがたさがよくわかった」という感想を読んだ時は苦笑してしまった。

　こういった感想は障害を知る出発点として大切にすべきだと思うが、ここで終わってしまうのは残念である。先述したように、40年間、「お先真っ暗」で生きてきた僕の人生は、「視覚を使えない」不自由だけで満たされているわけではない。「視覚を使えない」部分のみが強調されてしまうアイマスク体験は、障害に対する偏見を助長しかねない危うさを持っていることに注意しなければなるまい。アイマスク体験でも「お先真っ暗」状態にある程度慣れてくると、普段は気づかない音、においなどに対する感覚が研ぎ澄まされる。これは「視覚を使わない」ことから得られる発見だろう。発見の感動を比較的短時間で、効率よく味わってもらえるのが無視覚流鑑賞なのである。

◉ 無視覚流の原点は『平家物語』にある

　2019年11月9日・10日には、神戸の新長田で「無視覚流まちあるき」イベントを実施した。参加者が目隠しをして、「目に見えない風景」を想像するまちあるきは、予想以上に盛り上がった。無視覚流まちあるきイベントは好評で、続編を望む声も多い。参加者は視覚以外の感覚で「まち」の魅力を発見できたようだ。イベントの成功に手応えを感じているが、考えてみれば、江戸時代以前の社会では、夜になると真っ暗というのが当たり前である。その真っ暗な中、僕たちのご先祖様はおとなしく家でじっとしていたかというと、そうでもない。けっこう夜遊びをしていた。

　真っ暗な夜の道を歩く時、視覚は役に立たないだろう。全身の感覚を研ぎ澄まし、音を聴き、においを嗅ぐ。足裏の感覚を頼りに、恐る恐る一歩ずつ前進する。前進運動は、まさしく全身運動だった。江戸時代以前は、無視覚流まちあるきが日常茶飯事だったともいえる。時代を遡れば遡るほど、「暗闇＝視覚を使わない状況」は、ごく身近なものだったのである。

　明治以降、ガス灯が夜の街を明るくする。視覚優位の時代の流れの中で、24時間、365日眠らない、明るい街が現出した。視覚重視の「明るい時代」になると、見落としてしまうこと、見忘れてしまうものが出てくる。その一つの例が、真っ暗な中を歩く身体感覚である。昔は誰もが普通にできていた「探索」歩行の能力が、文明化により退化してしまったともいえるかもしれない。

　もともと僕は日本史の研究者であり、障害者の歴史をテーマとする論文、本を書いてきた。研究の出発点は琵琶法師や瞽女（盲目の女性旅芸人）に関する調査で、今もフィールドワークと文献収集を細々と続けている。『平家物語』は、琵琶

法師によって創造された。琵琶法師は全国各地を旅して、『平家物語』を伝えた。現在、中学生以上の日本人であれば、『平家物語』の存在・内容を知っている。日本人の歴史意識の構築に、琵琶法師は多大な影響を与えたのである。

　源平の合戦は1180年代に繰り広げられる。内乱が終わり、50年も経てば、リアルタイムで合戦を見たという人はいなくなる。当時は写真もDVDもないので、合戦の様子を視覚的に記録するのは難しい。『平家物語』は、琵琶法師たちの音と声で伝承される。彼らの語りは口承文芸、すなわち視覚（文字）を使わない芸能だった。『平家物語』が成立し、大流行するのは南北朝時代である。それから約700年。平曲（『平家物語』を琵琶に合わせて語る芸能）は、琵琶法師の師匠から弟子へ、口から耳へと受け継がれてきた。

　盲目の琵琶法師たちが、視覚を媒介としない情報伝達を得意としたのは当然だろう。音と声を縦横に駆使し、中世の盲人は個性を発揮していたのである。それでは、『平家物語』を聴いて楽しんでいたのは、どんな人々だったのか。南北朝、室町時代には老若男女、貴族から庶民に至るまで、さまざまな階層・世代の人々に『平家物語』は親しまれていた。いうまでもなく、聴き手の大半は目が見えている人である（中世社会には「健常者」という概念はなかった）。

　琵琶法師は自身の声と琵琶の演奏術を磨くのみで、その語りには動画もなければ、画像もない。僕たちのご先祖様、中世の日本人は音と声を聴くだけで、自分が見たことのない源平の合戦の場面を鮮やかに思い描いていたのである。琵琶法師の語りを耳から体内に取り込み、自分で歴史絵巻を想像していたともいえるだろう。中世人は、聴覚情報を視覚情報に変換する能力を保持していたのである。

　近代以降、「より速く、より多く」というトレンドの下、視覚による情報伝達が主流となる。現代人の日常生活は、テレビやインターネット、視覚メディアに支配されている。人類が視覚に過度に依存するようになるのは、さほど昔のことではない。中世日本では、音と声による情報伝達の方が中心だった。

　残念ながら、僕たちのご先祖様が持っていた「見たことがないものを想像する能力」を現代人は失ってしまったのである。画像や映像があふれる今日、想像しなくても、すべてが見えてしまう。本来、見えないはずのものを可視化する技術が「進歩」として礼賛されている。「視覚を使わない」領域で活躍した琵琶法師たちが顧みられなくなり、近代社会において、目の見えない人々は「視覚を使えない」障害者として差別されていく。

　源平の合戦を見たことがないという点で、琵琶法師と聴き手は対等である。語

る者と聴く者、両者の共同作業で画像・映像を完成させるのが、聴覚芸能である平曲の真骨頂といえるだろう。ゆっくりした音と声を耳でとらえ、体内に取り込む。そして、自分の体内で歴史絵巻（見たことがない風景）を創り上げる。これは、まさに無視覚流鑑賞と同じである。中世には、もちろん「無視覚流」という言葉はない。でも、僕は琵琶法師たちの精神を現代に復活させるのが無視覚流鑑賞であると信じている。

　21世紀の若者に「さあ、平曲を毎日聴きましょう」と言っても、先祖返りしてくれる人は少ないだろう。しかし、時には静かに目をつぶり、周囲の音と声に耳を澄ます時間を大切にしてほしいと思う。以上、無視覚流を宣揚する僕の実践の背後には、近代的な「進歩」を問い直す歴史研究者としての信念があることを簡単に説明した。

◉ おわりに ── 「誰もが働きやすい博物館」へ

　本稿の冒頭で、2021東京オリパラで障害に対する世間の関心が高まったとしても、まだまだ健常者の「上から目線」的な要素が強いと、ちょっとひねくれた私見を述べた。いうまでもなく、僕はオリパラ開催に向けて、人一倍大きな期待を抱いている。オリパラは障害のイメージを変えるビッグチャンスであり、その変革を主導するのは僕を含め、数多くの障害当事者だろう。

　では、障害をめぐる最大にして最終の課題は何か。僕が大学に入学した1987年当時と現在を比べてみると、明らかに障害者の修学支援制度は拡充されている。さまざまな障害のある学生が、当たり前にキャンパスライフを送る環境が整ってきた。障害学生の学習権が認められ、点字教材や手話通訳が保障される現状は、日本社会の成熟を示している。

　僕より一世代上の視覚障害者の時代（1970年代）には、点字受験を拒否する大学が数多くあった。「視覚障害があるのなら、一般大学で学ぶのは無理」という常識（？）がまかり通っていた。さすがに僕が大学に入学する80年代後半には、受験拒否はほとんどなかった。あれから30年。今は各大学に障害学生支援室が設置され、多様な障害学生が堂々とキャンパスを行き交う時代となった。

　大学の門戸開放、学習環境の整備が進み、最後に残るのが卒業後の進路拡大である。大学卒業後、障害者たちはどのような仕事をしているのか。僕のような重度視覚障害者の場合、就職・就労問題ではこの30年間、大きな進展がない。マイノリティである障害者が、健常者（マジョリティ）の中で働くのは難しいと僕も実

感している。

周知のように2018年、障害者雇用水増し問題が世間を騒がせた。国の省庁が、実際には雇っていない重度障害者を雇用したとカウントしていた問題である。「日本はいつから、こんなにダメな国になってしまったのか」。僕自身、怒りを通り越して、ほんとうにがっかりさせられた事件だった。なぜ、水増し問題は起きてしまったのだろうか。

本稿の「はじめに」で、ユニバーサル・ツーリズムの話題を取り上げた。障害者が楽しめる、参加しやすいツアーを立案するという発想だけでは、健常者を「ユニバーサル」の流れに巻き込むことはできない。同様に就労でも、「障害者でもできること」を探すだけでは、水増し問題は繰り返し発生するだろう。単純な話で、障害者にもできるが、健常者でもできることなら、多くの企業は健常者を雇いたいのが本音である。「障害者だからこそできること」をどれだけ提案していけるのか。ここが障害者の就労問題を改善する突破口になると思う。

この10年余、ユニバーサル・ミュージアム（誰もが楽しめる博物館）の具体化は、日本の博物館・美術館にとって大きな課題だった。2021東京オリパラに向けて、障害者・高齢者・外国人など、多様な人々をお客さんとして受け入れる態勢は整ってきた。次に取り組むべきなのは、働く仲間として、どうやって、どこまで障害者を認めていけるのかということだろう。

残念ながら、現状では日本の博物館において、全盲者、ろう者などが雇用される例はない。世界的にみても、視覚障害者の学芸員はほぼ皆無である。幸か不幸か、たまたま僕は博物館で仕事をしている。誰もが楽しめる博物館の実現を標榜し、ささやかだが、それなりの成果を積み重ねてきた自負はある。今後10年の課題は、誰もが働きやすい博物館を拓くための意識改革だろう。以上、この場を借りて、僕の決意表明、「博物館から社会を変える」意気込みを読者にお伝えした。

2016年に「障害者差別解消法」が施行され、合理的配慮の提供が義務となった。ところが、大学や企業などの事業体にとって「過重な負担」となる場合、合理的配慮は提供しなくてもいいとされている。では、過重な負担とは誰が、どんな基準で決めるのか。ここが曖昧なため、差別解消法施行後5年が経過するが、障害者の雇用・就労面で大きな変化はみられない。合理的配慮が法律に明記された結果、「合理的排除」を惹起しかねない状況が生まれているのは皮肉である。「合理的配慮＝過重な負担」が言い訳として使われる現状を打破しなければ、差別解消は絵に描いた餅で終わってしまうだろう。

　本稿では、単独歩行のエピソードなど、僕の体験談を通じて、障害者は「未開の知」の持ち主であることを実証してきた。20世紀、人類は「未開の地」を征服する。21世紀の今日、地球上に未開の地はなくなった。今後、人類は未開の知を開拓していかなければならない。この未開の知は、人間の身体に眠っている。全盲者の五感活用術からもわかるように、障害者の日常は未開の知の宝庫ともいえる。就労問題において、「障害者だからこそできること」を提案するための手がかりとなるのも未開の知なのである。

　ユニバーサル社会を築く基本理念として、未開の知を共有できる同志を増やしたいと切望する。今後、僕が担当する大学の授業、一般向けの講座では「未開の知」をキーワードとして、就労をはじめ、今日的な社会現象に鋭く切り込んでいくつもりである。さあ、2021東京オリパラの先へ！

＊　＊　＊

　さて、いよいよこれから多彩な執筆者（特別展「ユニバーサル・ミュージアム」の協力者）があの手この手を駆使して、「未開の知」を開拓する旅が始まる。僕たちとともに、読者のみなさんにもエキサイティングな旅を楽しんでいただくための指針として、以下に「ユニバーサル・ミュージアム」の六原則を提示したい。ユニバーサル・ミュージアムを探索する旅の途中で、「この道を行けばどうなるものか」と迷った際は、六原則に立ち返ってもらえれば幸いである。

　なお、2009年以降、僕は「障害／健常」の二項対立、近代的な人間観を乗り越える目的で、「触常者＝触覚に依拠して生活する人」「見常者＝視覚に依拠して生活する人」という新たな概念を用いてきた。「触常者・見常者」の異文化間コミュニケーションを促進することが、ユニバーサル・ミュージアムの重要な機能・効果である。本図録においても、複数の執筆者が「触常者」「見常者」の呼称を積極的に使っている。障害と健常を隔てる「／」、触常と見常をつなぐ「・」の意味の違いに注意しつつ、図録の各ページの写真・文章にじっくりさわるような感覚で、探索型の読書を味わっていただきたい。迷わず行けよ、行けばわかるさ！

■「ユニバーサル・ミュージアム」の六原則

1．誰がさわるのか（who）

障害の有無、国籍などに関係なく、老若男女、すべての人が"さわる"豊かさと奥深さを味わうことができる。

→ 単なる障害者サービス、弱者支援という一方向の福祉的発想を乗り越え、新たな「共生」の可能性を提示するのがユニバーサル・ミュージアムである。

2．何をさわるのか（what）

手で創られ、使われ、伝えられる「本物」のリアリティを体感できない時は、質感・機能・形状にこだわり、"さわる"ためのレプリカを制作・活用する。

→ さわれない物（視覚情報）をさわれる物（触覚情報）に変換する創意工夫の積み重ねにより、日々発展し続けるのがユニバーサル・ミュージアムである。

3．いつさわるのか（when）

人間の皮膚感覚（広義の触覚）は24時間・365日、休むことなく働いており、自己の内部と外部を結びつけている。

→ 展示資料に"さわる"行為を通じて、身体に眠る潜在能力、全身の感覚を呼び覚まし、万人の日常生活に刺激を与えるのがユニバーサル・ミュージアムである。

4．どこでさわるのか（where）

"さわる"研究と実践は、博物館のみならず、学校教育・まちづくり・観光などの他分野にも拡大・応用できる。

→ 両手を自由に動かす「能動性」、多様な感覚を動員する「身体性」、モノ・者との対話を楽しむ「双方向性」を促す場を拓くのがユニバーサル・ミュージアムである。

5．なぜさわるのか（why）

世の中には「さわらなければわからないこと」「さわると、より深く理解できる自然現象、事物の特徴」がある。

→ 視覚優位の現代社会にあって、サイエンス、アート、コミュニケーションの手法を駆使して、触文化の意義を明らかにするのがユニバーサル・ミュージアムである。

6．どうさわるのか（how）

「優しく、ゆっくり」、そして「大きく、小さく」"さわる"ことによって、人間の想像力・創造力が鍛えられる。

→「より多く、より速く」という近代的な価値観・常識を改変していくために、"さわる"マナーを育み、社会に発信するのがユニバーサル・ミュージアムである。

総論

わあわあ対話が生まれる博物館 ── 権威主義をぶっ壊せ！──

_____

小山修三

◉ 博物館が大嫌い

　博物館を目の見えない人がみる、というと、なんで？ となる人は、まだまだ多いように思います。そのような人にとって博物館というのは、ガラスケースのなかに大事なお宝が飾られ、威張った説明が付いており、それを黙って眺めるだけ、というものでしょう。これは視覚障害者の切り捨てに他ならない。

　私は権威主義的な博物館が大嫌いです。そんな博物館は滅びるしかないでしょう。

　私たちが進めている「ユニバーサル・ミュージアム」というのは、そのような権威主義的な博物館ではなく、誰もが楽しめる博物館です。私がこれまでに関わってきたことを中心に、ユニバーサル・ミュージアムの試みについてお話ししたいと思います。

◉ 世界をみてまわる

　私は1976年に国立民族学博物館（以下、民博）に就職しました。それまでは、アメリカで考古学をやっていました。コンピューターを使って統計的に縄文時代の人口を調べるという研究です。民博に入ったのも、コンピューターを活かした研究をせよ、ということでした。考古学を専攻していましたが、物を細かく調べていくということはもともと好きじゃなかった。だから博物館も嫌いだったのです。

　民博に入ったら、初代館長の梅棹忠夫さんに、世界を見てこいといわれました。それから、自分のフィールド探しもかねて、出張のさいには博物館を訪ねるようにして、ちいさな地方博物館も含めて、世界の博物館を訪ねあるきました。そのレポートは、民博の広報誌『月刊みんぱく』に、79年4月号から14回にわたって掲載されています。

　なかでも印象に残っているのは、スウェーデンの博物館です。

　この北極圏のちいさな町、ヨックモックの町立博物館はサーミの伝統文化を守

り、広めていくための博物館です。この博物館では、ケースに物を陳列するだけではなくて、わざわざ手づくりで「下手な」展示を加えていました。そこは他の展示物と比べると見劣りがするのですが、展示だけではなくて、なまの言語をテープに記録して蓄積したり、ふるい絵や写真を集めてカタログをつくったりしていました。そして地域の現在の問題を住民に考えさせるための特別展を行っていました。たとえばトナカイの天敵である外来のオオカミを、駆除するのか保護するのかという問題をとりあげたときは、展示品は撃ち殺したオオカミの剥製ひとつだったといいます。政府をまきこんだ公開討論会を行ったので、町の多くの人が博物館を訪れたそうです。そういうところまで突っ込んでいる。さすがだなあと思いました。手づくりの展示の拙劣さと、その理想との差に、驚きました。こういうことを一生懸命やろうとしている人、やろうとしているグループがある、博物館の視野の広さを感じました。一方で、これからの博物館というのは、大変だなあという気がしました。1979年ごろの話です。

　もう1つはオーストラリアの先住民族・アボリジニの博物館です。オーストラリアでは1970年代に、アウトステーション運動といって、アボリジニを元の本拠地に返して生活をさせようという動きが盛り上がりました。私がオーストラリアに行ってアボリジニの研究を始めたのは80年代、アウトステーション運動も一応落ち着いて、アボリジニの芸術を表面に押し出して美術市場をつくろうという動きがでてきました。その中心となったのがマニングリダという町で、熱心な急進的な人が集まって、博物館をつくるという計画がすすみはじめていました。

オーストラリア・マニングリダのアート＆クラフトセンター
（1995年、小山修三撮影、国立民族学博物館蔵）

マニングリダのジョミ博物館外観
(2004年、小山修三撮影、国立民族学博物館蔵)

　アボリジニの物に対する考え方は、我々とは全然ちがいます。ふつう、博物館として資料を受け入れたら、それはずっと守るべき宝になります。アボリジニの人々は、そういう考えはまったく持っていません。祭りのためにつくった物は、祭りが終われば捨てるというのが基本です。終われば全部なくしてしまうべきだ、というのが彼らの基本思想です。「これはすごい」というような物を、物としてずっと持っていようという気はないのです。集めることよりも、村の芸術振興のために売るということに目的が移ります。

　その結果、いいものはキャンベラやシドニーなどの白人のいるところに集中するようになります。民族的な絵画や彫刻作品が「商品」として洗練され、そういったものが集まったところは、博物館というより「美術館」に近く、それもなんだかなあと感じました。

　あとは、ローマですね。町中が博物館みたいなところです。ここではどういうふうに人を集めるのか、また遺跡や遺物をどう活用するかというようなことを、ずいぶん考えています。

　基本的には私はやはり、アメリカの小さな町の人が、そこらで使っていたものを一生懸命復元して、食べ物まで入れて博物館をつくっているという動きに惹かれます。

　そうやって世界をみるにしたがって、博物館に対する考えが徐々に変わっていきました。しかし、民博在職中は、アボリジニの調査・研究に打ちこんでいたので、博物館のあり方というような問題意識にはまだ及んでいませんでした。

● 吹田市立博物館で「さわる」展を開催

　民博を定年退職したあと、2004年から吹田市立博物館（以下吹博）の館長になりました。そこで最初に感じたのは、けっこうお金はかけているのに、とにかく人が来ないということ。それもそのはずで、このころは、展示品をガラスケースに入れて陳列し、だまって鑑賞しろという、このころの日本の博物館と同じもので、特に地方博物館というのは、どこもこのような状態でした。権威主義的な博物館の最盛期だったように思います。こんな上から目線の博物館ではダメだと思っていろいろ考えているうちに、昔スウェーデンで感じたこととか、アボリジニのまちで感じたこと、あるいはふるさとの四国で土器を拾っていたころに感じていたことが、だんだんよみがえってきました。そのため、私は「さわる」展示ということに力をいれはじめたのです。

　しかし学芸員の反応は冷たいものでした。みんな少しはその気があるのですが、旧来の教科書通りの考え方にとらわれていたのです。とくに、これほど規則に縛られるのかと思ったのは、レプリカです。レプリカは、文化財そのものではなく、つくり直しがきくのだから、実は何をしてもよいはずです。しかしいったん飾られると、とたんに「さわったらダメ」となる。さわれないほうがおかしいよ、自由にさわれるようにしたい、といって学芸員を説得してまわりました。

　そのときに、民博で「さわる」を主題とした企画展を構想中だった広瀬浩二郎さんに声をかけたわけです。広瀬さんは、民博に就職されたのが2001年で、同僚として民博で一緒に働いた期間は一年ほどでしたが、その間も、点字パンフレットのリニューアルや広報誌の音訳版発行などを提案し実行していました。新しい博物館にするためには、広瀬さんの協力が絶対に必要だと思ったのです。

　吹博では当時、特別展を春・秋の二回おこなっていました。その間隙を利用して、2006年に実験展「さわる ── 五感の挑戦」を開催しました。その年は民博でも、広瀬さんによる企画展「さわる文字　さわる世界 ── 触文化が創りだすユニバーサル・ミュージアム」と、それに関する国際シンポジウム「ユニバーサル・ミュージアムを考える～"つくる"努力と"ひらく"情熱を求めて～」が開かれ、ユニバーサル・ミュージアム運動にとっては大きな節目となる年でした。このときにどのような展示をしたか、また国際シンポジウムの内容は、広瀬さんの編集による『さわって楽しむ博物館』にまとめられています。

　このときの成果をひとついうなら、大きな仏像のレプリカを横に倒したことです。そういうことは楽屋裏では平気でやっているわけですが、いったん展示場に

出すとさわらせない。これを、えいやっと展示場で倒してみたのです。そうすると
とみんな寄ってきます。そして、さわってみると、いろんな鑑賞ができる。広瀬
さんは、「顔の方は埃をかぶっている。そこをさわったときに、この仏様はさわっ
て埃を落としてもらって嬉しいんじゃないかな」と感想を語ってくれました。

吹田市立博物館「さわる─五感の挑戦パートⅤ」でさわる展示を楽しむ
来館者（2010年、藤田京子撮影）

　いままで、私たちは博物館での鑑賞法というのはひとつしかないと思っていま
した。見るしかないと。しかし鑑賞法はひとつではない。ここでその可能性は広
がったと思います。広瀬さんにはよくいいますが、広瀬さんやユニバーサル・ミ
ュージアム研究会に集まる仲間たちと一緒にいると、アボリジニと付き合ってい
るみたいに思うのです。彼らの話、鑑賞法やものの捉え方には、「えっ、そんな見
方あるの」「こんなに違うの」と驚きます。
　複数の鑑賞法というのが、博物館や美術館にはあるはずです。「正しい鑑賞法は
これだ」というふうにやると、見せない、さわらせない、ということになります
が、それ以外のこともやりながら楽しめるという余裕が、はじめて日本の博物館
にも出てきたと思いましたね。

● ユニバーサル・ミュージアム研究会をたちあげる

　吹博の「さわる ── 五感の挑戦」は、パートⅤまで5年続け、2011年には特別
展として「さわる ── みんなで楽しむ博物館」を開催しました。このときは五月
女賢司さんの奮闘で点字・触図つきの「さわれる」図録をつくりました。そして、

広瀬さんは2009年には二回目の企画展「点字の考案者ルイ・ブライユ生誕200年記念・・・点天展・・・」を開きます。

　そのようななか、2009年度には、視覚障害者をはっきりと視野に入れた博物館のあり方をより組織的に研究するために、科学研究費補助金を得て、仲間と研究会をはじめました。研究会の今にいたる活動は、本書第7章で原礼子さんが詳しく紹介しています（p.210「ユニバーサル・ミュージアム研究会は何を目指すのか」）。

　この研究会も、10年を越えました。長続きするのは、誰かが「今度これやります」といったら、「ああそんなのあるの」と次々に関心を持って人が集まってくる、という意欲の高さがあるからです。

　あとは、視覚障害当事者の向き合いかたを知ったことですね。彼らに、見えないから鑑賞できない、という思いはまったくありません。たとえば、研究会に初期から参加している半田こづえさん。若いころから欧米を中心に、世界各地のミュージアムを訪ねておられます。経験・知識が豊富で、まさに手による鑑賞のエキスパートです。フランスの美術館で半田さんが学芸員の許可をえて彫刻作品にさわって鑑賞していたら、周りの健常者がうらやましがって集まってきたそうです。三内丸山遺跡の収蔵庫室で縄文土器をさわった時も、やさしく抱きかかえて、土器に話しかけるような雰囲気で、丁寧に触察していきます。同じように土器と対話するといっても、半田さんのマイルドな接し方と、広瀬さんのようなワイルドなさわり方はずいぶん違っていて、興味深いですね。

　ところで、広瀬さんについては、民博の梅棹研究室の方に聞いた、このような話があります。あるとき、民博が停電になった。部屋が暗くなってみんなはあたふたしているのに、広瀬さんはひとり風のように去っていったという。杖を突いてすっと。これを聞いたときは「そういうスーパーマンもいるんだ」と思いましたね。梅棹さんにしても、65歳をすぎて失明してからは、音で時刻を知らせる時計を操作するのにも難儀していました。それをみて広瀬さんも安心したのか、「さすがの梅棹先生も、完全ではなかった」といって（笑）。

　私と広瀬さんの間に、梅棹さんがいるというのもおもしろいことです。もともと民博というのは、すべての展示物をさわってもらえという梅棹さんの理念からつくられたものです。いまはどうも、「そればかりやっていたらつぶれる」「博物館のあるべき姿はそうではない」という方向になっているようです。それは憂うべきことだと思います。

● 多様な見方をわあわあ議論する

　たとえばロダンの人間がいっぱい並んでいるような彫刻。これらは視覚障害者には見えるはずがない、わかるはずがないという人がいます。しかしそれはその人がそう思うだけで、私たちの想像というのは無限に広がるところがあるのです。そのことは当事者と話しているとわかるのです。たとえば、生まれついて全盲の小原二三夫さん。彼と話していると、色もイメージできます。なんにもおかしいとは思ってない。

　2016年に刊行した第二次研究会のまとめ『ひとが優しい博物館』で紹介した小原さんの言葉です。

　「私は色も見たことないし、絵も見たことがないんです。ただ、どういうわけか若いころから、油絵とかにはさわっていました。チャンスがあったらやっぱりさわりたいんですよね。最近美術館に行く機会も増えたので凸線や立体コピー、言葉による解説によってイメージできる範囲が広がっているのは確かです」

　「色は、私は見たことないですよ。それでも、少しずつ自分なりにイメージできるようになりました。例えば薄い青とか、濃い青とかでいろいろ描いてあるというと、なんとなく頭のなかにイメージが浮かんでくる。私は絵をそれなりに理解して楽しむこともできるし、色についても一緒だという気がします」

　見える人が、あなたこう見えないから悪い、というのはおかしいでしょ。その人が心の中でわかっていることなのだから。色の問題に突き当たったときに、そう思いました。やっぱり私たちが考えるよりずっと踏み込んでいるのです。

　また、見える・見えないという程度でも人によってさまざまな差があります。盲目の人でも、生まれたときからの方や、中途失明したときの年齢や、弱視の程度などの差があり、ほかに色弱、色盲などの色覚障害の人もいます。いろいろ違っていて、これはこれと階層わけはできないのです。それが人間の油断のならないところです。

　研究会の当初は、私の人脈で、考古学系の人の参加が多かったですが、理論より実践を重んじようと、博物館に関心をもつアーティストにも呼びかけました。それでも、基本は立体物をさわるということでしたが、最近は美術館の人が増えてきて、絵画とか二次元のものを、色も含めて、さわることによってどう理解できるのかというところに議論が進んできました。

　二次元のものをどうさわってもらうかというのは、立体物よりはるかに難しいことです。美術館としてはつらいはずです。しかしみんなが出してくるいろんな

プランを聞いていると、ほんとうに熱心に考えています。考えを止めてしまうと、色なんてさわってもわからないし平べったいし、というので、美術館は見える人のものだというふうになってしまいます。ここはやはり大きな問題を抱えているのかなと思います。

　少し前は、絵を触図や立体コピーにしたり、あるいはレリーフにするということが試みられましたが、今はそれにとどまりません。見える・見えないを越えて対話していくというのが重要でしょうね。最近は、今回の展覧会がそうであるように、自由な発想のアーティストが入ってきてどんどん飛躍していく。それがいいことだと思うのです。

　結局、時代時代に生きている人の願いや希望みたいなものは、わあわあ話をしながら出てくるのだろうと思います。「こうだ」とは言えない。対話がなかったら始まりません。これだけ多くの見方があるということを、この研究会の成果として分かってもらう。そのことの意義は非常に大きいでしょう。（談）

【参考文献】
国立民族学博物館編『月刊みんぱく』1979年4月号〜1980年3月号、10月号、1986年8月号
五月女賢司編『さわる：みんなで楽しむ博物館：平成23年度（2011年度）秋季特別展』吹田市立博物館、
　　2011年
広瀬浩二郎編著『さわって楽しむ博物館 —— ユニバーサル・ミュージアムの可能性』青弓社、2012年
広瀬浩二郎編著『ひとが優しい博物館 —— ユニバーサル・ミュージアムの新展開』青弓社、2016年

総論

鑑賞と制作の新たな地平

――――――

半田こづえ

1. はじめに

　筆者はユニバーサル・ミュージアム研究会（以下UM研と略す）に参加する中で、「手でみる」ことと「手で作る」ことの間にある豊かなつながりに気づかされた。それは、高度に分業化された社会に住む我々が忘れているだけであって、当たり前のことなのかもしれないのだが、視覚を使わずに物の本質を理解しようとする筆者に、新たな可能性を感じさせてくれた。例えば、縄文時代の土器の欠片を手に乗せてそっとさわると、それを作り大切に使っていた人たちと、物を通して出会ったように感じられる。その時、考古学の知識も役に立つが、作ったり使ったりする体験が豊富であればあるほどその物の持っている物語が分節化され、対話が立ち上がってくる。現代のミュージアムでは、視覚に訴える展示を基本としてきた。その結果、展示を眺めたり説明を読むといった受動的な鑑賞法が一般的になった。これに対して、自らの手を動かして物を作る体験は、鑑賞者の能動的な関わりを要請する。そのような体験を通して、その物に関する本質的な問いが生まれ、鑑賞が深まるのではないだろうか。手で作り、手でみる鑑賞のあり方は、視覚障害者（以下触常者と表記する。「触常者」「見常者」という語については、広瀬浩二郎氏による本書総論参照［p.22］）に限定されない可能性を有しているかもしれない。このような考えを共有するUM研のメンバーが総力を結集して開催したのが以下に報告するワークショップである。

　UM研は科学研究費の助成を得て、2018年に「触察の方法論の体系化と視覚障害者の野外空間のイメージ形成に関する研究」に着手した。このワークショップは、その研究の一環として開催されたものである。

2. 実験ワークショップ「素材の言葉、形の言葉」の概要
（1）ワークショップの趣旨

　UM研における議論を通して整理されたことの一つは、視覚と触覚では得意分野が異なることである。視覚は一度に全体を見渡すことができ、沢山の情報を得

ることができる。しかし、情報量があまりにも多いため、我々は気づかない内に
情報を選択し、見ようと思う物しか見ていないという制約がある。一方触覚で一
度に認識できるのは、指先や手のひらの範囲であり、情報量が少ない。しかし、
物から直接感じられる情報には確かな手ごたえがあり、対象が生き物であっても
物であっても、その生命観のような感覚と深く結びついている。子どもは見えた
物に、必ずと言っていいほど手を伸ばしてさわろうとする。おそらく彼らは、見
ただけでは満足できない、何か「いのちの感覚」のような物を感じようとしてい
るのではないかと思うことがある。一度に得られる情報量が少ないという触覚の
持つ制約と折り合いをつけるためには、得られた情報をばらばらにならないよう
に記憶し、頭の中でつないで、一つのまとまりのある形（これをイメージと呼ぶ
こととする）として思い浮かべなければならない。そのような認識の仕方には、考
えながらさわるトレーニングが必要である。手を使って仕事をする人たちや触常
者は、長い時間をかけてそのトレーニングを積んでいるのだと思う。

　ミュージアムという場では、視覚を補う物として触覚が取り入れられることは
あっても、触覚の持つ可能性を活かす方法はあまり考えられてこなかった。しか
し、そこに展示されている物の多くは、手を使って作り出された物である。もし、
来館者がその過程を少しでも体験することができたなら、より深い見方ができる
ようになるのではないだろうか。

　そこで、このワークショップでは、参加者が充実した体験を得ることを第一と
しつつ、まず形象土器の作品を鑑賞し、次いで土器を作り、再び作品鑑賞をする
というプロセスを経る中で、制作体験が鑑賞にどのように活きてくるかを一つの
研究として確かめることを目的とした。

（2）開催場所と開催時期

　本ワークショップは、滋賀県立陶芸の森において、2018年6月24日から9月
24日まで開催されていた特別企画「世界の形象土器展」の会期中、7月15日に
実施された。この特別展には、1990年代に同館がアジアやオセアニア、中南米
の村で現地調査をして収集した所蔵品の中から、8カ国の130点が展示され、実
物の土器に触れて鑑賞できるコーナーも設けられ、親子連れの来館者が作品に楽
しそうにさわっている姿が見られた。

(3) 鑑賞対象作品

同館のスタッフにより、可能な限り異なる国の土器の中から、技法・形・テクスチュア・表現方法が異なる8点の作品が鑑賞作品として選ばれた。このうち、《燻製づくりのための容器》《ごとく》《鉢》《座った馬》《シーサー》の5点は展示室に、《サゴヤシデンプン貯蔵用大壺》《象（ハティ）》《鳥》の3点は茶室に展示された。

《ごとく》　　　　　　　　《鉢》　　　　　　　　　《座った馬》

《サゴヤシデンプン貯蔵用大壺》　《象（ハティ）》　　　　　《鳥》

《燻製づくりのための容器》　《シーサー》

（4）参加者

　参加者は、全体で31名であった。参加者を募集する際、このワークショップで行われる研究の趣旨を説明し、3つの参加形態の中から希望する形態を選んでもらった。第1の形態は、鑑賞の様子を録画・録音させてもらう被験者で、触常者5名と見常者5名、合わせて10名であった。第2の形態は、鑑賞中の様子や会話を記録する記録者5名。第3の形態は、鑑賞と制作をともに体験する見学者16名であった。

　被験者10名（A氏からJ氏）は二人一組で作品を鑑賞した。以下に簡単に被験者のプロフィールを紹介する。

第1ペア：A氏は弱視の方で、B氏は見常者である。A氏は、作品の全体像を目で見て確認し、細部をさわって鑑賞していた。制作はあえて目を使わず手の感覚だけで行なったそうである。二人には、アーティストであるという共通点があった。

第2ペア：C氏は全盲の方で、D氏は見常者である。二人には、ミュージアムに関わる仕事をしているという共通点があった。

第3ペア：E氏は全盲の方で、F氏は見常者である。E氏は、美術館に行くのは仕事を含めて1年に2、3回程度であり、作品を制作するのは学校を卒業して以来ということであった。一方F氏は、美術に関する知識も経験も豊富であった。

第4ペア：G氏は全盲の方で、H氏は見常者である。第3ペアとは逆に、G氏の方が美術館に行く回数も多く、作品の制作が好きであった。一方のH氏は、自分から進んで美術館に行くことはなく、制作はちょっと苦手ということであった。

第5ペア：I氏は全盲の方で、J氏は見常者である。第3ペアと同様、I氏は進んで美術館に行くことはないが、一方のJ氏は美術にかかわる知識も経験も豊富であった。

（5）ワークショップの流れ

　当日の朝、まず全員で「世界の形象土器展」の担当学芸員から特別展についての講演を聞いた。その後、展示室と茶室に移動し、作品を鑑賞した。

　続いて創作室に移動し、作品から受けた印象を元にオリジナル土器を制作した。各ペアに一人ずつ同館の「陶芸家講師」がついて、道具の使い方などをアドバイスしてくださった。事前に、このワークショップの目的は、良い作品を完成させることではなく、土に触れ土器を作る体験がどのように鑑賞に活きてくるかを知ることであると伝えられていたため、サポートは、参加者のペースを尊重した控

展示室での1回目の鑑賞風景

制作風景

2回目の鑑賞風景

えめなものであった。

　制作が終了した後、参加者全員でそっと作品にさわって鑑賞した。そして展示
室に戻り、再び形象土器を鑑賞した。

　ワークショップ終了後、被験者は一人ずつインタビューに答え、更に1年後、

陶芸の森で焼成された作品を返却した際にも、再びインタビューに答えてくださった。

3. 鑑賞中に交わされた会話とインタビューから見えてきたこと

　この研究の目的は、制作体験が鑑賞にどのように活きてくるかを知ることであった。しかし、実際にワークショップを行なって、参加者の声を聞いてみると、鑑賞を深めるうえで大切なことがこのほかに二つあったことがわかってきた。一つは、作品を目で見るだけでなく、じっくりさわったり考えたりする鑑賞方法の効果である。もう一つは、見ることを常とする見常者とさわることを常とする触常者が、相手の言葉に耳を傾けながら作品を鑑賞することから生まれる相乗効果である。以下、順に述べる。なお本稿では、結果の詳細なデータは、紙数に限りがあるため省略する。

（1）制作体験の影響

　ICレコーダーで録音した2回の鑑賞中の会話の分析にあたっては、家族や友達同士の博物館での会話を分析した、FienbergとLeinhardtの分析の枠組みを参考にした^(注1)。8点の鑑賞対象作品のうち、展示室に展示されていた5作品を分析の対象とした。また、録音された会話が細部まで聞き取れなかった第5ペアの会話は、やむなく分析から除外した。4組の会話をすべて文字化し、記録者の記録と照らし合わせ、言葉と身体の動きが分かる記録（トランスクリプト）を作成し、インタビューの回答は項目ごとに整理した。

　分析の結果、形象土器を鑑賞しながら交わされた会話には、〈イメージの形成〉〈評価〉〈展開〉の3つのタイプが見られた。

　〈イメージの形成〉カテゴリーは、「これは馬ですか?」「そうです。馬です。」のように、鑑賞を始めたばかりの時に現れる確認のための会話ばかりでなく、作品の形や模様などについて交わされた会話である。

　〈評価〉カテゴリーは、「変な顔」「なかなかいいな」といったように、作品に対する肯定的・否定的な評価に関する会話である。

　〈展開〉カテゴリーは、先行研究において注目されているカテゴリーで、作品についてお互いに気づいたことや考えたことを話し合う、長めの会話である。例えば次のような会話がこれに当たる。

　「この穴はどうやって開けたんでしょうね。」

「穴はこっち（外側）から開いてますね。内側をさわると分かります。」

「中がちょっとでっぱってるんですか？　あ、すごい、本当だ。」

「穴の大きさが微妙に違いますよ。」

「大きい小さいがありますね。」

　〈展開〉の会話は、2回目の鑑賞で顕著に増えていた。そこで、その内容を会話のテーマとその話され方の二つの観点から整理すると、会話のテーマは主に4つあり、【作品の造形的な質】【作品の機能】【作品の制作過程】【作品の社会文化的文脈】であった。このうち2回目の鑑賞では、【作品の制作過程】についての会話が特に増えていた。

　また、4つのテーマについてどのように話されていたのかをみると、【分析】【合成】【解釈】の3つの話され方があった。【解釈】は、「どのように」「なぜ」という疑問に対してその答えを探し、作品の意味を探求しようとする会話であり、先行研究では、作品の理解が深まったことを示すと言われている。本研究で言うと、例えば《燻製づくりのための容器》を1回目に鑑賞した際、交わされた次のような会話がその例である。

「どうやって作るんだろう？」

「煙でいぶすのかな、中に食べ物を入れて、ここのところでつるしておいて。」

「そうか。ううん。でも、何で顔があるんだろう？」

　2回目の鑑賞では、どのペアにおいても【解釈】カテゴリーが増えており、第3ペアと第4ペアでは、2回目の鑑賞ではじめてこのカテゴリーに当たる会話が現れた。このように2回の鑑賞は会話の面からみるだけでも質が異なっていた。

　次にインタビューの語りから考えてみたい。以下に紹介する2つの語りに見られるように、制作体験を挟むことによって、鑑賞過程に関心が寄せられるようになっただけでなく、形象土器を生み出した人々の暮らしや文化にまで関心が広がっていた。

「自分で制作をしてみて、穴を開けたり点をつけたりして装飾をしたんですが、装飾をするというのは難しいし、技術のいることだなというのを自分がやってみて実感したので、2回目の鑑賞の時は、その装飾の部分に意識が向きました。1回目の時は、装飾は「あ、飾りだ」程度だったのが2回目の時は、「これはどうやって、いつの段階でつけたんだろう」というのが気になったので、制作体験を挟むことによって注目するポイントが変わったというのが発見でした。」（C氏）

「1回目は全体の形を捉えることくらいしか関心がなかったんですけど、2回目は細かな模様とか、厚みとか、作り手の苦心とか、工夫がとても想像できました。形象土器がなぜ作られたのかわからなかったけど、顔とか動物とかをあしらった道具を作ることによって、道具への愛着がよりわくんだなと感じたし、なにかこう、たとえば生活に必要な火を扱う道具とか、食べ物を保存するものとかにそうした精霊をあしらったものを使うことで、なんかこう、より守られている感があるのかなと、作っている人がね。すごく精神が宿る感覚が、すごく魂が宿る、っていうんですかね。そういう感じをおそらく持っていたのではないか、とね。」（E氏）

(2) 「さわって考える鑑賞」の効果

　見常者の語りにおいて特に言及されたのが、普段体験することのなかった「さわって考える鑑賞」の方法についてであった。以下にその例を2つ紹介したい。

「展覧会全部を見渡すのではなくて、予め絞り込まれた作品を目で見るだけでなく、さわったり対話をしたりして、じっくり見る時間があって考えることができたこと、沢山数を見るよりもかえって深く見ることができたかなと思っています。」（D氏）

「いつもだと全部見て憶えてなくて、紙を見て、「あ、こんなのもあったな」という感じなんですけど、今「どれが良かったですか？」と聞かれてもぱっと浮かぶので、さわったりそれについて考えたりお話をしている分、印象に残ってるんだなという感じがします。」（H氏）

　さらにこれらの語りにも述べられているように、対話をすること、すなわち相手の話に耳を傾け、その内容を考え、今度は自分の考えを相手に伝えるという行為が、鑑賞を記憶に残る楽しい活動にしていたこともわかってきた。

(3) 触常者と見常者がともに作品を鑑賞することから生まれる相乗効果

　そこで、その点を1年後のインタビューの語りから見てみたい。

　本ワークショップから1年が経過した2019年7月13日、焼成された作品を参加者に返却し、1年前のワークショップについてどのようなことが記憶に残っているかを尋ねるインタビューを実施した。その中で、もっとも印象に残っている

ことの一つとして語られたのが、触常者と見常者が二人で鑑賞することから生まれる相乗効果であった。それは、触常者、見常者ともに共通していた。

　「やっぱりペアで鑑賞したっていうのが楽しかったし、たぶんお互いにとって得るところがあった。どちらかというとあの、僕は対話型って嫌いで、とくに美術作品の場合ひとりで静かに見てさわって、いろいろ想像したりするのが好きなんですけど、相乗効果で、色とか視覚的な印象をDさんから伝えてもらって、僕は僕でさわって気づいたことをDさんに伝えて、お互いに確認しあうというプロセスがあるなかで、お互いの鑑賞がすごく深まった、という印象があるので、二人で鑑賞するっていうことの楽しさであり、可能性みたいなのっていうのが印象に残ってますね。」（C氏）

　「自分だけだと自由なのですが、自分の好きなことしか見ないので、ワークショップという枠組みで誰かとペアで作るとなると制約がかかるので、自分が見ていない方向からの情報も素直に受け入れられたなと。一緒にいる方からではなく、音声ガイダンスだけとか、声だけとか文章だけからだと、同じ情報でも聞いていないと思うんですね。誰かと一緒に歩けば、その方の言っていることを重要ととらえられる。やはり1対1というのはなかなか普通の条件ではとれない。美術館や博物館にこういう鑑賞のワークショップを申し込んでも、5人か10人の団体にひとり視覚障害者が加わるといった状況しか作れない。1対1で話すことができたら、障害がどうとかじゃなくて、この人が何を考えているか、視覚障害者だからこう考えているとかではなく、その人が考えていることが見えてくる。そのほうが本当は正しいと思う。そう思うと、今回のワークショップはすごく贅沢な内容だったと思いますね。」（B氏）

　このような相乗効果が生まれる条件についてのさらなる検討は、今後の課題としたい。今回のワークショップでは、1対1の人間どうしの関係が、視覚障害者対健常者という既存の枠組みを超えて、新たな見方への道を開いていく一つの条件となったと思われる。

4. おわりに

　広瀬浩二郎氏はこのワークショップを振り返って、「"つくってさわる"過程を経ることで、鑑賞がより深まるという事実を検証できたのが、今回のワークショ

ップの大きな成果である。」と述べている ^(注2)。1年後に行なったインタビューを合わせて考えると、鑑賞の深まりをもたらす活動として、制作体験に加えて他者と協働することの可能性が見えてきたと思う。他者と協働するということは、会話を交わしたり、ともに鑑賞や制作を楽しむことだけを意味してはいない。中には会話が得意でない人もいる。制作が苦手な人も鑑賞に関心がない人もいるであろう。ミュージアムという場で様々な人たちが、作品やその場にともにいる人たち、さらには光や空気などと往還する中で、何かが静かに変化していく、その変化は数値や言葉では表現しきれないものであるのだが、その僅かな手掛かりをこの小文から読み取っていただけたら幸いである。

　最後に、本ワークショップにご参加くださった皆様、研究にご協力くださった皆様、そしてワークショップの開催を陰で支え、応援してくださった滋賀県立陶芸の森の皆様に心より感謝申し上げます。

【注】

1 Fienberg, J., Leinhardt, G. (2002)　Looking Through the Glass: Reflections of Identity in Conversations at a History Museum, in Leinhardt, G. Crowley, K. Knutson, K (eds), Learning Conversations in Museums, Routledge, New York, London, pp.167–211

2 広瀬浩二郎「暑さに負けぬ熱さを」『日本経済新聞』2018年8月7日夕刊

0

試触コーナー ―なぜさわるのか、どうさわるのか ―

An Introduction of Tactile Culture: Various Reasons and Methods for Touching the World

出展作品によせて

無視覚流鑑賞をユニバーサル化するために

広瀬浩二郎

　以下は、2017年2月に国民文化祭のプレイベントとして奈良で行われた「さわって楽しむ体感展示」のために作成された、興福寺仏頭レプリカをさわるプロモーションビデオの内容である。「さわるマナー」（作法と技法）を無視覚流の立場から説明するものとなっている。動画はYouTubeでみることができる（「仏像触察映像」https://youtu.be/rifkU9obBY8）。

＊　　＊　　＊

　それでは、これから国宝・興福寺仏頭のレプリカをさわっていこうと思います。レプリカなのですが、非常に精巧にできています。この仏頭は、教科書などでも紹介されている白鳳時代の代表的な彫刻ですが、これだけ間近で見ることはなかなかありませんし、ましてさわるということはありませんので、非常に貴重な機会だと思います。

　まず、顔の全体を把握していきます。顔を洗う、あるいはお化粧をしているようなイメージで、手の平を使って、両手の平を動かして全体の形を把握していきます。張りがすごくいいので、若々しい感じのお顔かなという印象を受けます。

　全体の形がなんとなくわかったら、次に部分を探っていきます。今度は手の平ではなく、指先を使って細かい部分をさわっていきます。目があります。その上に眉があります。この辺が仏様の特徴だと思いますが、若々しい印象です。そして、鼻がすっと通っていて、口があります。部分をさわっていく時は指先、とくに人差し指がいいと思います。細かい彫刻の細工を確認する時は、指先を使って探っていきます。

　そして今回、この仏様をさわる時にぜひ意識してもらいたいのは、横や後ろの部分もさわるということです。見る場合は、どうしても正面から、一方向から見るわけですが、さわる場合は上下・左右・前後、いろいろな方向からさわります。見ているだけだと横の部分、あるいは後ろの部分に、なかなか意識が向きませんが、さわる時はぜひ横からもさわって、後ろの部分、見えない部分も確認してもらえたらと思います。

　じつは、この仏様は何回か火災に遭って燃えています。ですから、欠けている部分があります。頭の上の部分、耳の部分など、一部欠けている部分があります。火災に遭った歴史とか、そういうことを考えながらさわってください。ああ、燃えた時は熱くてたいへんでしたね、痛かったろうな、みたいなことを思うと、仏様に対する愛おしさが湧いてくるのではないかと思います。大きくさわって、小さくさわって、その後は自分で身体を動かして横に回ったり、前に回ったりしながら、全身を使ってこの仏様の全体を把握します。

　この作品はたいへん貴重なものですから、抱きついたりするわけにはいきませんが、よくぞ白鳳時代に作られた仏様が今日まで伝わってきてくれたね、ありがとうというような意味を込めて、優しく抱え込むようにさわっていただくと、ほんとうに仏様に対する敬愛の念みたいなものが湧き上がってきて、見るだけでは味わえないさわる世界というものが伝わってくると思います。

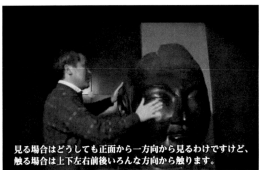

見る場合はどうしても正面から一方向から見るわけですけど、
触る場合は上下左右前後いろんな方向から触ります。

「仏像触察映像」より

[0-2a] 国宝・興福寺仏頭レプリカ
National Treasures Buddha Head of Kofukuji Temple（Replica）
近鉄不動産株式会社所蔵
Collection: Kintetsu Real Estate Co.,Ltd.

出展作品によせて

立体地図

（株）三木製作所代表取締役　三木繁親

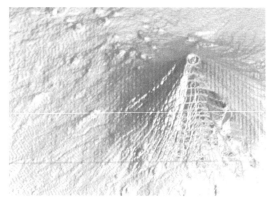

実物サイズ（富士山立体地図）

　私は大阪市西淀川区でモノづくりをしている町工場のおやじである。山登りが好きで金型を製作するマニシングセンターという装置で富士山の立体地図を削ったのが始まりだ。

　国土地理院の50mメッシュデータを使って加工した。近年、ハザードマップやカーナビ、自動運転などでデジタル地形情報が身近で使われるようになった。

　立体世界地図は2004年JAXAと人工衛星の熱制御に関する共同研究を行なった際、担当の研究員にNASAが所有する元データの存在を教えてもらったのがきっかけである。毛利衛さんはスペースシャトル2度目のミッション（2000年2月12日〜23日）で、地球上すべての陸地の詳細な立体地形データを作成した。90mメッシュの膨大な数値データを加工データに変換し、240時間かけて加工した。サイズが2m×1.25m、赤道の長さが4万kmなので縮尺は2000万分の1となる。そのままの縮尺で標高のデータを作ると最高峰エベレストの標高8848mがたったの0.44mmとなる。展示したときに見栄えがする様に、高さだけを8倍（最大高さ3.5mm）に引き上げるデータ処理を実施した。

　国境のない地図はいいものだ。断層や地殻変動などもよくわかる。なにより1円硬貨の厚みほどの層にしか日常生活できる空気がないのだと思うと地球の脆弱さが感じられる。じっくり眺めて、さわって、想像を膨らませていただければ幸いである。

　次は海の水を抜いた世界地図を作ってみたい。

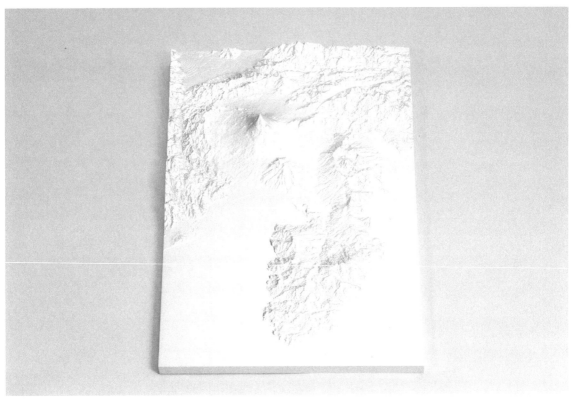

[0-2b] 立体世界地図 / 3D World Map
[0-2c] 富士山立体地図 / 3D Map of Mt. Fuji
三木製作所
Miki Seisakusho Co., LTD.

出展作品によせて

てざわりの旅 ── なぜ今、耳なし芳一なのか ──

わたる（石川智弥＋古屋祥子）

「耳なし芳一のはなし」がハッピーエンドであると聞いて、違和感無く受けとめられる人はどれほどいるだろうか。多くの人は、盲目の芸能者である琵琶法師の芳一が、全身に経文を書き込まれることで平家の亡霊から匿われながらも、庇護者である和尚の手ぬかりにより耳を引きちぎられて失ってしまうという、恐怖と痛みの怪異談として記憶しているだろう。しかし、ラフカディオ・ハーンの再話による著述では末尾に後日譚が添えられており、芳一は琵琶の名手として著名になったとされている。視覚に障害をもつ琵琶法師が聴覚にまでハンデキャップを背負いながら、視覚にも聴覚にも頼らないことで芸能者として更なる高みの境地へと至ったのである。

本展示作品は「耳なし芳一のはなし」の後日譚から着想し、その芳一の姿をモチーフにしながら「視覚に頼らない美術作品」の実現を目指した。「明るい場所から見えにくい場所へ」のみぎわに位置する空間インスタレーションである。室内には琵琶法師が奏でる平曲が流れ、木彫彫刻が放つクスノキの香りで満たされている。鑑賞者は床面に配された般若心経の文字の断片を辿りながら、彫刻がある場所へと歩みを進める。この等身大の木彫人物彫刻は右手だけが人の肌の感触に近づけた樹脂で構成されているため、典型的な人物像のかたちに触れる中、唐突に異なる感触と出会うことになる。そのとき鑑賞者は、おそらく戸惑いを覚えるだろう。それは、「目に見えるリアリティ」と「目に見えないリアリティ」の混在、つまり「視覚的な写実表現」に「触覚的な写実表現」が挿し挟まるために引き起こされる戸惑いであり、手で触れることによってしか感じ取れないものでもある。そこにこそ視覚に偏重した社会に慣らされた現代人の感覚を揺さぶるものが含まれているのではないだろうか。

19世紀末を生きたハーンは、人々が「目に見えるもの」へと価値観を偏重させていく時代の変化の中で、「目に見えないもののてざわり」に哀惜を抱いていた。亡霊が奪った耳は目に見えないものへの恐怖を象徴し、視覚記号である経文の文字はそれ以前の時代に生きた亡霊を排斥するものとして描いている。ハーンから100年余りの時を経て、情報や体験は視覚的な媒体へと急速に集約され、人々はより強く視覚に依拠するようになった。そして接近や接触が忌避される昨今の状況下では、それがさらに加速されている。一方、この情報摂取の高度化や効率化の陰で、かえって「見えにくく」なっているものがあるのではないだろうか。

近年まで実在した盲目の琵琶法師たちの旅は、徒歩でありながら驚くべき移動距離があった。ここに、視覚では感じ取れない野生の感覚を駆使していたことは間違いないだろう。今こそ芳一の先導のもと、「見えないものをみる」旅を思い描いてみたい。

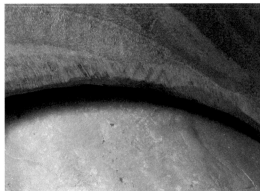

実物サイズ

[0-3] てざわりの旅 / trip of the tactile
わたる（石川智弥＋古屋祥子）
WATARU（Tomoya Ishikawa+Shoko Furuya）

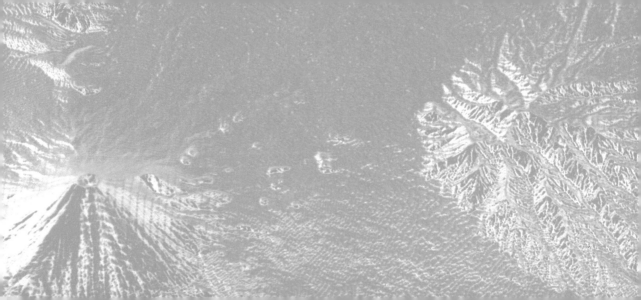

1

彫刻を超克する

Adding Touch to Vision with Sculpture

ユニバーサル・ミュージアムとは「誰もが楽しめる博物館」を意味する。
「誰もが楽しめる」を具現する方法として、もっとも有効なのが「さわ
る展示」だろう。触覚は全身に分布している。手のみでなく、身体の
他の部分でも事物に触れることができる。触覚の潜在力を引き出す
ツールとして、活用が期待されるのが彫刻作品である。多種多様な素
材・手法によって制作された作品に、全身で触れてみよう。作品に触
れると、視覚的な鑑賞では見落とし・見忘れがちな情報を得ることが
できる。まずは手を動かし、身体を動かすことによって、従来のミュー
ジアムの常識を超克する豊かな体験をお楽しみいただきたい。きっと、
各来館者の能動的な体験の蓄積が、「ユニバーサル」の実現につながる
だろう。

By "universal museum" we mean a museum that everyone can enjoy.
Tactile displays, displays that visitors can touch, are the most
effective way to make the museum that everyone can enjoy a reality.
The sense of touch permeates our bodies; touch is not restricted to
our hands. Use of carvings and sculptures in displays is a promising
tool for tapping the latent power of touch. Let's touch, with our
entire bodies, things made of all sorts of materials using all sorts of
techniques and feel what touch has to tell us. By touching, we learn
things that are apt to be overlooked or forgotten if we only
appreciate them with our eyes. By asking visitors to move their hands
and engage with their whole bodies, we intend to offer a richer
experience that surpasses what we usually expect from museums. As
visitors participate in these activities, the experience they accumulate
connects to making the ideal of the universal museum a reality.

出展作品によせて

ひとのかたち

片山博詞

　今回の展覧会では、大学時代から近作まで6点の彫刻を展示していただくことになった。彫刻を両手のひら全体で、また指先でなぞりながら触れて鑑賞していただき、作家のその時々の思いを想像しながら楽しんでいただければ有り難い。

　6点の中で新作は2点である。そのひとつは、触れながらその中に風景を想像していただけたらと考えた「Air（アリア）」。

　そして、もう一点のタイトルは「触れるひと」。広瀬浩二郎さんにモデルになっていただき制作した。広瀬さんをご存じの方は、気さくで親しみやすいお人柄とはかけ離れた風貌に違和感を覚える方もいるかもしれない。しかし、私が表したかったのは、広瀬さんの容姿ではなく、広瀬さんが標榜している「人に優しく」から「人が優しく」なる社会構築へのパラダイムチェンジへの思いなのである。

　この彫刻制作終盤にコロナ禍が世界を巻き込み、展覧会も一年間の延期となった。

　「非接触」が世界中で叫ばれ、触れることが「悪」のように捉えられた空気（感染防止にモノに触れることを控えることは言うまでもなく大切なことであるが）、また感染にまつわる差別の状況は、時間と空間という2つのベクトルの共有を分断し、「人に優しく」の限界を思い知らされるとともに、「人が優しく」なる社会構築の険しい道のりを感じずにはいられない。

　この広瀬さんの姿をお借りした彫刻の視線の先に待っている世界を、触れながら想像していただきたい、という願いは作者のあまりにも勝手な思いに過ぎないのかも知れない。

　細々ではあるが、「ひとのかたち」に触れ、そこから生まれてくるインタラクティブな対話を通して、「人が優しく」なれる時間と空間が共有された場を、これからも、つくり続けたいと考えている。

実物サイズ（渇くひと）

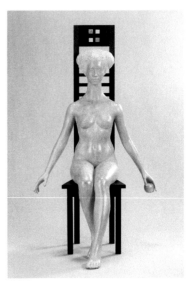

上左：[0-2d] 触れるひと ／ A person who touching for hope
上中：[1-1-3] 時の流れ ／ Time flow
上右：[1-1-4] 見えないものに目を注ぐ ／ Focus on the unseen
下左：[1-1-5] 不屈のひと（大関魁皇頭像）／ An indomitable warrior（Ozeki Kaio head statue）
下中：[1-1-1] 渇くひと ／ A person who thirsts for hope
下右：[1-1-2] Air（アリア）／ Air（Aria）

片山博詞
Hiroshi Katayama

出展作品によせて

つながる石彫

冨長敦也

人は石に触れてきた。

一筋の線を描くため、固い殻をやぶるため、遠く宙に放つため……

私たちと石との付き合いは、見ることから始まったわけではない。しかし、今、博物館・美術館にある石は、触れることができない展示物の素材である。それまで建築装飾や宗教儀式のために石と関わってきた彫刻家は、近代以降、個人の表現として制作活動を始め、アトリエで彫った石を、絵画とともに美術作品として展示をしてきた。このことから鑑賞者が視覚により石の彫刻を味わう作法が生まれ、感じるべき大自然の一部としての魅力は、石の中に閉じ込められたのである。

「ユニバーサル・ミュージアム ── さわる！"触"の大博覧会」に私は2点の作品を出品する。自らが、風雨となり、石と過ごした時間を表現した「Ninguen」と、世界の人々と川の流れになり、国内各地、アメリカ・メキシコ・イタリア・フランス・スペイン・ベトナム・カンボジア・ブータン・ネパール・エチオピアなど、世界150か所で、2万人と石を磨いてきた「Love Stone Project」である。さらには、屋外に飛び出し「Love Stone Project - UM」を実施して、集う人々と実際に石を磨く。

鑑賞者には、これらの作品を、触覚で感じていただきたい。石に触れながら指先にすべての感覚を集中すると、石の冷たさに人肌のぬくもりが伝わる瞬間を感じとることができる。石との交流の始まりである。そして、静かに耳を澄ますと、石の声が聞こえてくるだろう。それぞれの石から、それぞれの見えない物語を聞くことで、鑑賞者自身も、石と同じく自然の一部であることを知ることができる。

「Ninguen」制作風景

実物サイズ（Love Stone Project-UM）

上　：「Love Stone Project 2014-15」：2015 年 4 月の「冨長敦也のハートボイルド展」ときわミュージアム（山口県宇部市）での展示風景
下右：「Ninguen」：2017 年 9 月の「冨長敦也　つながる彫刻展」豊中市立文化芸術センターでの展示風景

上　：[1-2b] Love Stone Project 2014-15
下左：[屋外-1] Love Stone Project-UM
下右：[1-2a] Ninguen
冨長敦也
Atsuya Tominaga

出展作品によせて

イメージする形

高見直宏

ニューホライズン

人間の科学技術の結晶ともいえるロケットをモチーフにした作品。本来、地面と垂直に打ち上げられるロケットを、本作では壁面に設置し、地面と並行に飛ぶ様を表現した。自らに内包された燃料を噴射しながら、空（から）になって飛んで行く姿を情緒的に捉えた作品である。

ものの置き方を変えることで、既存の価値観に変化を生じさせ、新しい感じ方、考え方への想起を促したいと考えている。

また作品を少し高い位置に配置することで、触れることの出来ない部分をつくり、鑑賞者にイメージの形を想像してもらう事も狙いの一つである。

実物サイズ（群雲―エクトプラズムの群像）

群雲（むらくも）―エクトプラズムの群像

この二点は一対の作品であり、人間の存在そのものをテーマとした。人は身体だけでなく、精神や感情を持つ存在であり、それを形にするべく、エクトプラズム＊をモチーフとして取り入れた。このオカルティックで科学的根拠のない、イメージの産物を実体化し、未知なる内面を含んだ人間を表現したいと考えた。

二点を並べ置き、互いの形に差をつくることで、印象と雰囲気の違いを、触覚的に楽しめるようにしたい。

＊エクトプラズム（ectoplasm）
フランスの生理学者、シャルル・ロベール・リシェが1893年にギリシャ語のecto（外の）とplasm（物質）を組み合わせて造り出した造語。「霊の姿を物質化させる際に関与するとされる半物質、又は、ある種のエネルギー状態のもの」を指す。

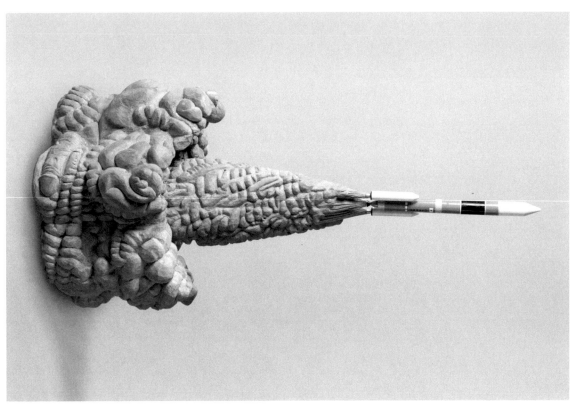

上　：[1-3-1] ニューホライズン ／ New Horizon
下右：[1-3-2] 群雲—エクトプラズムの群像 ／ Gathering Clouds1—The sculptured group of ectoplasm
下左：[1-3-3] 叢雲—エクトプラズムの群像 ／ Gathering Clouds2—The sculptured group of ectoplasm

高見直宏
Naohiro Takami

出展作品によせて

動物彫刻

田代雄一

彫る・さわる・削る・さわる・磨く・さわる。

作品の隅々まで手による感覚（触覚）と目視（視覚）による確認を続け、頭の中にある完成イメージに近づけていく。

私の作品はそうやって生まれる。

今回の出品にあたり、【リアルに見えるもの】・【癒されるもの】・【普段さわれないもの】という観点から展示する作品を選んだ。

【リアルに見えるもの】

猫の作品は私が動物を彫り始めた初期の作品で、どちらかというと視覚に頼った作品である。

展示台の上に置いて展示するよりも地面に平置きを想定している。したがって目で見て自然に見えるように体を一回り大きく制作した。

視覚から得る情報と触覚から得る情報のギャップがこの作品の面白いところである。

【癒されるもの】

「実は動物もたまごからうまれてみたかった!?」という発想から生まれた作品シリーズ。

私が大好きな癒し系動物のカピバラとコアラの二匹を選び制作した。

癒しとは何か？ 姿や形？ 視覚から？ それとも触覚？ という謎をさわって探してみて欲しい。

【普段さわれないもの】

実際に飼育しているツノガエルがモチーフである。たまに見せる姿がまるで横綱のように立派な事から着想した。

カエルと聞いただけで苦手だという人がいると思うがあえてリアルさを突き詰めた。特に表皮のブツブツの表現や手ざわりにこだわり、究極のさわり心地を追求した。

【最後に】

作品を通じ私のこだわりや動物や生き物を愛しく思うポイント、愛らしさが実際にさわる事でより深く伝わると嬉しく思う。

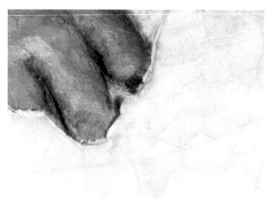

実物サイズ(たまごからうまれたかったコアラ)

[1-4-1] おいらの名前は野良猫とら ／ My name is stray cat tora
[1-4-3] たまごからうまれたかったカピバラ ／ Capybara I wanted to be born from an egg
[1-4-2] たまごからうまれたかったコアラ ／ Koala I wanted to be born from an egg
[1-4-4] 僕はたまーに立派ガエル ／ I'm a good frog sometimes

田代雄一
Yuichi Tashiro

出展作品によせて

厚みある時間／時空ピラミッド

北川太郎

　以前ペルーで制作した「厚みある時間」と、薄くスライスした石材をひたすら積み重ねて制作した「時空ピラミッド」シリーズを展示する。

　「厚みある時間」は嘗てインカ帝国の首都があったクスコ近郊のアンデス高原（標高約3,500 m）で制作した。圧倒的な大自然の中、素材となる石を探すところから制作は始まっている。石は大地からの贈り物だ。インカの人々は石を拝め、敬意を持って複雑な石組の建造物を構築した。高地の気候は石と向き合う私の身を引き締める。ノミでコツコツと石と向き合う時間は永遠のように感じられるが、石が持っている時間からすれば一瞬なのかもしれない。赤茶けた大地の上に置かれた贈り物が、魂の様なものを宿した時、大地は小さな黄色い花で覆われていた。人と自然がつくり出した造形に触れて貰いたい。

　「時空ピラミッド」は時間の可視化を試みた作品だ。何十万個もの薄くスライスした石材を積み重ねて制作している。内部は空洞となっており、予め定められた形に向かって制作した訳では無い。下から順に上へ上へと制作する。「植物の様だ。」と仰る方もいれば「異国の建造物の様だ。」との声もある。何を考え何を思って制作しているか尋ねられる事が多い。はたしてどの様な気持ちで制作していたのか、膨大な時間を制作に費やしていたこともあり、一言では言えない。ただ、石を積んでいた時間が私の前に造形物としてある事は確かだ。

部分拡大（時空ピラミッド）

上：［屋外-2］厚みある時間 ／ Tienpo profundo
下：［1-5］時空ピラミッド ／ Space-time pyramid
北川太郎
Taro Kitagawa

論考

彫刻にさわるとは

————

篠原　聡

写真1　《星を仰ぐ青年の像》をメンテナンスする学生たち

　彫刻にさわったことのある人は世の中にどのく
らいいるだろうか。美術館で彫刻にさわる機会は
まだ少ない。明治以降に欧米から導入した日本の
博物館は、歩きながらガラスケース越しに資料を
みてまわるという来館者の行動スタイルを確立し
た。視覚優位の博物館である。

　他方、博物館は自然系を中心に標本などの実物
をさわるハンズ・オンも導入してきた。実物を手に
とり、その重さや手触りなどの感触をリアルに確
かめることができるハンズ・オンは来館者の能動
性を引き出すユニークな展示法だが、活用できる
博物館資料は限定的で、資料としての保存を前提
としない「消耗品」扱いの場合も多い。特に美術
館が収蔵する資料＝作品は、モノ自体が脆弱だっ
たり、市場価値が高かったりする。だから博物館
が収蔵する資料や標本に比べて活用と保存のあり
方が厳重に管理される傾向にある。美術館が「眼
の神殿」といわれる所以である。

活用と保存を兼ねるプログラム

　ところが、活用の自由度が高い美術作品もある。
屋外彫刻である。屋外彫刻は、美術館の収蔵品と
同等のモノでありながらそれ以下の扱いを受けて
いることが多いものの、博物館や美術館のコレク
ション同様、公共の財産であり、みんなの美術で

ある。わざわざ美術館に行かなくとも近所の公園
など、私たちの近しい距離にそれはある。ハンズ・
オンにおいて、美術館の所蔵品をなかなか自由に
使うことができないのであれば、屋外彫刻を活用
しよう。マンパワー不足で学芸員が地域の屋外彫
刻に目をかけ手をかける時間がないならば、大学
が、学生や市民を巻き込み、学芸員と一緒に屋外
彫刻のメンテナンスをしよう。こうして私たちの
「彫刻を触る☆体験ツアー」（以下「体験ツアー」）
は始まった。

　彫刻メンテナンスは①彫刻を洗う、②ワックス
を塗る、③磨いてツヤをだす、の順番で進める。
いずれも直接、手で彫刻をさわる必要がある。普
段さわれない作品を堂々とさわる絶好のチャンス
である。メンテナンスは彫刻をさわる美術鑑賞の
機会でもあるのだ。もちろん、メンテナンスの目
的は、倒壊や廃棄のおそれがある屋外彫刻の保存
にある。それを大学で実施するのは、学芸員養成
教育の一環として資料保存に関する知識や技術を
学生が修得するためである。だから「さわる鑑賞」
は学びのプロセスにおける副産物といえるが、そ
こにこの取り組みの意義がある。

　美術鑑賞プログラムを企画する場合、目的と手

写真2　《山田守像》にさわる高校生

写真3　《松前重義胸像》にワックスを塗る秦野彫刻愛し隊の方々

段を設定するのが一般的だが、実際には企画意図がしっかりと参加者に伝わらなかったり、意図したこととは別の新たな気づきや発見もあったりするわけで、そこが美術鑑賞プログラムの難しい点であり、面白い点でもある。「体験ツアー」では、とりたてて「さわる鑑賞」の時間をプログラムのなかで用意していない。清掃ならば抵抗なくできるが美術鑑賞はちょっと、という人にこそ参加して欲しいプログラムだからである。普段、美術館や博物館にあまり馴染みがない層を積極的にターゲットにしていると言い換えてもよい。

　例えば、「腕の筋肉の盛り上がった部分を上から下にかけてさわって鑑賞してみてください」と声をかけるのと、「腕の筋肉の盛り上がった部分にそって刷毛でワックスを塗布してください」と声をかけるのでは、参加者の感想に違いがでてくる。前者は美術鑑賞としての体験ゆえ、なにか高尚なことを言わなければならないのではと構えてしまったり、戸惑い、発言を躊躇したりする参加者もでてくるが、後者では「ワックスを塗布することで、思ったより力強くしなやかな筋肉の盛り上がりを感じることができた」などといった感想が自然と出てくる。清掃という誰もがやったこと

のある体験に基づき感想を述べればよいだけなので、より自発的な発言が増えるのだろう。

　「体験ツアー」の目的はあくまでも屋外彫刻の保存にあるが、その目的自体が彫刻をさわる美術鑑賞の手段にもなり得るというわけだ。目的がときに手段にもなるという揺れ幅の中で実現するプログラムであるといえる。

人間の感性にふれる

　ところで、美術館には貴重な作品を後世に守り伝えるという使命がある。同時にそれは、私たちの近しい距離に美術があること、生活のなかに美術があることを忘れさせてしまった。本来ひとつの営みのはずであった「表現」と「鑑賞」を、別々の営みとして認識させることに一役かってしまったのも美術館だろう。屋外彫刻はそんなことはない。

　屋外彫刻はむしろ命がけである。いたずらされたり、経年劣化により倒壊の危機にさらされたり、鳥の糞が落ちてくる災難にもよく見舞われる。美術館の収蔵品と異なり作品の「生」が保証されていない。他方、屋外彫刻は通勤途中の私や疲れて帰路につく私をいつも見守ってくれている。夜中

磨いて歴史再発見

江の島 64年五輪記念のブロンズ像

学生ら60人、本格メンテナンス

一九六四年東京五輪のセーリング競技開催を記念して藤沢市江の島の北緑地広場に設置された「弁財天と女性群像噴水池」のブロンズ像五体の清掃が行われた。市によると、設置以来、本格的な像のメンテナンス作業は初めて。地元地区にキャンパスがある湘南工科大や東海大の学生ら約六十人が、半世紀を超えてこびりついた汚れを落とした。（吉岡潤）

弁財天像などのブロンズ像を磨く学生たち＝藤沢市で

街中に点在して見過ごされがちな「パブリックアート」を見直そうと市が進める事業の一環。江の島が再び競技会場となる来年の東京五輪に向け、歴史の再発見や機運の醸成にもつなげる狙いで企画された。広場は来年の聖火リレーのコースにもなる。

噴水池は、松下電器産業（現パナソニック）を創業した松下幸之助の寄付を受け、晩年を藤沢市で過ごした近代彫刻家の加藤顕清（一八九四～一九六六年）が制作。江の島ゆかりの弁財天が中央に置かれ、東洋と西洋、古代と現在を意味する四体の女性像が囲むように立つ。五体で五輪、東西文化の歴史的交流が表現されている。

近現代彫刻の保存修復の専門家である高橋裕二さん（六七）らの指導で、学生たちは中性洗剤を使い、ブラシで各像をゴシゴシ。湘南工科大総合デザイン学科四年の福永賢吾さん（二二）は「彫刻は触ってはいけないという意識があるが、強く磨いても大丈夫と言われ、面白かった」と相好を崩した。

高橋さんは「彫刻に触るのは貴重な経験。いろいろなことに気づく。みんなでやるのはほんとにいい」と評価。学生と屋外彫刻の保存作業を続けている東海大の篠原聰准教授（四五）も「触覚による鑑賞、公共の財産を守り伝えるという二点で大きな意義がある」と語った。

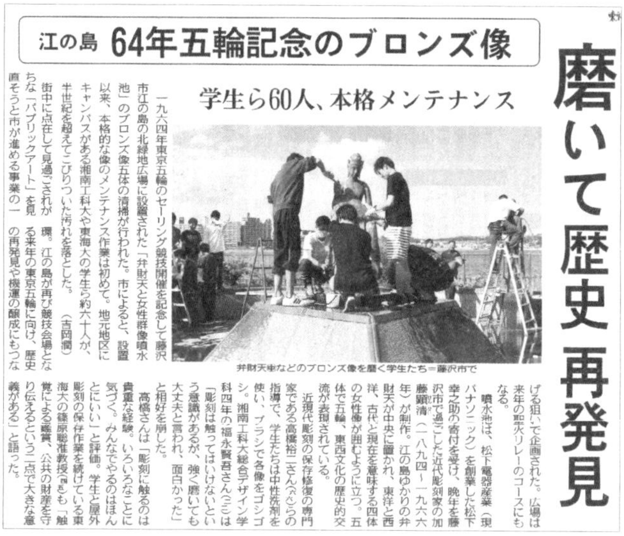

写真4　近隣自治体と連携して彫刻メンテナンスを実施（『東京新聞』2019年6月5日付）

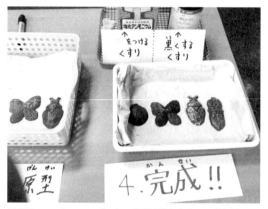

写真5　ワークショップによる普及活動も（ブロンズ昆虫）

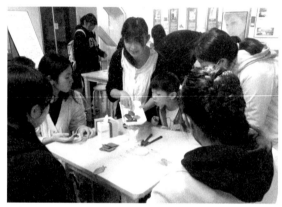

写真6　ワークショップでブロンズ昆虫を磨く子どもたち

に会いにいくことだって可能だ。

「体験ツアー」で彫刻をさわってみる。彫刻家が粘土を手でモデリングした際にできた指の痕跡と私のそれが一致したときの幸福感は味わい深く、格別である。表現と鑑賞のそれぞれの営みが作品を介して出遭い、奇跡的にひとつになる一コマといってもよい。そんな時は必ず、作者が彫刻に込めた想いがひしひしと伝わってくるものである。像を視覚的に捉えているだけでは決して沸き起こらない特別な感情である。

彫刻にさわる。それは自己の内側から人間の感性に触れる営為である。創造の現場に立ち会い、人間の慈悲深さ、愛、軽薄さ、冷酷さや残虐性などと真摯に向き合う試みでもある。個々人が作品や資料や標本にさわる感性的経験の積み重ねは、従来の博物館体験や美術館体験の質自体を大きく改変する可能性を秘めている。

「体験ツアー」は、保存（メンテナンス）と活用（鑑賞）を兼ね備えた最強のプログラムである。みんなでミュージアムの外に出よう。そして、恒常的な財政難やマンパワー不足で疲弊する美術館をミュージアムの外側から地域全体で支え、市民の「手」で、美術館の社会的使命の一端を実現しよう。

写真7　（左）2018年度公開シンポジウム「岐路に立つ彫刻　湘南ひらつか野外彫刻展のゆくえ」

写真8　（右）2019年度公開シンポジウム「持続可能な彫刻　アートが拓くユニバーサルな可能性」

「体験ツアー」は、与えられる美術ではなく市民が能動的に関与する下からの突き上げ、地域住民のための美術プログラムである。バブル期を一つの頂点として全国各地に設置された屋外彫刻の保存は全国の自治体が抱える課題でもある。「体験ツアー」は、その課題解決のための一つの方策にもなり得るだろう。

彫刻と生きる　彫刻を生きる

感染症という新たな脅威のもと、博物館は再び氷河期の時代を迎えた。3密という言葉に象徴されるように「接触」は避けるべき行動様式の一つとなった。

ミシェル・ウエルベックの小説『ある島の可能性』（河出文庫、2016）は、二千年後、人類がほぼ絶滅し、ユーモアと性愛の失われた孤独な世界で生きるクローン人間の平穏な日常の物語である。主人公のダニエル複製25号は、永遠に続く日々を、遠い昔に生きた男の一生を繰り返し追体験するために生きている。戦争も、個々人の静いもな

く、他人と物理的に触れ合う機会もない。他者とのコミュニケーションツールは電子通信に限定され、人付き合いから生じる悩みも痛みも、愛すら存在しない世界。データの城壁と防護フェンスで覆われた居住区のなかで生きる彼は、最終的に、己のオリジナルが残した人生の注釈記を書くという日課をやめ、防護フェンスを乗り越えて、外界に旅立つ。彼は服従しない人生を選んだのだ。

彫刻にさわる。それは一つの可能性である。この世界の片隅で、人間は何を考え、どのように創造するのか。表現とはどのような意味をもつものであるのかを、立ち止まって考える機会を与えてくれる。きわめて人間的な営為であり、人間が生きていく上で大切なことを教えてくれる。彫刻にさわることで私たちは、自身がこの世界のかけがえのない一部である以外の何ものでもないことを識るだろう。いま、ここに在ることの幸せである。

コラム

「目で見ないこと」と「自然科学」には「期待」しかみえない

安曽潤子

自然の理解について

　目以外で世界を見ている人と「富士山」の話をした時のこと。彼女は「みんな『富士山』のことを『きれいだ、きれいだ』と言っているけれど、模型で富士山をさわったら、あまりきれいではなかったので驚いた」と言っていた。「筋があるし、くぼみもあってきれいとは思えなかった」と。これは地質学的にみると、溶岩など噴出物の流れた跡を認識し、さらに山頂の下にあるもう一つの噴火口（宝永火口）を観察しているということである（写真1）。その場にいた「目でモノを見ていて富士山は美しいと思っている人」は、そのことには気が付いていない様子だった。目で見ている人とは違って、きれいとは感じないけれど、目で見ている人より山の実態を把握しているのはとても興味深かった。

　また、視覚特別支援学校の先生と大学入試試験の話をした時のこと。「『地学』の問題には図が多く、視覚障害を持つ生徒は図（触図）の解読に時間がかかってしまうため難しい」と言っていた。実際には、地学（地球科学）は空間（地球や宇宙）で起こっていることなので、すべて三次元でとらえないと理解できないのだが、現在学校において伝える手段のほとんどが二次元資料（本や教科書や地質図）のため、平面で勉強し評価をするのが当たり前のことと思われている。ただ、試験の点数はともかく、前述の話からも、きちんと地球科学を理解しているのは、いつも三次元でとらえている目で世界を見ていない人の方なのかもしれないと感じた。

科学的な思考について

　2019年の秋、「視覚障害者文化を育てる会（4しょく会）」のイベントで化石（古生物学）の講座を行った時のこと。普段あまりふれることのない様々な実物化石にさわってもらいながら、化石の基礎についてのレクチャーを行った（写真2）。その後、アンモナイトの殻のレプリカを石膏で作り、その軟体部（柔らかい部分）は粘土で各自作った。アンモナイトは約6500万年前に絶滅しており、誰も生きていた時の姿を見たことがない。そのため、この軟体部を作る際には、「アンモナイトが暮らしていた場所」や「アンモナイトに似ている現在生きている生物」を参考にし、生きていた時の姿を自分で復元するという、古生物学で実際に行われている研究手法を体験してもらった。

　このようなワークショップは、日々目でモノを見ている子どもから大人までにもよく行っているのだが、参加者の多くは「アンモナイトの復元図」を教科書や図鑑等どこかで見たことがあるので、どうしてもそのイメージに引きずられて「イカの足の様なもの」を作ってしまうことがほとんどである（写真3）。しかしながら、アンモナイトの軟体部の化石は世界中ではっきりしたものはまだ見

つかっておらず、実際にはどのようなものかよく分かっていない。まことしやかに描かれている復元図も誰かの推測である。それに対して、目で世界を見ていない4しょく会の参加者がつくるアンモナイトの復元は、これまでにない発想のものばかりで、とても刺激的だった。もちろん、アートと違って自分の好きなモノを作るのではなく、先に述べたようなこれまでわかっている証拠をもとに推測して作っている。それでも、科学というのは教科書や本に書いてあることをなぞるのではなく、自分で考えるものであるという本来の姿を思い出させるものだった。

これまで、様々な場面で視覚障害を持つ方に科学を伝えてきたが、「視覚を使わずに科学する」というのは、視覚に惑わされずに本質を理解し、他の人の考えに惑わされずに自分で考えることができる、ということなのだと感じた。そして、そのようなこれまでと違う視点があってこそ、科学は発展するのである。目が見えないことで、目が見える人より難しいのではないかと思われがちだが、自然科学を行うものとして、目で見ない世界には期待しかみえてこない。

写真1

写真2

写真3

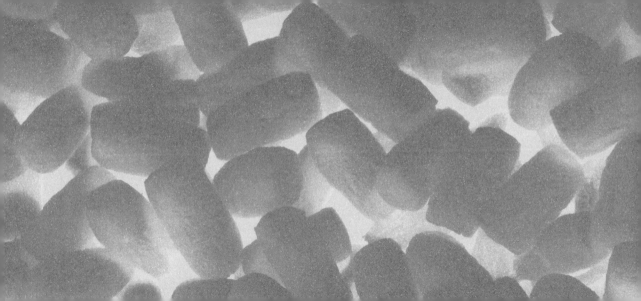

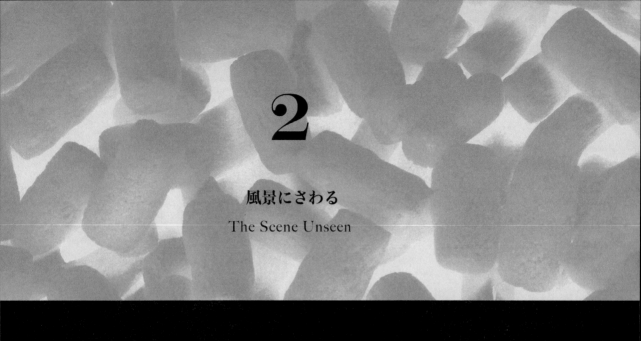

2

風景にさわる
The Scene Unseen

ユニバーサル・ミュージアムは、他感覚・多感覚を刺激する。人間は
いつから視覚に頼るようになったのだろうか。「闇＝目に見えない世
界」を駆逐することが、進歩として称賛され始めるのは近代以降である。
「見る／見せる」ことを前提に成立・発展してきた博物館は、そんな「近
代化＝可視化」の象徴ともいえる。たしかに、「より多く、より速く」
情報入手・伝達できる視覚は便利である。しかし、視覚には「見るだ
けでわかった気にさせる」危うさも内包されている。ユニバーサルの
本義は、感覚の多様性が尊重されることである。風景とは、目で見る

出展作品によせて

信楽をさわる ── 陶器で作るユニバーサル地図 ──

矢野徳也・さかいひろこ

　2019年7月、滋賀県甲賀市で行われたユニバーサル・ミュージアム研究会に参加した。信楽の街並みも山々もなかなか興味深い。

　今回私たちに与えられたお題は「触地図」。どこでもいいのだろうけど、印象深かった信楽を表現しようと企てた。信楽は実にユニークな土地である。川沿いに小盆地が数珠つなぎとなる地形で、周囲は険しい山々。山々を作る花こう岩などが風化して生じた粘土が信楽焼の原料となり、花こう岩そのものも優れた性質の部分はタイルや衛生陶器などの原料となっている。奈良時代には紫香楽宮が置かれて短期間だが都となる。焼き物も鎌倉時代からの長い歴史を誇り、粘土産地も、山裾の窯跡も広く点在する。製品は広く流通し、中世に信楽のすり鉢が関東でも使われている。町中で分業が行われ、原材料から作陶、焼成、流通と町全体でひとつの大きな工場のようだ。また伝統的に茶壺や火鉢、狸や浴槽など大型陶製品も得意だ。

　これらの「長い・広い・大きい」を主題にユニバーサル地図を作ることにした。甲賀市役所で情報を集め、滋賀県立工業技術総合センター信楽窯業技術試験場長の川澄一司氏や陶芸家の宮本ルリ子氏に現地をご案内いただいて信楽をにわかに学び直す。

　今まで発泡樹脂製の触察可能な模型は製作しているが、これでは多数の来場者を迎えるほどの耐久性がない。また3Dプリンターでは大きく作るのが難しい。ここで、「滋賀県立陶芸の森/世界にひとつの宝物づくり実行委員会」から石膏型取りで陶器にしては、と助け船が出た。高度な技術を要するが、信楽窯業技術試験場の協力を得ることが叶って、陶製とすることにした。

写真1　花こう岩とその風化物

写真2　施釉した素焼き模型

　地質図は地形と土地の利用、地質の塗分けが重なり、見ても難解なものである。地質図[注1]をもとに、花こう岩（岩体区分を統合、一部斑れい岩を含む）、粘土を含む地層（古琵琶湖層群）、低地（沖積層の堆積物）に簡略化した。花こう岩類は日本列島が大陸から離れる前の白亜紀の大規模マグマ活動の産物、粘土を含む地層は約350〜200万年前に信楽地域にあった湖の堆積物、低地は現在の谷底平野を作る堆積物である。硬質発泡樹脂で高さを強調せずに地形模型を作成し、現地の花こう岩風化物から篩い分けた細かい砂を張り花こう岩分布域を表現した。川は彫り込んでおき、その他の表示要素は触察の達人の方の助言で絞り込んで、歴史的窯跡、粘土・長石産地、信楽駅のみにして形状の異なる小凸部とした。歴史的窯跡は、

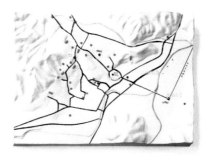

[2-1-2]

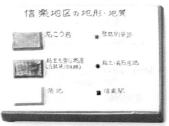

[2-1-1]

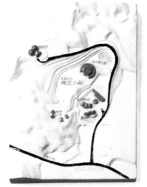

[2-1-3]

文献(注2)に従い窯群で表示した。石膏型取りや成形、焼成は前記2機関に依頼して行った。

模型の素焼き後、視覚的にも理解できるように色覚しやすい配色で着色する。花こう岩には信楽伝統の「火色」を模した赤、粘土を含む地層には青の釉薬を施した。低地は無施釉とし質感の違いも出した。各要素の凸部も施釉し滑らかな触感とし、地名等は酸化鉄で書き込んで、本焼き後に必要な点字を貼る。

これに準じて、ワークショップを行った信楽中心地域の「窯元散策路」付近、作品仕上げの会場となった施設の「滋賀県立陶芸の森」を陶製立体模型で作成している。これら2点は地形と、道路や施設の表示に留めておいた。道路は伝統的茶色の来待釉を施した。

触覚でも視覚でも同等の情報が得られるように工夫した陶製模型3点で信楽地区全体、主要地域、施設という3つのスケールで信楽の風景を表現す

る試みである。信楽にちなむ陶器の実物も展示し、信楽への知を広げる一助とした。

【注】
1 中野聰志・川辺孝幸・原山 智・水野清秀・高木哲一・小村良二・木村克己「水口地域の地質」『地域地質研究報告（5万分の1地質図幅）』産総研地質調査総合センター、2003年
2 畑中英二『続・信楽焼の考古学的研究』サンライズ出版、2007年

[2-1-1] ユニバーサル触地図(信楽全体図) / Universal 3D and Tactual Map(Geology and topography of the Shigaraki region)
[2-1-2] ユニバーサル触地図(窯元散策路) / Universal 3D and Tactual Map(The Kiln walking path of the central Shigaraki)
[2-1-3] ユニバーサル触地図(滋賀県立陶芸の森) / Universal 3D and Tactual Map(The Shigaraki ceramic cultural park)
矢野徳也・さかいひろこ
Tokuya Yano, Hiroko Sakai

[2-1-4] 歴史的登窯標本 / Historical Climbing Kiln (*noborigama*) Specimens
[2-1-5] 信楽 大壺 / Large Jar Shigaraki Ware
[2-1-6] つぎざや / Stacking Saggar
[2-1-7] 信楽 壺 / Jar Shigaraki Ware
[2-1-8] 信楽 火鉢 / Hibachi Brazier Shigaraki Ware
[2-1-9] 信楽 タヌキ / Tanuki Shigaraki Ware

出展作品によせて

五感を研ぎ澄まして「体感するまちあるき」
── 信楽射真ワークショップ報告 ──

宇野　晶

　「射真^{（しゃしん）}」とは、広瀬浩二郎氏の造語である。「射真とは真実を射ること。真実を射るためには、全身の触覚（センサー）を駆使して事物に肉薄しなければならない！」（「私たちの射真展」実行委員会趣意書より、p.88 に全文を掲載）

　2019 年 7 月 14 日（日）滋賀県甲賀市信楽町にて開催された射真ワークショップは、国立民族学博物館 2020 年特別展に作品展示することを目指し、実施された。

　参加者は 47 名。広瀬氏が事前に 4 班に班分けをし、各班に 1 組から 2 組の視覚障害者と同伴者、1 名ずつ信楽町観光ボランティアガイドとつちっこプログラム^{（注1）}陶芸家スタッフが参加した。

　受付で、対象物を写し取る・フロッタージュするための粘土 1kg 等を受け取り、10 時にまちあるきがスタート。

　伝統産業会館を出発。新宮神社^{（しんぐう）}から坂を上って丸滋製陶^{（まるしせいとう）}へ。さらに坂を上って大きな登り窯が残る明山窯^{（めいざんがま）}。坂を少し下るとポケットパークという休憩所があり、ここまででフロッタージュをした方は、粘土を置いて散策を続けた。ポケットパークからは下り坂で、商店街を抜け伝統産業会館に戻り昼食。

　午後からは会場を滋賀県立陶芸の森・創作室に移し、まちあるきで写し取った風景の断片（フロッタージュした粘土片）に加えるかたちで、それぞれが五感で感じた目に見えない風景を創作した。追加制作に使用した粘土は 500g。

　今回の射真ワークショップの特筆すべき点は、

写真 1　窯元散策路マップ

写真 2　フロッタージュ風景

写真 3　触察風景

写真 4　制作風景

信楽町観光ボランティアガイドに協力いただいたことによって、細やかな風景の情報を得ることができたことである。今回ガイドに参加いただくことは、初めての町を歩くためには必須であった。ガイドから得た「信楽」という町の歴史や情報が、視覚障害者を含む参加者の発見と能動的観察・触察、そしてまちあるきを楽しむことへの大いなる助けとなっていた。

その中で印象に残った風景の片鱗を粘土で写し取り、じっくりと被写体に触れ、匂いを嗅ぎ、音に耳をすませながら歩いて得た「見えない風景の断片」を想像し加えることで、参加者それぞれの体感型射真作品が制作できたことは、大きな成果であった。これは特に、粘土という、作り直し・やり直しがきき、かつ焼成すればさわれる作品となる素材を用いたことが大きかったと言える。

信楽まちあるきの課題と考察としては、ペアの晴眼者の印象に残った場所に、視覚障害者が引き寄せられた場面が多かったのではないかという点があるが、その中でもそれぞれの触察方法が見受

けられた。

また、粘土を押し付けられる場所には制限があり、フロッタージュの場所に偏りがあったが、そこは後半の創作部分で思い思いの風景を創作できたと思う。

参加者の作品ひとつひとつは、小さいものである。それらが集まって視覚情報を網羅した観光マップとは異なる「信楽」という町の地図となり、鑑賞者がそれぞれの射真作品に触れることで、この射真ワークショップを追体験できる触地図となっている。

【注】
1 滋賀県立陶芸の森「子どもやきもの交流事業」と陶芸の森内で行う「世界にひとつの宝物づくり実行委員会」からなる、陶芸家が関わる「土」を素材とした体験事業。第3期滋賀県教育振興基本計画において、滋賀県の自然や文化、地域に学ぶ体験活動のひとつとして位置づけられている。

[2-2]信楽射真ワークショップ作品 / Touchable Scenery: Our Impression and Expression of Shigaraki （写真は一部分）
ユニバーサル・ミュージアム研究会
The Study Group Working on Universal Museums

出展作品によせて

場所に触れるということ

酒百宏一

　私が作品とするのは道端の磨り減った路面や路地の板塀などである。

　物の表面に直接紙をあて、その表面を色鉛筆などでこすり出して写す「フロッタージュ」という描画手法で場所に触れ、一部を切り取って作品にしている。

　きっかけは学生の時に事故に遭ってから、自分の表現は必然的に自分のいる場所を通して存在を記録するという制作になり、現在もライフワークとして続けている。

　私にとって作品にする場所というのはどこでもいいというわけではなくて、普段は見過ごされているけれど場所と人の営みが深く刻まれているようなところ。つまりその場所の記憶が息づいているような場所である。

　日常は常に変化して止まることはないが、場所は1箇所にとどまり続けている。ものの変化する様相に場所の在りようを見る時と、逆に変わらなさに在りようを感じてしまうものもある。そのどちらも場所の記憶なのだ。

　大阪を歩いて、様々な場所のとても美しい記憶に出会えた。そしてそれに触れ、存在を愛おしみ、色鉛筆と紙で撫でさすり、持ち帰ったものが作品である。

　フロッタージュとは模様を紙に転写する視覚的な手法だが、写し取る過程で紙に跡として残った凹凸は、紛れもないそのものに直に触れた触覚的な情報であり、紙を押し当てた制作者の行為の痕なのである。こうした一連の制作行為もまた私の営みの記憶でもあるのだ。作品を手に取り、自分とその場所に触れる感覚を共有してもらいたい。

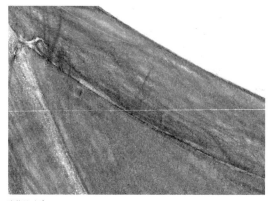

実物サイズ

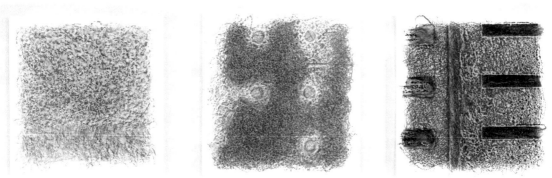

[2-3] **LIFE works @ 大阪 #2020-2021**
LIFE works @ Osaka #2020-2021
酒百宏一
Koichi Sakao

出展作品によせて

「貝塚の樹」── 手ざわりに満ちた風景への回帰 ──

安芸早穂子

1. カケラと身体と縄文の風景

　考古学者と私はカケラになった風景のパズルをする。写真も文字もない縄文時代の営みや景観は、柱の穴や道具のカケラから導きだされたデータとイメージの断片を集めて復元するほかない。そんな縄文集落の世界観を探る鍵になるのは、風景とつながり生きるため創られた彼らの道具だ。「貝塚の樹」は先史時代から現代まで途切れず使われてきた根源的な道具「掘り棒」で始まる。ぶあつい地層に埋もれていた古代集落の営みと世界観を描いた壁画には、石刃の「斧」が在る。

　火山の麓で切れ味鋭い石を見つけ、水辺の丘で樹を育て道具と住処を作り、狩りをし、貝や果実を集めた縄文時代の営みは四季折々に変容する風景と分かち難く一体だったろう。ガラス質の石をさわり、木肌をなで、苔むした柔らかな大地を踏みながら、人々はその身体の全体で密接に世界と触れ合っていたはずだ。縄文人は多くの狩猟採集民と同様文字を持たなかった。「風土」という言葉が、風景とそこで暮らす人の結びつきを意味するなら、縄文の狩人たちは身体に風土を記憶させ、世代を超えて一万年ちかく伝え続けたのかもしれない。私たちの眼前に姿を現す縄文の遺跡や遺物は、土地の風景と分かち難く結びついて生きた人々の記憶のカケラとも言える。

2. 浦尻貝塚に流れた時間

　「貝塚の樹」はある遺跡に捧げる作品でもある。5700年前から三千年近く営まれた縄文集落「浦尻貝塚」は、太平洋へ連なる内湾に川と湧水が注ぐ豊かな海辺の台地にあった。福島県南相馬市に

あるその遺跡は、大震災の津波と原発事故を体験した地元の人々が守り続ける土地の遺産になった。そこもまた風土の記憶を身体で伝える田植え唄やお神楽など民俗芸能の宝庫と言われた土地だった。浦尻貝塚は20世紀初めに永い眠りから覚め、やがて現代の集落が津波で一掃されるのを目撃し、放射能が見えない巨大な力となって人々を散り散りに追い出すのを見た。開墾された田園風景が消え去った今、貝塚の台地からは再び縄文時代のような原野と海が見えるが、そこには津波の瓦礫を入れた土嚢の山が連なっていた。

　「貝塚の樹」は古代から現在、未来へと続く人と樹の物語だ。土地を象徴し敬われてきた樹は、はじまりの壁では集落を豊かに彩る森や住処や道具になる。何千年も結ばれてきたその関係はやがて曲がり角をむかえ、樹は土嚢袋から枯れて生える。しかしあなたの手は、黒い袋を破って走りだす何かを見つける。世界中の岩や洞窟に刻まれた古代人らが、再生の地を求め駆けてゆく。柔らかに刺繍された岩絵の人々の手には掘り棒が握られている。切り口の年輪がレコードのような木片は、人と樹が刻んできた音の記憶をその空間に蘇らせる。岩絵の壁の向こうには、21世紀の先端技術で復元された浦尻遺跡の地形モデルを置いた。風土の形見となった遺跡を、私たちはどう未来へ伝えてゆくのだろう。

3. 手ざわりに満ちた風景への回帰 ── 21世紀の君たちへ

　21世紀の君たちへ、カラダで覚えた風景の記憶はありますか？ 効率と均質が支配する現代、風景

写真上から
・貝塚の樹(半立体絵画左部分)　・貝塚の樹(半立体絵画右部分)
・掘り棒を持つヒト洞窟絵画刺繍　・貝塚の樹全体配置イメージ

の細やかな差異を手ざわりで知るのは視覚障害者
だけかもしれない。漁師や木こりや農夫、町や野
良の職人たちは、指の感覚と手ざわりでこそ熟練
し、技を伝えてきたのに、彼らの身体が密接に繋
がっていた風土との「断絶」が急激に何かを変え
た。常に変幻し、謎めいて広大な世界のただなか
で、活き活きと身辺世界と結ばれていた人間は、
そんな過去の記憶とも断絶したのだろうか。

　一万年続いたといわれる縄文時代は文字を残さ
ず、写真もない。しかし太古から人がカラダで覚
え伝えた風景の手ざわりは、身体が記憶している。
森の匂い、水の音、樹木や岩肌に触る指の皮膚感
覚のセンセーションが、現代の身体の奥深くにあ
るそれらを覚醒させる。何人もの人の思いのカケ
ラからつくられたこの作品が、そんな太古の記憶
を揺り起こす何かを、君が探し始めるきっかけに
なればと思う。

制作参加者:尾﨑耕将(木工職人)、gwai(服飾作家)、杉江薫
(生け樹作家)、石津勝(空間デザイナー)、渡辺健多(大阪芸術
大学デザイン学科副手)
協力:早川裕弌(地球科学者)、石村智(無形文化研究者)、南相
馬市文化財課、御所野縄文博物館、まいぶん KAN

[2-4] 貝塚の樹 / A tree on the shell mound
安芸早穂子(企画制作)
Sahoko Aki (planning and production)

論考

野外活動のユニバーサル化

————

山本清龍

1. 人間は本来的に外を見たいのか

　近年、窓のない住宅を見る機会が多くなった。窓ではなく壁とすることにより、プライバシーをまもり、防犯性能、断熱性能を高め、さらにコストまで下げてくれる。同時に、シンプルで洗練されたデザインとなり、まちの景観形成にも寄与する可能性がある。しかし、窓がないために、太陽の採光は難しくなり、風の通りを確保する装置が必要となる。狭小な土地に建設され、隣家と近接し、時として庭を持たない都市の住宅事情、都市特有のストレスが産み出した新しい意匠と言えよう。

　もともと"いえ"と"にわ"には密接な関係があり、前者は建築学に、後者は造園学に発展した歴史を持つ(注1)。たとえば、その家と庭の関係を確認できるものとして灯障りの木がある。灯障りの木は庭の灯籠の手前に植えられる木であり、樹木の枝葉によって灯籠の灯口をありありと見えないようにする(注2)。また、枝葉に灯籠の明かりが当たることで陰影を創り、その陰影が障子に映ることで、室内に居る人が風の動き、外界の変化を視覚的に捉えることを可能にする。すなわち、灯障りの木は家の中にいる人と外界をとり結ぶ日本的できわめて風流な装置であり、ガラスに比べて透過性が低く、通気性が高い障子も、屋内と外界の関係性を断絶しない重要な装置と言える。

　わが国の家と庭の関係性については、木を利用

してきた日本人の住まい方に由来すると片付けてしまう見方もあろうが、より根本的には、人間は本来的に外を見たい、外界を知りたいのではないか、そのような問いをも立てることができる。次節では、視覚障害者と晴眼者がともに楽しんだ街歩きから、とくに視覚障害者がどのように外界と触れ合い、向き合おうとしているのかを紹介し、野外活動のユニバーサル化について論考したい。

2. 外界を知り、楽しんで歩く街歩き

　2014年11月、大阪府の谷町六丁目駅の南側一帯、空堀通り等を、空堀まちなみ井戸端会のガイドの解説に耳を傾けながら案内をしてもらう街歩きを行った。空堀商店街は大阪市中央区の松屋町筋から上町筋をつなぐ東西800mにわたる商店街であり、歴史のある昆布問屋などの昔ながらの商店に加えて、横丁、裏通りに入るとレトロな町屋があり、歩く人を楽しませてくれる。商家の壁の煉瓦に触れて(写真1)、イギリス積みとフランス積みといった煉瓦の積み方があることを知る。お茶屋(京都のお茶屋の意ではない)に入り、乾燥したばかりの茶葉に触れ香りを楽しむ。鰹節を削り(写真2)、その削り立ての匂いの中で、土佐藩の鰹節の製法が江戸時代に秘伝とされたことを聞く。商店街(写真3)を歩き、その活気を肌で感じる。城下町の狭隘な坂道を登り、足の裏で地形を知る(写真4)。とにかく、体験豊富で学びの多い贅沢な街歩きとなった。

　この街歩きへの参加者は10代から80代までの視覚障害者24名と晴眼者25名であり、視覚障害者は全盲13名、弱視11名である。街歩きを終えた後には、面談形式で印象や感想を述べてもらっ

写真 1　街歩きの途中で煉瓦にさわる
　　　　参加者

上：写真 2　鰹節削りの体験
下：写真 3　通行者が多い商店街の活気を感じながら歩く

写真 4　迷路のような坂の路地を登る

た。中には、回答用紙の裏側から点字を打ち回答
したものがあり、翻訳によって内容を理解したも
のもあった。

　まず、街歩きで最も印象に残ったことは、参加
者全体では坂道を歩く、鰹節をたたく・削るとい
った身体的体験の回答が最も多く 12 人が回答し

た。次いで、鰹節屋、茶屋の匂いが 10 人で多く、
細い路地が 9 人、商店街や街並み、下町の風情が
7 人で続いた。障害の有無別にみると、視覚障害
者では坂道を歩く、鰹節をたたく・削るといった
身体的体験が 9 人（晴眼者 3 人）、カエル、水琴窟、
手水鉢の音が 5 人（同 0 人）で多かった。反対に、

表1　街歩きで最も印象に残ったこと

分類	項目	視覚障害者 (N₁=24)	晴眼者 (N₂=25)	合計 (N=49)
事物	細い路地	3	6	9
	建物（長屋など）	1	4	5
	商店	0	4	4
	絵画	0	2	2
	大通り	0	2	2
	その他（記念碑，古木，煉瓦，街道など）	3	5	8
雰囲気	歴史，文化，伝統，古さ	3	6	9
	町（商店街，町並み，下町）の風情	2	5	7
	人情，生活臭	1	4	5
	活気，老若男女の存在	0	3	3
	新しさ	0	1	1
体験	身体的体験（坂道を登る，鰹節を削る・たたく）	9	3	12
	匂い（鰹節屋，茶屋）	6	4	10
	音（カエル，水琴窟，手水鉢）	5	0	5
	味わい（鰹節屋，茶屋）	3	1	4
	解説	2	2	4
交流	他の参加者との会話	2	0	2
	商店主のおもてなし	2	0	2

注）視覚障害者24人と晴眼者25人の回答を類型化し，回答数1の項目をその他として集計した。

表2　街歩きで一番楽しかったこと

分類	項目	視覚障害者 (N₁=24)	晴眼者 (N₂=25)	合計 (N=49)
事物・環境	雑貨・商品	1	1	2
	その他（風景，天候，建物）	2	1	3
雰囲気	街並み（街）の雰囲気にふれる，がやがや感	6	6	12
	歴史・文化（記念碑）	1	6	7
体験	食べる	5	4	9
	歩く，探検	4	2	6
	五感での体験，ふだんさわられないものにさわる	3	3	6
	ガイド，商店主の解説	3	3	6
	驚き，発見，ハプニング	0	6	6
	目的のない旅，そぞろ歩き	1	2	3
	匂い（鰹節屋，茶屋）	1	1	2
	新しいお店の発見	1	1	2
	買う	0	2	2
	その他（看板を見る（さわる），くじ引きの当選）	2	0	2
	お店の看板を見る	1	0	1
交流	人との交流・会話	4	6	10

注）視覚障害者24人と晴眼者25人の回答を類型化し，回答数1の項目をその他として集計した。

表3　街歩き中に感じた不安や危険

項目	視覚障害者 (N₁=24)	晴眼者 (N₂=25)	合計 (N=49)
人，モノとの衝突（車，(放置)自転車，子ども，看板，車止め）	6	13	19
自分の位置が不明	3	4	7
不規則な階段の段差	3	0	3
狭さ（火事等の災害発生時の対応が困難）	2	1	3
踏み外しそうな地形，窪み	2	0	2
公道か私道か区別できないこと	1	0	1
崩れそうな石垣	1	0	1
購入した商品を落としてしまいそう	1	0	1
治安の悪いところに入ってしまいそうなこと	0	1	1
なし	7	1	8

注）視覚障害者24人と晴眼者25人の回答を類型化し集計。

晴眼者では歴史、文化、伝統が6人（視覚障害者3人）、細い路地が6人（視覚障害者3人）、商店街や街並みの雰囲気、下町の風情が5人（同2人）で多かった（表1）。

次に、街歩きで一番楽しかったことは、参加者全体では街並みや街の雰囲気、がやがや感に触れたことが最も多く12人が回答した。雰囲気や風情は視覚障害者には知覚しづらく、回答は少ないが、驚いたことに、視覚障害者にとっても街歩きの楽しい要素となっていた。次いで、人との交流・会話が多く10人、食べるが9人で続いた。障害の有無別にみると、視覚障害者で晴眼者の回答を上回った回答が2つあり、一つは食べることであり5人（晴眼者4人）、もう一つは歩くこと、探検であり4人（同2人）だった。さらに、視覚障害者のみが回答する少数回答もあり、お店の看板を見る（さわる）、風景、天候の良さ、くじ引きの当選は各1人が回答した。反対に、晴眼者では、驚き、発見、ハプニングが6人（視覚障害者0人）、歴史・文化（記念碑）が6人（同1人）と、回答数の差が大きい回答がみられた（表2）

さらに、街歩き中に感じた不安や危険は、全体では、車や自転車（放置自転車含む）、子ども、看板、車止めにぶつかりそうになったことが

最も多く 19 人が回答した。とくにこの回答は晴眼者に多くみられ、晴眼者 13 人、視覚障害者 6 人が回答したものである。その一方で、視覚障害者では不安や危険がなかったとする回答も多く 7 人（晴眼者 1 人）が回答した（表3）。

　最後に、街歩きの企画に期待したいこと、改善提案を求めたところ、休憩、トイレ、水分補給、ティータイムの時間が欲しい、といった回答が最も多く、視覚障害者 5 人、晴眼者 8 人を合わせた 13 人が回答した。大きな集団で歩き、企画上、十分な休憩時間をとれなかったことが改善点として表出した結果となったが、その一方で少数回答ではあるが、視覚障害者の中に 1 人で歩いてみたかった（2 人、晴眼者 0 人）、長屋の生活を見てみたかった（1 人、晴眼者 0 人）という回答があり、自由に、あるいは下町の生活の雰囲気に触れてみたい、という視覚障害者の積極的な期待を確認できた。

3. 野外活動のユニバーサル化

　空堀街歩きから野外活動のユニバーサル化にむけて二つの示唆を得たと考えている。一つは、意外な結果でもあったが、全体としては視覚障害者と晴眼者のそれぞれの印象、感想にそれほど差がないことである。このことは、視覚障害者と晴眼者が街歩きを一緒に楽しめるということであり、街歩きが持つ魅力は多様であり、街歩きは様々な知覚に刺激をもたらす総合的体験と言えよう。また、街歩きという一種の野外活動は危険とも隣り合わせであるが、視覚障害者の中には下町の生活の雰囲気に触れてみたいという積極的な期待を持つ回答者もいた。それゆえ、危険に遭遇するリスクを排除しつつ、外界を知りたいという期待に応

えていく必要もある。

　二つ目は、やや逆理的であるが、視覚障害者と晴眼者とで評価の一部に差異があり、街歩きをより深く楽しむ方法論に対する提案が含まれていたことである。たとえば、本稿では割愛したが、印象に残った音、匂いを尋ねる質問に対して、視覚障害者は人の生活音・活動音、昆布の匂いなどを回答し、豊富な語彙によって語っていた。視覚障害者と晴眼者が一緒に歩けば、前述の街並みや街の雰囲気、がやがや感を言語化し共有し楽しめるのではないだろうか。しかし一方で、街歩きの直後の印象では、雰囲気や風情に関して視覚障害者の回答が少なかった。外界把握を通したイメージの形成に関する研究成果のうち代表的なものとしては、Kevin Lynch の『都市のイメージ』[注3] があり、その構成要素として Path（道）、Edge（縁）など 5 要素が抽出されている。視覚障害者が屋外にある橋、家屋などの構造物、自然資源、文化資源をさわったその延長線上にどのような空間のイメージが形成されるのか、どのような難しさがあるのか、この辺りへの探求も必要と思われる。

　最後に、本稿で紹介した空堀街歩きは国立民族学博物館の広瀬浩二郎氏が主宰する４しょく会、空堀まちなみ井戸端会、大阪大学の石塚裕子氏の企画によって行われた画期的な取り組みである。皆様から多くの示唆をいただいたこと、ここに記して感謝を申し上げる。

【注】
1 高橋理喜男他『造園学』朝倉書店、1986 年、304 頁
2 道路緑化保全協会編『道と緑のキーワード事典』技報堂出版、2002 年、98-99 頁
3 ケヴィン・リンチ著・丹下健三・富田玲子翻訳、岩波書店、276 頁

論考

大きなものを身体でたしかめる
─ ダム ─

———————

藤村　俊

はじめに

　私たちが普段行う「動作」には、目的や状況に応じた特定の身体の使い方があるとされているが(注1)、その人が所属する社会や集団、身体的背景等によって、同じように見える動作であっても、差異の生じる場合がある。視覚に頼らないで生活し、長年研究活動をする広瀬浩二郎は、「手学問」のうち「大きくさわる」ことについて、両手を大胆に動かして像(対象物)の全体を把握することとし(注2)、自分の手と頭を能動的に駆使して、徐々に物のイメージを自分の中に作り上げていく。想像力と創造力を総動員して"つくる"プロセスと捉えた(注3)。

　一方、「身体で感じる風の強さと方向で、僕は湖の広さを想像した。(中略)視覚障害者は景色を見ることはできないが、風景を思い描くことはできる。」(注4)といった身体知のあり方を指摘した。本論では、広瀬の2つの思考に導かれながらその実践を報告し、考察する。

事例「ツアー　ダムをさわる」

　2018年、岐阜県にある丸山ダムを様々にさわって体感しながら巡るツアーを企画した。そこでは、年齢や障害の有無等が、参加のための不安やバリアとならないよう、配慮した(注5)。以下はツアーにおいて「大きなものを皆でさわろうとする際、特徴的だった活動」を中心に紹介する。

活動1　声を出す・声を聞く

　13名の参加者(すべて晴眼者)、引率するダム職員、ツアーを企画した筆者が、初めて出会う場面である(写真1)。

　ダムの管理所内には、展示室があり、丸山ダムの構造や歴史などが紹介されている。そこで車座になって座り、落ち着いて互いを確認できるような環境を整えた。ここでは特に、全員がそれぞれ声を出すことで、自身の存在を他者へ伝えようとすること、自己紹介などの語りを聞くことで「他者」への意識がより高まっていくことを期待した。ただし、こうした活動を苦手とする人は多い。そのため、ヘルメット(実際のダム見学で使用するもの)を順に手渡しながら進めることにした。話者がヘルメットを受け取ることで、「自分の番」を意識でき、それに応えようとするきっかけになることを願った。その結果、聞き手は、ヘルメットと語り手を注目することになったし、話者はダムに対する思い、経験や思い出を自分のペースで披露した。ある高齢の女性からは、自身の学生時代(およそ60年前)が丸山ダムの建設時で父母が働いていたこと、その用事で鉄道駅からバスで往来した時の風景、いわゆる飯場での賑わい等の体験が静かに語られた。展示室には建設当時の写真が展示されていたため、筆者は皆にそっとそれを示すことで、参加者が往時を具体的に想像しやすくなるような支援を行った。

写真 1　声を出す・声を聞く、活動 1

写真 2　遠くから、活動 2

活動1　声を出す・声を聞く

活動2　（遠くから）
　　　全体を捉える・その場所の様子をつかむ

大水時のダム
　水の流れ、音、思考（想像）

活動3　（近くから）
　　　モノを捉える①　指先・手の平／身体全体で　さわる
　　　モノを捉える②　　　静かに／大きく　　　さわる
　　　モノを捉える③　　　1人で／みんなで　　さわる

活動4　感じる・思いを馳せる・モノとの対話

活動5　表現、対話（自己開示）・交流による相互作用

図 1　「ダムをさわる」活動の構造／
　　　身体の使い方の整理

活動 2　（遠くから）全体を捉える・その場所の様子をつかむ

　ダムは、一目で全体をつかむことが難しいほど、非常に大きな建造物である。丸山ダムの堤長は 260m、堤高は 98.2m を測る（写真 2）。

　当日は幾日も天候に恵まれて放水量が少なかった。しかし、台風や大雨後には、5 門あるゲートをすべて開放して放水量が最大になる場合もある。そんな時は、轟音と共に膨大な濁流がダムの頂上あたりから、水しぶきをあげて谷底へ流れ落ち、荒れ狂ったように木曽川を流れていく。ダム職員からは、すぐに服がびしょ濡れになるほどの屋外業務の様子、体験した怖さが語られ、併せて筆者

は、大水時のダム写真を参加者に示した。眼前の穏やかな状況とは一変する姿を参加者が想像する時間となった（図 1 内写真）。

活動 3　（近くから）モノを捉える③　身体全体でみんなでさわる

　ツアーは、堤頂（ダムの一番上）から各所を順にゆっくりと巡り、堤体（ダムの本体）内から地上へ出た。ここで最後の活動を行った。堤頂からは、上流側に広がる大きなダム湖と、夏の暑さを一時忘れさせるような木曽川を抜ける気持ちの良い風を感じた。しかしダムの下流側に当たるここではそれらを直接感じ取ることはできない。その

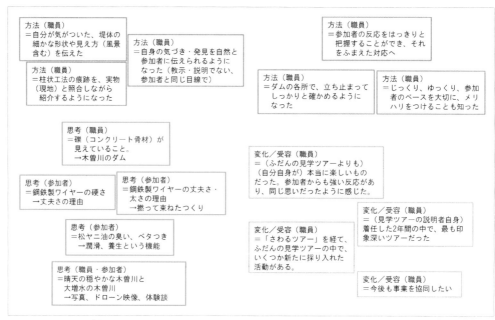

図2　聞き取り結果【事前、事後のインタビューより】＊一部、ツアー参加者含む

写真3　近くから（手の平でさわる）、活動3

写真4　最後に、身体全体でさわる（ダムになりきってみる）、活動3+5

違いを思い出すことで活動全体をふりかえり、約60年間、水を堰き止め続けている大きな丸山ダムを皆で意識できないかと考えた。ダムがその巨大な堤体全体で多量の水を長年押し返してきたように、全員で10秒間、大きな声を合わせながら、ダムを押し支えてみたのである。言い換えれば、ダムに（10秒間だけ）全力でなりきってみようとするものだった。一同は堤体に沿って一列に並び、両手をダムに向かって大きく広げて押し当てた。両

足をふんばり、大きな声を出しながら、力いっぱいダムを支えようとした（写真4）。この時、1回では名残り惜しいようだったので、2回目を行った。大人も子どもも全員が恥ずかしがることなく活動に参加してくれ、終了後は自然と拍手が起こった。

　以上が「ダムをさわる」活動の一端であるが、実際には示すことのできなかった場面も多い。そこで、本活動の構造やそこで行われた身体の使い方について、（図1）に整理した。

参加者の姿

　参加者アンケートでは「催し物名がダムをさわるというおもしろい名前で本とうにいろんな所をさわりました。さわった時には、ぼくたちの生活をささえてくれているんだなと思いました。」（原文ママ）があり、「さわる」活動に対する強い印象と、そこから思考の広がりのあったことが伺えた。

　また、普段からダム見学として、解説案内等を行っている丸山ダム職員へ行った事前と事後の聞き取り調査からみえてきた姿にも注目してみたい（図２）。そもそもダムという構造物は、様々な規制や制約が多く、見学時には課題もあったが、職員自身がツアーを経て、さわって学ぶ在り方[注6]と「さわる」は学習できるもの[注7]であることを実感し、大きく変化した自身の姿を認めたことがわかった。

まとめ

　最後にツアーをふりかえるにあたって、「環世界」[注8]という概念を援用してみる。すると、「内—ダムの内側にいる人（ダム職員・筆者）」と「外—ダムとの関わりを深めたいと願う、外側にいる人（ツアー参加者）」という、境界に隔てられた二者を位置づけられる。聞き取りをした職員の課題にもあったように、これまでは主に、送り手としての「内」から、受け手である「外」へ一方向的に「ダム」を伝える形が主であったようである。

　今回は、内・外の人がそれぞれに行った「さわる」行動を通じて得たもの（個人的な体験）が持ち寄られた。ツアー内で、互いに気軽に表現し合えたことは、「内」の人も「外」の人も同じ方法で丸山ダムを捉えようとする実践を積み重ねたといえ

よう。

　それは、ダムをさわる過程で各自が得た新しい価値や発見について、時には境界を超えて互いに較べたり、触発されたり、学び合えるものだった。その時、両者の境界はゆらいだのだろう。それぞれがもつ「さわる」技術、環境、実践を通して知覚されるダムという非常に「大きなもの」は一様でなく、関わり合う人々の知識や経験、関心によって、多様なものとなる。だからこそ、それぞれが行う実践活動を積み重ね、何度も結び直していく過程を通じて構築された「さわる」世界は、多くの見常者[注9]（「見常者」という語については、広瀬浩二郎による本書総論も参照［p.22］）にとって、普段と異なる思考や行為が引き出されたことを実感でき、自身に変容をもたらす可能性や潜在力に気づく契機[注10]になりうる。

【注】
1 マルセル・モース「身体技法」『社会学と人類学Ⅱ』有知亨・山口俊夫訳、弘文堂、1973年
2 広瀬浩二郎「「手学問」理論の創造－触学・触楽・触愕するフィーリングワーク」『さわって楽しむ博物館』青弓社、2012年
3 広瀬浩二郎「企画展「さわる文字、さわる世界」の趣旨をめぐって」『UDライブラリー　だれもが楽しめるユニバーサル・ミュージアム"つくる"と"ひらく"の現場から』読書工房、2007年
4 広瀬浩二郎「観光から観風へ」『身体でみる異文化』臨川書店、2015年
5 ダム－木曽川・飛騨川－展　http://www.forest.minokamo.gifu.jp/tenrankai/30/2018_06.cfm
6 注2に同じ
7 注1に同じ
8 山崎吾郎「2　技術と環境」『文化人類学の思考法』世界思想社、2019年
9 注2に同じ
10 石井美保「4　現実と異世界」『文化人類学の思考法』世界思想社、2019年

コラム
ふるさと考古学
── 遺跡と人のワークショップ ──

_____

さかいひろこ

　ガラスケースを開いて展示されている縄文土器を取り出してみよう。赤ちゃんをだっこするように、やさしく両手で抱えてみる。

　はたしてそれは、君が思っていたような重さだっただろうか？　持ちやすい？　それとも持ちづらい？　テーブルの上に、そおっと置いてみる。中をのぞきこんで、奥の方からゆっくりさわってみよう。つるんつるんに磨かれているのが、わかるよ。こんどは外側を下の方から上の方へなでるようにさわってみよう。どんな発見があったかな？

　内側と外側に手を当ててはさんでみる。厚みはどうだろうか。底のほう、まんなか、口の部分。すてきなもようがついていたり、口の部分にギザギザがついているかもしれない。たくさんの出っ張ったもようがついているかもしれない。もしキッチンにこの土器があって毎日使ったら、ジャブジャブ洗うのは大変だろうな。そう、思わない？　汁が炭になってびっちりこびりついていたり、火を受けて黒くなった跡もあるよ。そおっとひっくり返して底をみてみよう。つくるときに敷いてあった、美しいアジロ編みのあとがついていたりする。

　きっと、縄文時代のお母さんも君がさわったところを同じようになでていたと思うよ。

　一緒に置かれている石皿と磨石。縄文のフードプロセッサー。石皿のくぼみに手のひらを置くと、それはそれはなめらか。磨石もすべすべだ。いっ

たい何をすりつぶしてこんなになったのだろう。土器と石皿。はるかな昔、命を支えてきた、食の道具たち。これらがあったから今わたしたちは生きている。

　「つくったひと」・「つかったひと」へ思いをはせるとき、心の中に時空を超えて物語が紡ぎ出される。

　『ふるさと考古学 ── 遺跡と人のワークショップ ── 』は、2006年7月に誕生した10回ほどの連続講座スタイルの小・中学生向け考古学講座だ。舞台はひたちなか市埋蔵文化財調査センター。埋文スタッフとボランティア・スタッフ、子どもたちとの濃密な時間が流れる。

　考古学の手法を使わずにどうやって土器や石器と語らうか、模索し続けた。どの土器が古くてどの土器が新しいか ── みたいな考古学の基礎知識はストンと素直に子どもたちの脳に入りこみ思考を止めてしまう。まっさらな状態で、ダイレクトに土器や石器を感じてもらいたい。最初に感じた気持ちを大切にしてほしい。思いっきりまわり道をする講座だ。

　土器や石器をじっくりさわってみる。

　そして、つかってみよう。土器や石器は復元したものだ。イモを煮たり、石のナイフで肉を切って、焼けた石で焼いて食べる。おいしい。くぼみ石でクルミを割り、石皿ですって粉にする。イヌガヤ製の弓はよく飛ぶね。石の斧で木を切り倒す。ヤッタ!!

　「縄文時代って、毎日、おもしろかったんだね!」そうだとも！

　自分で土器や石器をつくってみよう。石や貝で土器の内側をツルツルに磨く。土器になる瞬間の熱い炎を体感する。鹿の角のハンマーで慎重に縁

を叩けば、手のひらの上で石器ができあがる。

　様々な専門家の参加によって、アプローチの方法がぐっと広がる。雑木林のツルでカゴをつくり、植物の繊維でポシェットをつくる。縄をなう。木をけずる。磯で貝をとり、煮て食べる。川原で石器の石をさがし、分類する。森の土壌を分析し、土壌中の種子を顕微鏡で観察する。丸一日遺跡を歩く。自然の中で遺跡のことを考える。いろいろなワークショップが誕生した。「ふる考」のマークでもある虎塚壁画古墳。堀江武史さんによる『壁画の考古学』ワークショップは保存科学の研究と並行して発展し、石室の素材と顔料を解明していく実験考古学ワークショップとなった[注]。「ふる考」は、ユニバーサルなミュージアムの実験場にもなった。

　「標本陳列室で、みんながグっときたものを描いてみて」。イラストレーターの私はハガキ大の白い紙を渡し、スケッチしてもらう。思い思いの場所を陣取って鉛筆を走らせる。赤ちゃんにおっぱいをあげている埴輪、馬の埴輪、台付きの甕、オシャレな弥生の壺、土偶、やじり、石のナイフ、古墳から見つかった大刀（たち）…。一番人気はナント縄文時代の石槍（いしやり）！　考古学はグッとくるものの宝庫だ。

　ガラスケースをとっぱらい、そのモノが何を語るか、感じる方法をさぐっていく。方法はひとつじゃない。「縄文って、おもしろいね！」目をキラキラさせていた子どもたちが大学生になり、いま講師になってくれている。

【注】
さかいひろこ「遺跡と人のワークショップ『ふるさと考古学』」
　『常総台地』16、常総台地研究会、2009年、220-224頁

重さや質感を体で感じる

旧石器時代風 "焼肉"

フィールドで自然環境や地質を学ぶ

完成した虎塚古墳の壁画

「ふる考」のマーク

p.72-73 ［2-2］信楽射真ワークショップ作品 参考資料

歩いて、触れて、創る
── 「私たちの射真展」実行委員会趣意書 ──

広瀬浩二郎

　射真とは真実を射ること。真実を射るためには、全身の触角（センサー）を駆使して事物に肉薄しなければならない！

　一般に、人々は旅行・観光の記録として写真を撮ります。旅の思い出、印象に残った景色を記憶にとどめるための有力かつ手軽なメディアが写真です。しかし、人間の記憶は視覚的なものばかりではなく、感触、におい、味、音などもあります。写真ではこれら身体感覚で得た情報を十分に記録・記憶することができません。

　まちあるきとは人間が触角の潜在力に気づき、その可能性を再認識する機会です。肌で感じる風、足裏がとらえる道の起伏、街に集う住民・旅行者との触れ合い……。写真を撮る際、私たちは被写体となる人物、景色を視覚で確認し、シャッターを切ります。一方、射真ではまず手を伸ばし、被射体にじっくり触れることが大切です。写真では撮影者と被写体の間に距離があるのに対し、射真では手を介して人と物がダイレクトにつながります。「写すのではなく射る」意識を持てば、人間は物理的・精神的に街に近づくことができるはずです。射真は、眼前に広がる雄大な景色を写し取ることはできません。でも、一点を射抜くような鋭さで事物の本質に迫るのが射真の醍醐味といえるでしょう。

　まちあるきの後、各自が探り当てた街の形、姿、イメージを三次元の作品にします。二次元の写真とは異なり、射真は手（身体）の動きを伴うので、立体・半立体（レリーフ）表現となるのが特徴です。街の手触りを忠実に再現する作品、目に見えない風景を自由に思い描く想像的な作品……。一人一人の射真作品は小さく、街のごく一部を切り取ったものかもしれません。しかし、各人各様のユニークな射真作品が10個、20個集まれば、単なる観光マップ（視覚情報を網羅した地図）ではなく、ユニバーサルな触知図ができるでしょう。そして、触知図は私たちの全身の触角を刺激し、新たなまちあるきへといざないます。

　第1回の射真ワークショップの舞台は信楽です。午前中は信楽の古い商店街、窯場などを巡るまちあるきを楽しみ、午後に陶芸の森にて射真作品の制作に挑戦します。できあがった作品は焼成し、2020年秋の国立民族学博物館の特別展で展示する予定です（中略）。歩いて、触れて、創る。これが射真の鉄則でしょう。「歩・触・創」は、いずれも人間が社会に働きかける能動的な行為です。あなたが動けば、何かが始まる！　令和時代の幕開けとともに、全国各地で、さまざまな素材を用いて射真ワークショップを開催するつもりです。みなさんのご参加をお待ちします。

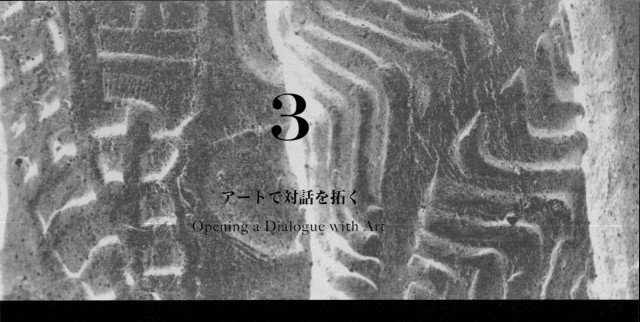

3

アートで対話を拓く
Opening a Dialogue with Art

ユニバーサル・ミュージアムとは、触れ合い（相互接触）の場である。展示物との対話、自分との対話、来館者同士の対話……。まずは手を伸ばし、展示された作品・資料に触れることから、多様な対話が始まる。コロナ禍で社会全体に「さわらない・さわれない・さわらせない」風潮が広がった。しかし、非接触社会から触発は生まれない。本来、文化とは人・物との触れ合いを通じて育まれ、発展してきたことを忘れてはなるまい。本特別展の目的は、優しく、丁寧に人・物に接する「さわるマナー」の普及・定着である。ユニバーサル・ミュージアムには、さまざまな手が集う。この特別展の展示を体感すれば、「健常者＝手助けする人」「障害者＝手助けされる人」という二項対立の常識を乗り越えるヒントが得られるだろう。さあ、手探りを手応えに！

The universal museum is a place for contact, for mutual connections. A place for dialogue with the exhibits, dialogue with oneself, dialogue with others who visit the museum . . . . First, we reach out with our hands. As we touch the artifacts or other materials on display, a variety of dialogues begin. As the COVID pandemic has affected the whole of society, "Don't touch, don't be touched, don't allow others to touch" has become a widespread meme. But a non-touch society cannot generate stimulation. We must never forget that culture is fostered and developed through contact with people and things. The goal of this special exhibition is to promote good manners in touching by demonstrating how to connect with people and things kindly and thoughtfully. A universal museum brings together all sorts of hands. The experience of visiting this special exhibition is intended to convey hints that transcend two common ideas: first, that the able-bodied are those who help others; second, that the disabled are those who require help. Let hands that search find hands that respond!

出展作品によせて

触覚によるかたちの合成、線の表現

前川紘士

「かたちの合成from両手」は、右手と左手のそれぞれで、形状の異なる立体を同時にさわり、それらを頭の中で1つに「合成する」という作品。触れられる立体は、左右2つの空間に分かれた紙袋の中にそれぞれ1つずつ入っている。合成の仕方、捉え方は鑑賞者に任せられる。14個の紙袋の中には異なる組み合わせの立体が入っており、鑑賞者は自分の作り出したある一つのかたちと別のかたちとの比較を、自身の体験や他者との対話を通して試みることができる。

「触る線のドローイング（ボリューム2）」は、線の部分が凸状に膨らんだ表面を持つドローイングのシリーズ。今回出展するまとまりには、視覚支援の為の触図制作で用いられる「立体コピー」という技術を採用している。鑑賞者は、A1、A2サイズの複数のドローイングの表面を、卓上で自由に手に取り鑑賞、比較できる。言語や視覚的図像の再現ではなく、「触る線」自体が生む表現の可能性を探りながら制作したもの。

実物サイズ（触る線のドローイング（ボリューム2））

今回の触れる作品を通して、鑑賞者自身の身体や認知への気づき、齟齬も含めた体験を共有しようとする他者との対話が生まれる。そこで生まれる対話が、博物館という仕組みを介し、沢山の文物と並べられることで、私たちが今まで語ることや想像することが容易でなかった拡がりに新しい足場を作ることを期待している。

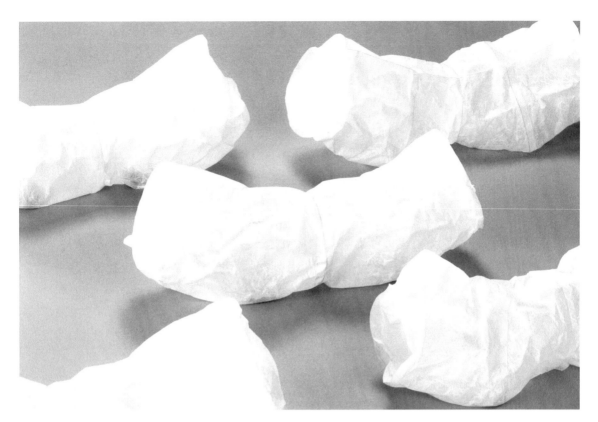

上：［3-1-1］かたちの合成 from 両手 ／ Synthesis of form from hands
下：［3-1-2］触る線のドローイング（ボリューム 2）／ Touchable line drawings（Volume 2）

前川紘士
Koji Maekawa

出展作品によせて

この世界は小さな点でできている。

加藤可奈衛

　水分のみで接合できるユニークな素材を使って、かぶったり入ったりできる構造物を作りたい。適度に水で湿らせた布（晒）に、まゆ状素材の一部を押し当て湿らせる。水分を含んだ箇所はのり状になり、素材同士、或いは他の素材と貼り合わせることができる。紙やダンボールなどを心材にしてモデリングしていくことも出来る。この素材は、主に工業用でんぷんから作られている梱包用緩衝材である*。使用後は土に戻せるという「環境にやさしい素材」である。命にとって大切な「水」だけで接合できる点が素晴らしい。このことは、少し私をほっとさせてくれる。

　子どもの頃、夏休みの自由研究で観察したプランクトンにとても興味を覚えた。一滴の水滴の中には、肉眼では見えない小さな生き物がたくさんいた。どうしてあんなに狭い場所で元気に動き回ったり、美しい形や色を見せてくれるのだろうと、不思議に思った。この記憶は、私が、後に出会った彫刻家から聞いた「この世界は小さな点でできている。」という言葉を、自然に理解させてくれたような気がした。

　この世界とつながる場所を作りたい。素材をひとつずつ集積していくことで身体を包み込むような形態、身体に寄り添うような形態、構造物をつくりたい。見るだけでなく、さわったりその中に入ったりして、作品と対話しながら、身体でかかわってもらえればと思う。素材に寄り添いながら、私自身も、小さな点でできた生き物であることを自覚してみる。まゆ状の小さな一粒一粒の素材を

つなぎ合わせ積み上げていくとき、私は、鳥や昆虫が巧みに営巣する様子を想像する。ミノムシが自分の置かれた環境に適応して巧みに「蓑」を作ることを思い浮かべる。「くっつけ！くっつけ！」と言いながら制作していると、自分自身が、鳥か昆虫になったような気がしてくる。何かしら、懐かしさのような感覚も一緒に。

＊ 繭状、約 4 × 2cm

実物サイズ

[3-2] くっつける住処 / Stick! Stick! Home
加藤可奈衛
Kanae Kato

出展作品によせて

五感とふれあう

島田清徳

　この30年あまり、数百数千の布片を空間に展開するインスタレーションという作品の提示方法をとってきた。鑑賞者が目の前の空間に広がる作品と向きあったとき、視覚情報だけでなく身体全体で作品の存在や気配を感じ、「体感」することを通して自我の外にあるものと自分自身の内にある感覚を結びつけるための糸口となるような「場」をつくりだしたいと考えてのことである。

　美術館で作品を鑑賞するとき、多くの場合、視覚を働かせ、見て、感じて、楽しむ、というスタイルをとる。近年、参加型・体験型の展覧会やアートイベントが注目されているが、鑑賞方法においては旧来どおり、目で見て、目で感じる視覚優位の体験型ミュージアムのように思える。

　本展では、最大時には約2,000枚以上の布片から成る作品を出品する。鑑賞者が作品の中に歩を進めると密集した布片によって視覚や行動を阻まれることになるが、おもむろにそれらをかきわけながら進むことにより、肌にふれる布の存在をリアルに感じとり、また耳を澄ませば自分や他者の動きによって生じる衣擦れの音を聞くことができる。視覚に頼れないからこそ、周囲の気配に全身の感覚を研ぎ澄ませ、自らの五感とふれあう「もの」や「こと」を楽しむのである。

　視覚からは膨大な量の情報を得ることができる。けれども、視覚以外の感覚も駆使して作品を体感することができれば、美術鑑賞はもっと面白く奥深いものになるに違いない。目で見てわかったつもりになっていても、じつはさわって見なければわからないこともあるのだから。

実物サイズ

（2019 年の岡山県立美術館での展示風景）

[3-3] 境界 division - m - 2021
島田清徳
Kiyonori Shimada

出展作品によせて

龍脈を求めて

間島秀徳

　最近の個展のタイトルは、「天地無常」から「Earth Diving」に至り、天地無常は、長年の作品テーマであるKinesis（ギリシャ語に語源があり、運動や変化と共に生と死を意味する）の訳語とした。瞬間は永遠であり、発生と消滅は一瞬であることを見定めるためにである。これまでの制作における核となっているのは「水」であり、水が流れ変化し続けることは、生と死を育む大地の営みとして捉えて来た。Earth Divingに至っては、それ以前の作品タイトルであったseamount（海と山が連なる大地）における絵画泳法によって、海中から浮き上がった潜水者が、地球の大地へ飛び

込む姿から想い描いている。

　思い起こせば、2011年の東日本大震災以降、自らの制作への取り組みは、大きな変革期を迎えた。今も変わらずに扱う主要な素材は水であり、震災で猛威を振るった恐怖の水が全てを飲み込んだ衝撃は、まさに生と死を目の当たりにすることになった。世界を創造する水とどの様に向き合えば良いのか、改めて突き付けられたのである。

　現在の生活（制作）は、長野から東京、茨城を車で移動する日々であり、山並を抜けながら海辺までの道程を毎週くり返している。一箇所に留まらずに、水の様に流れながら思考することは、目の

前に移り変わる現実の風景を越えて制作と向き合うことになるのである。

　今回出品する新作のタイトル〈Kinesis〉の副題はdragon vein（龍脈）である。山脈の尾根沿いに、大地の気が激しく静かに流れる様を表すことで、人間の五感に訴えかけることができればと思っている。

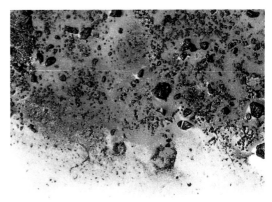

実物サイズ

[3-4] Kinesis No.743 (dragon vein)
間島秀徳
Hidenori Majima

出展作品によせて

つやつやのはらわた

松井利夫

　魚をさばいていた時、まだ見たことはないけれど、自分のはらわたもこんなに美しい艶をしているんだろうと思った。でもその艶を見ることはできないし、一生触れられることもなく私の体腔の漆黒の光に照らされ続け、やがていつか、静かに土に還ってゆく。

　土に触れるということは、指先で土の声に耳を傾けることだ。その会話は触れないことには始まらないし、触れ続けることで気づかなかった思いの深淵を気づかせてくれる対話だ。ひんやりと湿った感触、押さえる力や、土の湿り具合によって変化する触圧は、人の身体の触れ合いを思い出させ、指が自然に形をなぞり始める。水面に石を投げ込んだ時に波紋が広がるように、あるいは雨滴の重なりがさざ波のような模様を描くように、土の表面には様々な会話の記憶が、幾重にも上書きされながら重力に抗いながら、大地から身を引き剥がすように形を生み出してゆく。それが土でものを作るということだと思う。

　その感触の対話から、ものが生み出される。そのことは神秘的で充足した世界を形作っている。無数の土器や土偶のたぐいの形態の芯に、触覚の対話の楽しみがあったのだと気づく。そうでなければあのように、自然からも人からもかけ離れた造形は生み出されなかったと思う。昼の世界以上に、闇の世界への畏れと奥行きを知っていた人々の目には、その漆黒の質感や温もりや湿り気から、闇の向こうからやってくる何者かを感じ、生け捕る術を持っていたに違いない。見えないものを見、形作る術を持っていたに違いない。

　1万年以上も続いた土器の文化を、残された破片や形態から想いを描くことは難しいけれど、目の前の土器片に触れ肌理をなぞるだけで、その昔生きた人々の指先の感覚とつながることができる。文化の理解とは触れ合うことによる肌ざわりの上に成り立つ、すこぶる生理的な営みであることを忘れてはならない。

　マリ共和国のバンバラ族の呪物にBOLIというこぶ牛の像がある。泥で覆われた表面に鶏やヤギの血が塗りたくられ、まるで内臓が反転したような不思議なオブジェには、目も鼻も口もないのに肛門がある。その指一本の小さな穴は反転する宇宙の入り口だ。私はその小さな穴からのぞき見る宇宙を夢見るのではなく、その穴に体をねじ込み、漆黒の闇の光を全身に浴びてみたいと思う。それは五感全ての領域を横断し、私の全体性と宇宙との合一を追体験することになるだろう。この地上の皆が忘れてしまった、あの闇に包まれた胎内の記憶を紐解くために、私は闇と触れ合う。

実物サイズ

[3-5] つやつやのはらわた
glossy internal organs
松井利夫
Toshio Matsui

出展作品によせて

様々な仮面

守屋誠太郎

　私は、2011年以降、「attitude」シリーズとして触れることを前提とした作品シリーズを展開している。モチーフとしているのは動物のツノやそれに準じた感覚的な突起物であり、それを頭部支持体に組み合わせたものを作っている。簡単に言えば、帽子やヘルメットのような被り物にツノが付いたような形状であるが、大きい作品はより抽象的で観念的な形態を意識して制作している。

　私は、動物のツノが彼らの社会で生きる上での態度であると捉え、人間が潜在的に持つ生きるための「attitude（態度）」というものを彫刻として表現できたらと考えてこの作品シリーズを始めた。

　今回、私のこの作品シリーズを本展示に出品するにあたり、民博の広瀬浩二郎先生から「様々な仮面」と題していただいた。彫刻作品の形状的には顔を隠す“仮面”ではないが、「attitude（態度）」の裏側にある弱さ・内面性について“仮面”という言葉から感じ取ることができ、核心を突かれた気持ちになった。

　また、鑑賞に際して鑑賞者が実際に触れることや頭に装着することを意図した理由は、鑑賞を通じて作品のリアリティをより高める目的によるものである。私は、このシリーズをきっかけとして、視覚障害者の方から鑑賞していただく機会が増えたことで、彫刻作品の鑑賞のあり方について深く考え始めた。現在は自身の彫刻制作活動と並行して、触察鑑賞についての調査研究に取り組んでいる。

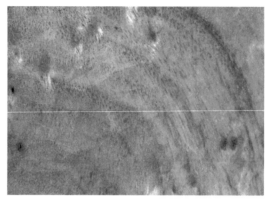

実物サイズ（attitude Ⅰ）

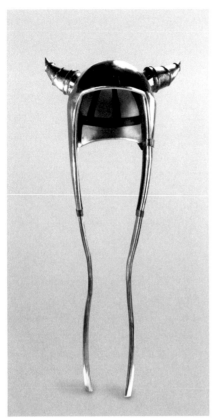
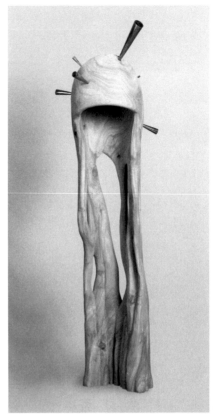

上（左より、以下同）：[3-6-6] attitude IX　　[3-6-4] attitude IV
中：[3-6-1] attitude I　　[3-6-2] attitude II　　[3-6-3] attitude III
下：[3-6-5] attitude VI　　[3-6-7] attitude X　　[3-6-8] attitude XII

守屋誠太郎
Seitaro Moriya

出展作品によせて

思考する手から感じる手へ、そして…

宮本ルリ子

この作品は鑑賞者が6個のブラックボックスに順番に手を入れて、文字と内部を読み取ることで成立する。1番目から4番目には点字が施された「手」のやきものがあり、この「手」の形は指文字でもある。見常者(「触常者」「見常者」という語については、広瀬浩二郎氏による本書総論参照「p.22」)は点字・指文字一覧を参考に箱の中をさわり、触覚のみで読み取りをする。触常者にはろう者の世界を感じてもらう。

ひらがな、カタカナ、漢字、点字、指文字、これらは全て文字で言葉を伝達するための記号である。2011年に、世界で最も精神的に影響力のある人物に位置づけられた、エックハルト・トールによると、人は何かに言葉を貼りつけたとたんに、まるで催眠術にかかったように、それが何であるかを知ったと思い込むが、実際にはただ謎にラベルを貼っただけだと言っている*。点字は触覚という感覚器官を使う読み取りだが、思考を使うということにおいて他の文字と変わりはないのかもしれない。しかし、触覚そのものには、頭が「知った」と思う以前の直接的で原初的なありのままを受け入れる一瞬があるように思える。

5番目の箱は謎である対象そのものを探る。そして、6番目はアートを通して導かれる感覚を超えた、ユニバーサル(普遍的)な意識の気づきの箱としてある。

*参考 エックハルト・トール著、吉田利子訳『ニュー・アース』サンマーク出版、2008年、35頁

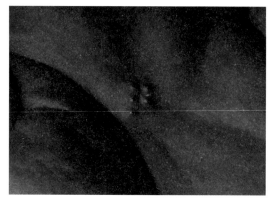

実物サイズ

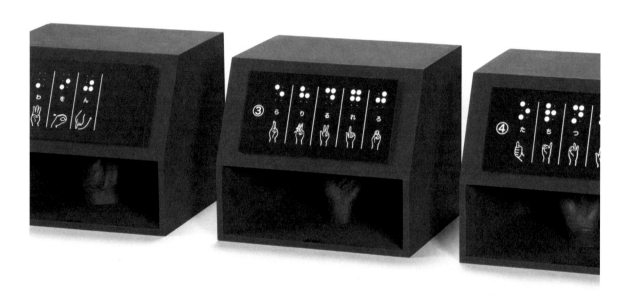

全6点

[3-7] 思考する手から感じる手へ、そして…
The Hands from Thought to Sense, and then …
宮本ルリ子
Ruriko Miyamato

論考

「みる誕生」鑑賞会　アーティゾン美術館の新たな取り組み

細矢　芳

写真1　くじ引きに使用した牛革製の5つの形

写真2　レーズライターで作成した4枚組の会場マップ

　人間は一匹の動物として一人一人全部違う感覚で世界を捉え、各々の環世界を通して世界を眺めている。

　それらは一つとして同じものがない。同じ言葉もない。同じ光もない。

　芸術がそのことに腹をくくって誠実に取り組めば、小さな一匹にとって世界は官能に満ち、やがて新たな生態系が動き出す。イリュージョンを言語にすり替えず、日々出会うものたちをしっかりと手探りし、遊び、粛々と自分の仕事をしていこう。(注1)

（作家ステイトメントより）

はじめに

　石橋財団アーティゾン美術館 (旧ブリヂストン美術館) は、ビルの建替え工事のための4年8ヶ月の休館を経て2020年1月に開館した。ここに報告する「みる誕生」鑑賞会は、新美術館での新たな試みである現代美術と石橋財団コレクションとの共演による展覧会、「ジャム・セッション　石橋財団コレクション×鴻池朋子 鴻池朋子 ちゅうがえり」(2020年6月23日〜10月25日) の関連プログラムとして、アーティスト・鴻池朋子氏の企画により実現したものである。

　筆者が鴻池氏に展覧会のワークショップを依頼した際、まず初めに伺ったのは「作家が何かを教えるのではなく、観客も一緒に考え、語ることを大切にしたい」ということであった。それを実現する一つの方法として、視覚中心ではなく全身の感覚を動員することによる「みる誕生」鑑賞会が企画された。2019年秋には、同様の目的による「六感の森」鑑賞会(注2)がアーツ前橋で開催されている。今回は、それに続く形で参加者がより主体的に活動することを意識して準備を進めた。

　鴻池氏は、「眠っていた細胞」を呼び起こし、「生まれたての体」のように全感覚で初めて世界と出会う驚きを「みる誕生」と名付けた。「触る、匂いを嗅ぐ、音を聞く、語らう」を副題として、目の見えない人もしくは見えにくい人と、見える人を、1対1のペアにし、そのペアで会場を巡ることが重要なポイントとなった。そして当館のコレクション3点(注3)を除くほとんど全ての鴻池作品にさわることが許された。なお、当該プログラムはコロナ禍による感染予防対策のため一時は開催も危ぶまれたが、10月の月曜休館日に観客のいな

写真 3　（左）《森の小径 インスタレーション》で狼や熊の毛皮や爪に触れる参加者

写真 4　（右）ペアで自由に鑑賞する

写真 5　（左）「風の語った物語」の朗読を聞く

写真 6　（右）「物語るテーブルランナー」に触れる参加者

い空間で実施したものである(注4)。

「みる誕生」鑑賞会

　鑑賞会では、鴻池氏のナビゲートのもと、初めて出会ったおよそ 4 組のペアが、分からないことや困ること、失敗も含めて互いに当事者となって体験し、そこから生まれるものを作家と美術館もともに聞き合うことを目的とした。およその流れを、導入に約 45 分、展示室で約 90 分、まとめ（休憩）に約 45 分として、最初と最後はレクチャールームを使用した。また、各ペアにはスタッフが 1 人同行して静かに見守りながら一緒に鑑賞した。

　はじめに、レクチャールームに参加者が集合すると、ペア決めのくじ引きを行なった（写真 1）。くじは作家の作品素材の一つである牛革を切って形にしたもので、全員が手の感触からのみで形の特徴を言葉にして、同じ形を選んだ 2 人がペアとなった。狼の形を「足はなく、トゲトゲがたくさん

ついたハリネズミのような形」と表現する人がいるなど、見た目の正解と触察から生まれる言葉は時に異なっており、その違いを楽しんだ。続いて展示室のマップを確認する。これは、鴻池氏がレーズライター（表面作図機）(注5)で作成したもので、表面に凸凹がある（写真 2）。4 枚 1 組で、（0）大きな部屋と通路を挟んで小さな部屋がある何もない展示室、（1）そこに仮設壁が 4 箇所立てられ、（2）大型作品が設置され、（3）小さな作品がたくさん加わる。というものである。マップを細部まで認識できる人は少なかったが、会場が出来上がるプロセスを指先で辿りながらイメージした。

　展示室へ移動すると、まず入口で靴を脱ぎ足裏の感覚を意識した。これによって「美術館の床はきれいだなぁ」という人がいたり、「空調の関係で温かいところと冷たいところがある」ことや会場の一部にカーペットが敷いてあることを発見して喜んだり、後に「靴を脱いで絵を見たことが一番

写真7 （左）遠吠えをして、襖絵の中心へ滑り台を降りる　　写真8 （右）襖絵の黒曜石などに触れる

びっくりした」と語った人もいた。足だけでなく上下左右に自由に手を伸ばし、狼や熊の毛皮、狸や狐の襟巻き、牛革のハギレ、毛皮のコートたちが蔦のように垂れ下がり、もじゃもじゃした何かが行く手に現れる《森の小径 インスタレーション》[注6]（写真3）を進む。鴻池氏が時折、マイクで壁や部屋の角をしっかりさわることを促して、構造躯体（くたい）の壁と仮設の壁の手ざわりの違いも確かめた。こうして、壁沿いをぐるりと一周するように各ペアで自由に鑑賞した（写真4）。

次に、奥の小部屋に集合し、「風の語った物語」[注7]を聞いてもらう（写真5）。これは、「むかしむかし／雪が降って大地につもった／春になると雪は／まわりの雪がとけるのを見て／自分の身も危ないことに気づいた…」と始まり、雪が地中でミミズになり、芽を出して木になり、魚になり…と続く鴻池氏がつくった変身物語である。鴻池氏を含むスタッフ5人の声で交替で朗読した。会場には、この物語をもとに制作された大きな熊の形をした毛糸のタペストリーや、「物語るテーブルランナー」[注8]と題された鴻池氏のプロジェクトによるランチョンマット大の手芸作品が93点展示されていた。これらの作品は、鴻池氏が旅先で出会った人々から個人的な物語を聞き取り、それを下絵に起こして、語った本人や関係する誰かが手芸で完成させたもので、ペアでさわったり読んだりして鑑賞した（写真6）。

頃合いをみて、隣接する「声と映像の部屋」[注9]の音量を上げて、雪山や海に響く、鴻池氏の声による風の音、雪女や狼の遠吠え、歌などに耳を澄ませた。

再び大きな部屋に戻り、部屋の中央にある大きな円形《襖絵 インスタレーション》[注10]の襖絵を囲むスロープに、1人ずつ距離をとって立ち遠吠えの練習をした。鴻池氏の呼びかけに応えるように参加者の声が少しずつ大きくなり、笑い声もこぼれた。そして、1人ずつ遠吠えをして襖絵の中心へと滑り台をすべり降り（写真7）、最後に襖絵にもそっと触れて会場を後にした（写真8）。

レクチャールームに戻って休憩をしながら感想を伺うと、「熊の爪を『とんがっているわよ』と言いながら2人で触って、すごい爪でした／美術館にはほとんど行ったことがなく、インクの質感や額縁に触ったのも初めてでした／情報を言いすぎることは、見えない人の楽しみを奪ってしまうのかもしれないと思った。毛皮のところでは、情報なしに触って十分に楽しめた／さわると凄さや鋭さが伝わってきて、こういう感覚は絵を見るだけで

は分からなかった／スロープを登る時のギーギーという音など、音の効果が絶大でワクワクした／遠吠えが良かった。60-70年ぶりで滑り台も滑りました」など、体全体でペアの相手と一緒に体験したことによるパーソナルな発見が多く語られた。

おわりに

　「みる誕生」鑑賞会は、当館にとって視覚に障害のある方に参加を呼びかけた初めてのプログラムであった。目の見えない方・見えにくい方のご協力をいただきながら準備を進め(注11)、3回を通して目の見えない方10人、見えにくい方3人、見える方15人、介助者の方3人に参加していただいた。作家の制作を追体験するような感覚や、他者の鑑賞により深く立ち会うことなど、視覚を中心としないからこそ実現した鑑賞会であった。

　これは、鴻池氏の展覧会だからこそ成立したことではあるが、準備のために、チラシに点字を入れてもらったことや、関係するスタッフ全員で盲導犬セミナー(注12)を受講したこと、レーズライターでマップを作ったこと等も視覚中心ではない新たな鑑賞につながる貴重な経験になった。美術館における作品保全に注意しつつ、何かしらの事物に即した「みる誕生」鑑賞会を、当館の教育普及活動を通してこれからも大切に積み上げていきたい。

【注】
1 「鴻池朋子 ちゅうがえり」展の作家ステイトメント。
2 アーツ前橋「表現の生態系 ─ 世界との関係をつくりかえる」展における、ワークショップ「六感の森」鑑賞会。2019年11月10日(日)。参加作家：鴻池朋子、三輪途道。協力：多胡宏(元群馬県立盲学校長)。三輪氏は、近年視力を失いつつある中で精力的に制作を続けており、同展覧会で鴻池氏と同じ展示室に作品を展示していた。
3 会場には、カミーユ・コロー《オンフルールのトゥータン農場》1845年頃、ギュスターヴ・クールベ《雪の中を駆ける

鹿》1856-57年頃、アルフレッド・シスレー《森へ行く女たち》1866年の3点が賀川恭子(展覧会担当学芸員)によって選ばれて鴻池氏の作品とともに展示された。
4 「ジャム・セッション 鴻池朋子 ちゅうがえり」展は、2020年4月18日から6月21日までの開催予定だったが、4月5日に7都道府県に発令された新型インフルエンザ等対策特別措置法に基づく緊急事態宣言を受けて、6月23日から10月25日に変更された。当該プログラムは、6月の土日開催を予定していたが中止し、検討のうえ10月5日、12日、19日の月曜休館日に感染症対策に注意して最小限の人数で実施した。また、新型コロナウイルス感染症拡大防止の観点から、展覧会の会期中に一般の来館者が作品に触れることは見合わせた。
5 レーズライター(表面作図機)は、ビニール製の作図用紙の表面に図形や文字を描くと、線がそのままの形で浮き上がり、指先でたどれる器具。
6 《森の小径 インスタレーション》と名付けられた通路には、『みみお』(絵本、青幻舎)原画2001年、『焚書World of Wonder』(絵本、羽鳥書店)原画2011年、毛皮(狼、鹿、熊ほか)、毛皮のコート、ぬいぐるみ、クッション、モケモケ、カヌー用ジャケット、手袋、《皮絵 魚(腹開き)》2015年、などとともに、コロー《オンフルールのトゥータン農場》1845年頃が一緒に展示された。
7 「風が語った昔話」『どうぶつのことば ── 根源的暴力を超えて』羽鳥書店、2016年、4-11頁
8 刺しては縫う「物語るテーブルランナー」プロジェクト(2014年〜)は、鴻池朋子が展覧会のために旅した様々な場所(珠洲、阿仁合、瀬戸内、タスマニア、フィンランド)において、行く先々の自然や人との出会いから生まれた。人々から聞き取った個人的な物語を、作家が下絵におこし、語った本人あるいは関係する誰かがランチョンマット大の作品として手芸で制作したもの。
9 声と映像の部屋では、2017年から2019年にフィンランド、スウェーデン、秋田県、香川県で撮影された16分25秒の映像が流れていた。「ツキノワ川を登る」2018年、「浜辺の歌(国立療養所 大島青松園)」瀬戸内国際芸術祭2019年、「ドラえもんの歌on森吉山」2017年、「録音風景 秋田県 阿仁ふるさと文化センター」2019年、「狼との遠吠inラップランド」2018年。
10 《襖絵 インスタレーション》2020年は、円形に組まれた18面の襖絵の周りにスロープが組まれ、滑り台で襖絵の中央に降りるもの。襖絵の一部には、黒曜石などのさまざまな石が襖に突き刺さるように取り付けられている。
11 三輪途道氏(彫刻家)、広瀬浩二郎氏(国立民族学博物館准教授)、半田こづえ氏(明治学院大学非常勤講師)、安原理恵氏(ユニバーサル・ミュージアム研究会員)に展示室の鑑賞方法や準備に関する多くの助言をいただいた。
12 公益財団法人日本盲導犬協会 神奈川訓練センター センター長 山口義之氏、普及推進部 安保美佳氏による盲導犬セミナーをオンラインによって実施していただいた。

論考

めぐるボーダレス・アートと、ユニバーサル・ミュージアム

―――――

田端一恵

写真1　ボーダレス・アートミュージアムNO-MA 外観

ボーダレス・アートミュージアムNO-MA

　滋賀県近江八幡の歴史情緒あふれるエリアに小さく存在する美術館、ボーダレス・アートミュージアムNO-MA（以下、NO-MA）は、社会福祉法人が運営する美術館である（写真1）。NO-MAの成り立ちには、障害福祉施設における知的障害者の造形活動という滋賀の障害福祉の歴史が密接に関わっており、常に福祉とともにある美術館ともいえる。館の名前にもなっているボーダレス・アートとは何を指すのか。端的に言うと、展示のコンセプトである。障害のある人の造形表現や現代アートなど、様々な表現を垣根なく一つのテーマのもとに紹介するということである。このことを通じて、人の表現が持つ根源的な魅力を伝えていこうとするのがNO-MAの使命である。

生み出し手→支え手→受け手としての障害者

　「障害の有無に関わらず、人が生み出す表現の根源的な魅力を伝える」としていることから、開館当初から芸術文化の生み出し手（作者）としての障害者の側面を紹介することに重きが置かれてきた。これは、入館料の減免措置等、芸術文化の受け手（鑑賞者）としての障害者の側面が主となっていた状況に対し、能動的な側面を社会に提示したいという思いがあったからである。NO-MAに関わ

るスタッフに知的障害者支援に携わっていた人物が多く、また、精神科病院の看護師等との繋がりが強かったことから、紹介する作品は知的障害や精神障害のある人の作品が多くなっている。ただし、障害属性や障害があることで判断しているのではないことは、NO-MAがアール・ブリュットとして紹介している作品を確認するとわかっていただけると思う（写真2）。

　開館から10年目を迎えた2013年からは、地域の人たちとともにつくる展覧会にも力を入れ始め、会場運営をボランティアとして支えていただく取り組みも始めた。幅広い人に参加いただくべく、近隣住民のほかに、生涯学習の場に参加する高齢者や、子育て中の方、障害のある人等にも呼びかけた。実際、発達障害や精神障害のある方にも参加いただき、支え手（発信者）として力を発揮していただいた。鑑賞者としての障害者の側面に力を注ぎ始めたのは、実はここ3年くらいのことである。入館料の減免措置のほか、車椅子ユーザーにも見てもらいやすいよう展示の基準ラインを低めにする等はしていたが、作品そのものを様々な方法で味わうという域には達していなかった。最初はミュージアム・アクセス・ビューに協力をいた

写真2　ボーダレス・アートの展示（写真は「踊る細胞〜田島征三とアール・ブリュットたち」2013）

写真3　妄想に働きかける鑑賞法

だいて、目の見えない人、見えにくい人と楽しむ鑑賞会からスタートした。

作品を味わう対象と方法の広がり

　しかし、社会福祉法人が運営するNO-MAとしては、他の障害のある人とも楽しむ方法も考える必要があると考えた。展示のボーダレス・アートに加え、鑑賞のボーダレス・アートにも重きを置き始めたと言い換えても良いかもしれない。法人内を見渡しても、様々な分野の福祉施設や事業所があり、この強みを生かさない手はない。こうして視覚障害者のほか、盲ろう者、発達障害者、高次脳機能障害者とともに楽しむ鑑賞会を、障害当事者やその支援者と協働して開催し、少しずつ回を重ねている。

　2018年の「以‘身’伝心　からだから、はじめてみる」は、様々な方法で身体に向き合っている作者を取り上げた展覧会だが、ここに広瀬浩二郎さんに関わっていただいたことが、更なる広がりをもたらした。展覧会には、オーギュスト・ロダンの彫刻《接吻》を自分たちの身体を使って再現した、菊池和晃＋にしなつみの《KISS-Francois Auguste Rene Rodin-》という写真作品が出展さ

れており、その触図も併せて展示していた。「みる・きく・さわる作品鑑賞会」というイベントの講師を務めた広瀬さんは、この作品のユニークな鑑賞法を参加者に示した。それは、触図を構成する男女2人のパーツを切り抜いたものをそれぞれが目隠しをした状態でさわり、その後その2つのパーツを引き合わせて、抱き合いキスする元の像にするという、想像（広瀬さん曰く「妄想」）にも働きかけるというものであった（写真3）。この試みは、視覚障害当事者にも好評であったが、私たちも全身の‘触角’を活用する面白さを、身を以て知ることができた。2019年の展覧会「ちかくのたび」において、触れて鑑賞できる木彫作品を（一面は開放された）ボックスの中に入れ、両脇に空けた穴から手を入れてさわるという、誰もが見るより先にさわる鑑賞をするという展示発想が生まれたのも、この試みに誘発された部分があると担当学芸員は述懐している（写真4、5）。

作品鑑賞から派生すること

　様々な‘触角’に訴えかける鑑賞の仕方があることは、様々な特性のある障害者に楽しんでいただける要素となる。だからこそ盲ろう者、高次脳機

写真4　さわるから始まる展示　　写真5　「ちかくのたび」展では半野智之の平面作品を、レリーフと点字で再現した作品も
　　　　　　　　　　　　　　　　　　　　　展示

能障害者など様々な障害者とともに楽しむ鑑賞会を実現できている（写真6）。こうした鑑賞会は、様々な人に作品との新たな向き合い方を提示してくれるとともに、障害のある人とともにある在り方も教えてくれる。なのでNO-MAにおいても必ず「ともに楽しむ鑑賞会」として、その障害がある人もそうでない人も参加できる企画としている。また、鑑賞会に参加した障害当事者の声として、「弱視として生活している中での暮らし方を『体験』や『芸術』として接する機会は新鮮で、非常に楽しかった」というものがあった。日常の当たり前の行為が新たな形で評価されるということで、当事者にとっても自分の行為の再評価となる可能性もあると、この声は教えてくれた。

　また、知的障害のある人たちが2団体、日を前後して来館してくれたことも新たな気づきをくれた。「やさしい作品ガイド」として、作品解説を平易な表現や短文に編集し、UDフォントを使い、ルビを振ったものを用意し、鑑賞後の振り返りにおいては、それぞれが答えやすい質問内容を選べ

るようにする等、様々な工夫をしてお迎えした（写真7）。このとき、鑑賞会の感想に合わせて美術館に望むこと等を問うアンケートも取った。一つの団体は特別支援学校高等部の美術部ということもあり、過去にも美術館に行ったことのある人がほとんどであった。もう一つの団体は同じ年頃の青年たちであったが、あると答えたのは半数以下であった。この経験の違いは、他の問いへの差にも繋がっているように思われた。「NO-MAがどんな美術館であれば良いと思うか」との問いに「作品を見ながら話ができる」を選んだ人が半数以上というのは共通していたが、美術部の生徒たちの8割以上が選択した「わからないことはなんでも聞ける」「やさしい作品ガイドがある」という項目は、もう一つの団体においては3割ほどの選択となっていた。誰にでも共通していることだが、経験のないことは、どうしたいかも考えにくい。「わからないことはなんでも聞ける」という選択肢も、「わからないことを聞いて、答えをもらい安心した」という経験がなければ選べない。美術館は万

写真 6　盲ろうの人と楽しむ鑑賞会

写真 7　やさしい作品ガイド

能の場所ではないが、「わからないことはなんでも聞ける」等の社会経験を提供できる場所でもあって良いはずだ。このことは、鑑賞から広がる次の可能性に目を向ける必要性を示唆してくれた。

ユニバーサル・ミュージアムへの道のりと触角の探求

　これからもＮＯ‒ＭＡは、作品の様々な味わい方を考え、実践していく。その際に欠かせないのが、障害当事者の「from」の発想であることは間違いない。障害当事者の方々と試行錯誤しながら新たな味わい方を提示し、それを検証して次の形にする、ということを繰り返す道のりこそ、ユニバーサル・ミュージアムに近づくことができる方法なのだと思う。今は障害名を冠にした鑑賞会となっている。様々な障害の特性にも配慮した、様々な楽しみ方ができることを目指す館であることを知っていただくためである。しかし、そういう美術館であることが定着してきたら、自ずとその冠は外れるのだろう。作者、発信者としての側面もあ

わせて、自分なりの関わり方が見つかり、その方法を選べる美術館となれるよう、様々な‘触角’の使い方を様々な人と一緒に探り続けていきたい。人や物との付き合い方、触れ方の変容が求められたこの時代だからこそ、誰をも巻き込んで探索し実践していけると確信めいて思っており、これからも楽しみで仕方ない。

コラム
目を閉じてみる：感性の人間学・共感の環境学

―――――――

阿部健一

環境問題の用語集には、生硬な言葉があふれている。「温暖化効果ガス」。「持続可能性」。「生物多様性」。「生態系サービス」。「絶滅危惧種」などは、字面からしておどろおどろしい。見ていると眉間に皺が寄ってきてしまいそうだ。

どれも地球環境問題の顕在化とともに使われ始めた言葉である。創ったのは科学者。無駄はないが、素っ気もない。

ことさら「難し気」な言葉になったのは、環境問題の重要性を政治家や行政官そして企業の経営者に訴えかけたかったからだ。彼らの関心を引くのは理知的で客観的な言葉。情緒的な言い回しではない。同じことを言っても、「かわいそうな生きものを大切に」ではなく「生態系サービスの基盤である生物多様性の保全」に耳を傾ける。

こうした理性的な言葉の次に必要なのが、数値つまり可視化である。これも科学者の得意分野だ。

たとえば温室効果ガスを、2050年度までにどれだけ減らせば、地球温暖化をどれだけ抑えられるのか、緻密に計算する。今世紀末に気温の上昇を1.5度C内に抑えるためには、世界中で温室効果ガスの排出量を、2030年には2010年度の45%に削減し、2050年には実質ゼロにしなければならない。でないと、世界中で毎年35兆円以上の損失が生じるというのが、地球環境問題の「常識」となった。数値は、論理的思考に欠かせないし、行動を起こさせるには可視化するのが一番だ。

論理的に因果関係を明らかにし、具体的な数値を示して問題を可視化する。環境問題の解決には不可欠で、重要なことだ。でもそれだけでは問題の解決はできない。解決するのは、結局のところ、国家でも社会でも企業でもなく、われわれ一人一人の「人間」だからである。

たとえば国家は温室効果ガス排出量削減目標の策定に合意し（日本政府は昨年秋に2050年に排出量をゼロにすると宣言した）各自治体は個別に条例などを定め（京都府・京都市と総合地球環境学研究所は今年（2021年）「京都気候変動適応センター」を設置する）、多くの企業が利益の追求と排出量の削減を両立させようとする（グリーンエコノミーと言う）。しかし実際にそれを実現するのは、われわれ一人一人の意識と行動にかかっている。厄介なのは、われわれは自分たちが思っているほど、理性的な存在ではないことだ。ときに、あるいはしばしば、情緒的で非合理的行動をとる。そしてそれは、さほど悪いことではないのでないか。

＊

感性の人間学、そして共感の環境学。情緒や感性を、地球環境問題の中に取り戻したいと思う。論理的に考えることで問題の所在は、可視化され共有された。一方で、問題はわれわれ一人一人の意識や感覚からは遠く離れたところに行ってしまい、どこか自分とは関係のないことと思ってしまっている。解決のための行動を起こすためには、

地球という巨大なシステムに比べ人間ははるかに小さいから、努めて問題を身近なものにする必要がある。身近にするには感じることだ。日々の生活の中で五感を働かす。感じることは、生きるうえでの、もう一つの優れた人間の能力である。

まず自然を感じることから始めよう。風のなかに花の香りをとらえるのはうれしい瞬間だ。青草の中に寝転んで葉先で肌をツンツンされるのも悪くない。いろいろな生きものにさわって、そのぬくもりや筋肉の小さな動きを感じてみることも必要だろう。生きものへの感性を欠いた生物多様性の保全はありえるのだろうか。どんなに深く考えられた地球環境問題の解決策も、感性に裏打ちされていないと長続きはしないと思う。

気を付けなければならないのは、視覚が特権的な感覚になってしまっているということだろう。目に入ってくる光の信号は、脳に伝わり、そこで整合性のあるイメージに変換される。脳で「見ている」から、視覚は大量の情報を得て処理ができる。その結果、人間は視覚に強く依存し、ますます頭でっかちになった。感性は視覚に独占され、可視化せよ、という命令が頭の中でこだまする……。

だから、目は閉じたほうがいい。

目を閉じると、それまで聞こえなかった鳥や虫の音や、遠く離れたところの人の話し声が聞こえ始める。大気の中の匂いも強くなり、肌も敏感になったようだ。人や生きもののいる気配も感じることができる。視覚以外の感性が開き始め、自然や人とのつながりがより深く感じられるようになる。そして再び目を開けたときが、感性の人間学・共感の環境学の始まりである。

Linda Melisa Osuna Vargas 8歳　メキシコ

Pustemova Puslana 10歳　ウクライナ

1991年から国連環境計画 (UNEP) などが主催してきた「国連子ども環境ポスターコンテスト」。
優秀作品は国連の絵葉書やカレンダーに使われてきたが、全応募作品は国立民族学博物館を経て総合地球環境学研究所に寄贈されている。子供たちの描いた絵は、研究所の宝物だ。

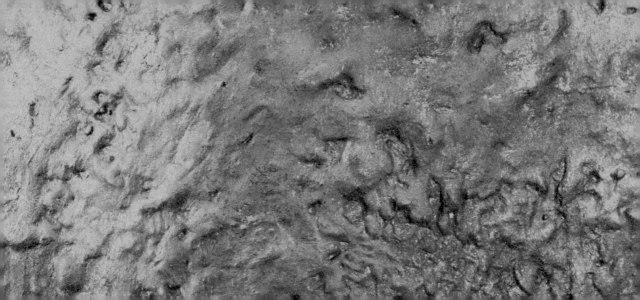

4

歴史にさわる
Touch History

ユニバーサル・ミュージアムは、「触文化」研究の拠点である。触文化とは、「さわらなければわからないこと、さわって知る事物の特徴」と定義できる。触文化の探究は、質感・形状などの表面的理解から、さまざまな文物の背景を探る内面的考察へと進む。博物館で展示されるモノの背後には、それを創った人、使っている人、伝えてきた文化が存在する。多くの場合、「創・使・伝」は人間の手によってなされる。それゆえ、モノにさわるとは、「創・使・伝」を追体験しているともいえる。モノの背後にある「物語」をどうやって、どこまで想像・創造できるのか。人類の「創・使・伝」の集合体である歴史を手探りしてみよう。本特別展では来館者の想像力・創造力を磨く新たな手法・手段として、3Dレプリカの活用事例を紹介する。

The Universal Museum is a center for research on haptic culture. Haptic culture is the realm of haptic communication, phenomena whose understanding requires touch. Research on haptic culture ranges from superficial understanding of texture and form, to deeper exploration of cultural context. Behind the objects on display in our museum are the people who made them and used them and the culture that has transmitted them. In many cases, the making, using, and transmitting have been carried out by human hands. That is why when we touch an object, we are experiencing that making, using, and transmitting. How, and how far, can we imagine, or create, the stories behind these things? Let's try feeling the history that is the concatenation of humanity's making, using, and transmitting. In this special exhibition, we introduce examples of using 3D replicas as a new approach or technique for polishing the imagination and

出展作品によせて

古墳をひっくり返す

岡本高幸

　遠くのこと、目に映る・映らぬ離れた場所の出来事を我が事と思う為に何が必要なのだろうか。取り巻く世界を直感的に捉える方法として、ものやことの身体化に関心を持ってきた。その日、某プロジェクトで大阪の金山古墳の労働量の可視化に挑んでいた。帰宅し東日本大震災を知る。翌年訪れたその地、大きなエネルギーや汚染された大地等に思いを巡らすうち、放射性物質により立入困難な空間が体の一部として病み痛む感覚（腎臓辺りの鈍痛、臓器の機能不全）が想起され「日本地図」のように名を持ち、巨大な一つの形として切り分け可能なものを身体に見立て感じ取る感覚を得た。移動の行程や目的地での景色やエピソードと共に無数の見えない足跡が集積し場所が身体化されていく。

　その後、通勤途中に出会う幾つもの巨大古墳について湯船で考えていた時、眼前にあるが全体を把握出来ず立ち入れない対象を捉える手段として飴を造形し誰もが持つ口内宇宙の中でその形を転がすプロジェクトを思い付く。溶けゆく短い時間の中で天地反転させ見通しの効かぬ対象の向こう側までもを堪能した。飴の制作時、砂糖が融解し型を這い馴染み固まる様に、ひっくり返した古墳の型を身体でトレースすることが出来たならと考えた。

　身体を超えた大きな対象を個人の持つ日常化された行為とそこから生じる様々なスケールに置き換え彫刻的視座で捉え直すことは、共有可能な新たな体験と身体イメージの獲得を実現する。

参考作品：Luminous Sculpture ― 手のひらでかたどる古墳
左奥：清寧陵古墳　右奥：仲哀陵古墳
左前：仲姫陵古墳　中前：允恭陵古墳　右前：白鳥墓古墳

参考作品：Land Licking Project ― 古墳飴
左上：仲姫陵古墳　上中：清寧陵古墳　右上：允恭陵古墳
左下：仲哀陵古墳　下中：応神陵古墳　右下：白鳥墓古墳

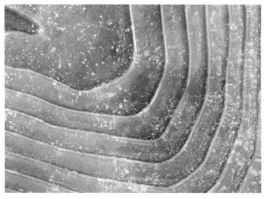

実物サイズ

[4-1] とろける身体―古墳をひっくり返す
Melt in the canyon of a tub – Turn inside out the tumulus
岡本高幸
Takayuki Okamoto

出展作品によせて

縄文の腕輪

石原道知

縄文時代後期の漆塗腕輪の一部と考えられる考古遺物を3次元計測器で測定し複製を作成、その複製を利用することで視覚的にも触覚的にも考察可能な資料を作成した。

この腕輪が発見された埼玉県北本市デーノタメ遺跡は大宮台地の北部に位置し台地および低地にかけて広がる縄文時代中・後期の集落遺跡である。湧水起源の沼沢地の名にちなんで「デーノタメ」と呼称される。日本の乾燥した台地上の発掘現場では植物等の有機質は遺存が難しい。この遺跡には低地が含まれ、植物遺体、漆塗り土器片、木胎漆器等の遺物や、クルミ塚等の遺構が出土している。縄文人の「食」と「漆利用」について考える上で良好な資料が豊富な遺跡である。

さて、ここで紹介する漆塗腕輪の一部と考えられている遺物は長さ21mm幅9.5mm厚み5.5mmと、とても小さな考古資料である（写真1）。表面は赤色の漆塗りで乾燥による破損の恐れがあるため、現在水漬けで保管されている。

小さく濡れた状態では観察し難い。そこで現在技術革新が著しい3次元計測技術を利用しデジタルデータを得、複製を作成した。その際デジタルの特性を生かし拡大模型も試作した。この拡大模型を見て、視覚障害者のかたにもさわってもらいたいと考えた。この模型をさわっていると、小さかった時にはわからなかった部分が認識できるようになってきた。一つは重み、遺物の重心がどこにあるのかわかること。どちらを上にして制作したかが感覚的にわかるようになった。二つ目に、表

写真1　出土遺物の原資料（北本市教育委員会提供）

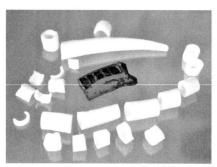

写真2　ツノガイで筆者が作成したビーズと原資料、奥の長い物が加工前の貝。左手の破片は作成時に失敗した破片。

面に残る何らかの剥落痕である。それは細い仕切りで区切られた湾曲した溝で5つの窓状に連なる。

その溝は長さ約3mm幅約4mmで厚さは1mm未満。この剥落痕が何に起因するのか考えたい。資料断面を薄く削った薄片の分析とX線CTスキャナーの画像から、内部は細かい砂や土と漆を混合した物であろうと推定された。

このことから問題の剥落痕は内部からの構造物では無く表面に何かが張り付いた状態、いわゆる象嵌であると考えた。剥落痕は湾曲しているので筒状の一部である可能性を考えた、それは何か。

縄文時代にツノガイという貝を素材とした玉の

左から、実物大複製、拡大模型（×3）、拡大模型（×5）

出土例がある。ツノガイは名称どおり「角状」の
形態で細い先端から太い根もとまで貫通しており
紐を通せば「管玉状」となる。この貝殻片を装飾
として象嵌した可能性はないか。

　ツノガイの生息域は水深30mから500mまでの
深いところに生息しており、打ち上がる個体を入
手するのは難しい。縄文時代の貝製品を詳しく述
べた『貝の考古学』によるとツノガイが打ち上が
る海岸が紹介されている。早速採取しに行った。

　今回は「さわれる考古資料」として1つ目は、
実物大の複製（拡大模型との比較の為）。2つ目は
その拡大模型。3つ目は千葉県で採取したツノガ
イの貝殻。4つ目に推定できる大きさの復元した
腕輪を展示した。

　ツノガイ象嵌は、まだ仮説の状態であるが考古
学は断言できることが少ない。この触察資料を作
ることにより、多くの人にこのことを考えてもら
いたいと思っている。

ツノガイの貝殻

5倍拡大模型の細部（実物サイズ）

【参考文献】
北本市教育委員会編『デーノタメ遺跡総括報告書』（北本市埋蔵
　　文化財調査報告書 第22集）2019年
忍澤成視『貝の考古学』同成社、2011年

[4-2] 埼玉県北本市デーノタメ遺跡出土縄文時代の漆塗腕輪の「さわ
れる複製資料」
"Touch Replica" of lacquered bangle from the Jomon period
from Denotame site, Kitamoto City, Saitama Prefecture
石原道知（資料提供）
Michitomo Ishihara

出展作品によせて
服を土偶に／太陽の面
堀江武史

[服を土偶に]

　縄文遺物の修復に携わってきた私は、触覚で歴史とつながってきたともいえる。触察からの思考は考古学では一本の試論となろうが、私はアートとして発表してきた。一方で触察の機会は誰にでもあるべきだと考える。そこで個展『縄文遺物と現代美術』（新潟県津南町なじょもん）では対話型ワークショップ「服を土偶に」を行った。町内から出土した土偶は五つに割れて、両腕と左足が無い。その理由について考古学では故意、過失、経年を論ずることになる。ワークショップではこの修復していない実物に触れてもらい、あなたなら何を思うのか、と問うた。ここまでは考古学である。そしてこの土偶を復元した複製品を配り、服を作って着せてもらうことにした。ここからはアートである。着衣土偶の出土例はないが可能性は否定できまい。ベタ・イスラエルは土偶に、樺太アイヌは木偶に服を着せた。日本では地蔵や街角彫刻に服を着せる心の動きが今も見て取れる。土偶に服を着せることは、現代と過去の心の往還に他ならない。

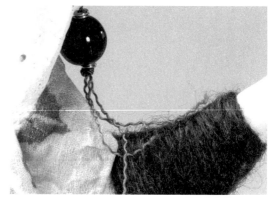

実物サイズ（服を土偶に）

[太陽の面]

　「縄文とアート」をテーマにする各地の企画展では岡本太郎の仕事が使い回されてきた。博物館がアートと、美術館が縄文と自ら向き合っていないからではないのか。その思いから、岡本の象徴『太陽の塔』を壊したイメージの仮面を作り、展示してきた。模様は太陽の塔の図面から写し取り、モザイクタイルは塔に使われた実物と同じ製品である。ともにさわって確認できる。

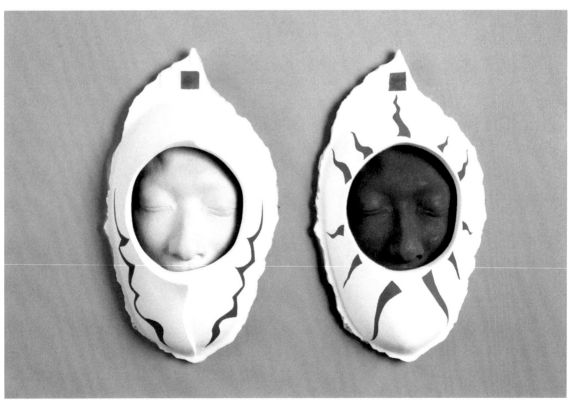

上：［4-4-1］服を土偶に ／ Dress the Dogu
下：［4-4-2］太陽の面（Side A, Side B）／ Mask of the Sun（Side A, Side B）
堀江武史
Takeshi Horie

出展作品によせて

西村公朝《ふれ愛観音像》　触れる仏像の試み

河島明子

仏像彫刻家・西村公朝

　西村公朝（1915〜2003）は、美術院（現公益財団法人美術院国宝修理所）の仏像修理技術者として国宝・重要文化財に指定された仏像・神像の修理に携わった人物であり、その数は三十三間堂千手観音立像を含む約1300件にのぼる。美術院所長・理事・修理技術顧問を歴任するなど、戦後の文化財保存に尽力した。また、37歳で天台宗僧侶となり、愛宕念仏寺（京都市）の住職を務めた。仏像や経典に関する豊富な経験と知識をもとに多数の著作を残し、仏像史や鑑賞の普及等に大きな足跡を残している。

　学生時代の西村は現代彫刻家を目指して東京美術学校（現東京藝術大学）で木彫を学んでおり、芸術家という一面がある。全国各地の寺院から依頼を受けるなどして、西村独自の慈悲あふれる仏の姿を生涯にわたって追求し続けた。

《ふれ愛観音像》誕生

　《ふれ愛観音像》は依頼を受けたものではなく、西村の創意にもとづいて制作した作品である。1989年、全盲の女性が仏像に触れるというテレビ番組の企画において、西村はガイド役をすることになった。そのとき出会ったのが川島昭恵氏である。仁和寺の木彫仏に触れた川島氏は「温かい胸」、「やさしいほっぺた」などと感想を述べ、西村は触れることによって仏の慈悲を感じる様子に驚いたという。これを契機として、西村は、仏像が視覚によってその教えや慈悲を伝えてきた歴史を顧み、触覚的な効果にも考慮した仏像の制作に取り掛かる。これまでにない試みにずいぶん苦労し、通常3か月で制作する原型に1年も費やした。

その造形的な工夫は随所に見られる。例えば、突出した目に線彫で瞳を描き、衣の襞は意図して深く彫られている。台座には線彫で蓮華を描いており、仏の世界を指でなぞらえることができる。さらに、全体的に丸みを帯びたフォルムは西村の仏像の特徴だが、本作ではそれが「さわり心地」に結実している。とりわけ、頬・肩・腕・手・脚部のような触れやすい部分に慎重な均整さがある。

　1991年、鋳造を経て金箔が施された《ふれ愛観音像》は、元番を愛宕念仏寺に安置し、以後、清水寺のほか約60か所に奉安され、全国各地で触れる仏像として親しまれている。

仏像史における《ふれ愛観音像》

　西村は、本作の経緯等を記した文章で、日本で撫仏が誕生した背景には、江戸時代における仏教の大衆化があると指摘している。しかしながら、その撫仏でさえ、さわることにより病が平癒するという目的で制作されており、触覚的な造形を重視したものではないと結論付け、「この未踏の造形に、私は一老仏師として日夜情熱を燃やしている」（参考文献1：p.6）と本作に対する意欲を述べている。つまり、撫仏にさわる意義は主に信仰心にもとづくが、《ふれ愛観音像》は信仰心の有無に関わらず、私たちが仏像を見るときに造形から感じる「あたたかさ」や「やさしさ」、「美しさ」を触感的造形として成立させているのである。その点において仏像史に類のない作品と言えよう。

【参考文献】
1 西村公朝「仏を彫る−心の仏をつくる−」『仏教』No.17、法蔵館、1991年
2 西村公朝『仏像の声　形・心と教え』佼成出版社、1995年
3 大成栄子『祈りの造形』新潮社、2015年

上左：[4-5-5] ふれ愛観音像 / Fure-ai Kannon
西村公朝
吹田市立博物館蔵
Kocho Nishimura
Collection: Suita City Museum

上右：[4-5-4] 聖観音菩薩立像（奈良・薬師寺）レプリカ / Standing Sho-Kannon Bosatsu（Yakushiji Temple, Nara）（replica）
下左：[4-5-3] 阿弥陀如来坐像（大阪・四天王寺）レプリカ / Seated Amida Buddha（Shitennoji Temple, Osaka）（replica）
下中：[4-5-2] 聖観音菩薩立像（兵庫・鶴林寺）レプリカ / Standing Sho-Kannon Bosatsu（Kakurinji Temple, Hyogo）（replica）
下右：[4-5-1] 雲中供養菩薩像南 21 号（京都・平等院）レプリカ / Praying Bosatsu on Clouds South figure 21（Byodoin
　　　　　Temple, Kyoto）（replica）

吹田市立博物館蔵
Collection: Suita City Museum

出展作品によせて

中東・湾岸地域の女性用飾面

後藤真実

　中東の女性というと、多くの人は黒いヴェールで顔を覆うムスリム女性をイメージするかもしれない。しかし、中東には色や形、生地の異なる様々な顔を覆うモノが存在する。ペルシャ（アラビア）湾沿岸地域、特にアラブ首長国連邦、バハレーン、カタル、オマーン、南部イランでは、1970年頃までほぼ全ての女性が、ブルカまたはバトゥーラと呼ばれる飾面を着用していた。

　この飾面の起源は、16世紀初頭にポルトガルが南部イランを占領していた時代にさかのぼる。現地の人々はポルトガル人兵士たちから女性を守るため、髭の形をした飾面を彼女たちに着用させることで、遠目には男性であるかのように見せ、兵士たちを遠ざけていたという言い伝えが残っている。

　この伝承の真偽は不明であるが、湾岸地域の飾面の特徴としては、比較的硬く、厚めの生地が使用されているということ、そして呼吸をしやすくするために鼻の部分が突起しているということが挙げられる。そして現在では大きく分けて3種類の飾面が着用されており、①ペルシャ湾両沿岸で主に用いられているインディゴ染めの綿生地を使用した飾面、②南部イランのバルーチ人が使用している、様々な色の毛糸を編んで作られる飾面、③オマーンの内陸部で主に使用されているナイロン生地の飾面がある。さらに、これらの飾面は着用者の女性個人の配偶者の有無、出身地、年齢、子供の数、宗派や部族、父親や夫の社会・経済的地位によって、色や形、デザイン、大きさ、装飾などが異なる唯一無二のものなのである。

　1970年代以前の湾岸地域では、女性は初潮もしくは婚姻後に飾面を日常的に着用することが慣習化しており、男女の直接的な交わりが制限されていた時代において、飾面は婚姻可能な女性たちを区別する重要な役割を担っていた。また、多くの女性は自身の飾面を手作りしていたが、特に手先の器用な女性たちは他の女性からオーダーを受けて、個々人の顔や好みに合わせた飾面を売り始めることで、その地域の飾面職人となっていった。しかしながら、産油国となり、女子の就学率が向上してきた1970年以降、飾面着用者の数は減少の一途をたどってきた。現在、現地の人々の多くは飾面文化を近代化以前の伝統文化だと見なし、イスラームな視点から解釈をする人はほとんどいない。それ故、実際に飾面を着用している女性の年齢も、慣習化していた時代に着用を始めた58歳以上が多くなっている。

　その一方で、近年では若者を中心に飾面文化を自分たちの伝統、アイデンティティの一部と捉え、ファッションとして取り入れる動きが進んでいる。飾面女性をアクセサリーのモチーフや自身のブランドのロゴに使用したり、また少数ではあるが、「歳をとったら飾面を着用したい。」と考える若者もでてきている。このように、70年代頃から「数年後には廃れる。」といわれてきた飾面文化であるが、これからも女性たちの手によって継承され続けていくのかもしれない。

左・上から（以下同）：I2016145・I2016019・I2016015・I2016078（イラン）
中：O2020038・O2016057・O2016026（オマーン）
右：U2019038・U2018075（アラブ首長国連邦）・Q2016006（カタール）

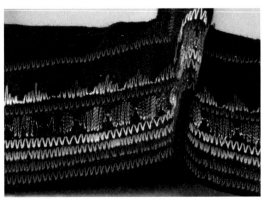

実物サイズ

[4-6] 中東・湾岸地域の女性用飾面
The Female Facemask in the Arabian-Persian Gulf/ Middle East
後藤真実（資料提供）
Manami Goto

論考

歴史体感ツアーの試み

───────

北井利幸

はじめに

　奈良県には数多くの文化遺産が点在している。私の勤務する奈良県立橿原考古学研究所附属博物館（以後、当館）の位置する橿原市には4世紀末から6世紀の国際交流を物語る新沢千塚古墳群や県内最大の前方後円墳である丸山古墳、日本で初めて建設された本格的な都城である藤原宮など文化遺産が多く所在している。飛鳥時代の文化遺産が多い明日香村にも隣接し、博物館と文化遺産を共に楽しめる最適な環境にある。ただしこれは視覚情報を前提とした晴眼者にとって最適なだけで、当館も視覚情報を重視するあまり視覚障害者による利用はほとんどなかった。そこで利用促進の一環として全点触察可能な作品で構成した展覧会を実施した(注1)。この展覧会を通して触察だけでは、晴眼者による博物館で展示を見て、現地で理解を深めるという楽しみ方に及ばないことを新たな課題として認識した。そして晴眼者は視覚情報に頼るあまり作品に触れず、現地に行くだけで満足することが多いこともよくわかった。また、作品の保存・保護を使命とする博物館において破損に繋がる触察を実現する難しさを感じる機会にもなった。会期中に多くの視覚障害者から直接話を伺うことができ、本稿で紹介する歴史体感ツアーを考えるきっかけとなった。障害の有無に関係なく誰もが楽しめる"歴史体感ツアー"の実践内容について紹介する。

歴史体感ツアーとは

　博物館展示を視覚以外の方法で来館者に伝えるには、展示作品の解説や図などは実物資料やレプリカなどの触察を通して、遺跡や古墳などの解説は現地を訪れて地形や規模を伝える方法が考えられる。これに五感（視・聴・嗅・味・触覚）を使った"体感"する要素とユニバーサル・ミュージアムの誰もが楽しめるという概念を加えて、障害の有無に関係なく誰もが楽しんで歴史を体感する企画をユニバーサル・ミュージアムツアー、"歴史体感ツアー"と呼ぶ。

歴史体感ツアーの実践

　ユニバーサル・ミュージアム研究会の協力のもと橿原市と明日香村を会場に2019年10月に1泊2日で実施した。歴史を線として理解するため連続した内容となるように各日にテーマを設定した。2日連続した内容であるが、各日で完結することを目指した。【　】内には主に使用した五感を表記した。

　1日目　古墳時代を体感する

　①奈良県立橿原考古学研究所附属博物館【視・聴・触】／古墳時代の考古資料を用いた触察ワークショップの実施

　②歴史に憩う橿原市博物館、新沢千塚古墳群【視・聴・触】／群集墳を体感し、出土品から古墳時代の国際交流を知る

　③丸山古墳【視・聴・触】／県内最大の前方後円墳の形と規模を歩いて体感

　④飛鳥川の飛び石【視・聴・嗅・味・触】／夜風と飛鳥川のせせらぎを聞き、歌に詠まれた藻塩を食べ、万葉集の世界を想像する

写真1　新沢千塚古墳群の散策

写真2　歴史に憩う橿原市博物館での模型を使った触察

写真3　測量図から製作した100分の1サイズの丸山古墳の飴

写真4　丸山古墳を歩いて体感

　2日目　万葉びとに会う

　　①飛鳥川の飛び石【視・聴・嗅・触】／早朝
　　の風と飛鳥川のせせらぎ、鳥の鳴き声を通し
　　て感じる万葉びとの世界

　　②飛鳥宮跡(伝飛鳥板蓋宮跡)、飛鳥宮跡苑池、
　　飛鳥寺、水落遺跡【視・聴・嗅・味・触】／
　　石敷、鐘の音、木簡に記された食べ物から体
　　感する万葉びとの暮らし

　　③酒船石【視・聴・触】／飛鳥時代の石の文
　　化を知る

　　④飛鳥資料館【視・聴・触】／石人像(レプ
　　リカ)に触れ、シルクロードの終着点として
　　の飛鳥を考える

　各場所でその日のテーマと見学地に関連した資
料の触察ワークショップを実施した。ワークショ
ップは見学地との関係を明確にするために見学前
又は後に設定し、触察する順番と資料の年代の前
後関係を一致させ、参加者の情報整理と意見交換
を行いやすいように考慮した。

　1日目は当館で古墳時代の土器と古墳に副葬さ
れた腕輪形石製品(レプリカ)を使用したワーク
ショップを行った。歴史に憩う橿原市博物館では
新沢千塚古墳群の解説を聞き、現地で126号墳を
中心に古墳群内を散策して規模や墳形、"群集墳"
という言葉の示す様子を体感した(写真1)。博物
館に戻り、126号墳の副葬品(レプリカ)と数種

写真5　夜の飛鳥川の飛び石で万葉歌の解説を聞く

写真6　早朝の飛鳥川の飛び石

写真7　飛鳥宮跡で蘇を食べながら石敷を体感

写真8　飛鳥資料館で石造品（レプリカ）の触察

類の素材を組み合わせて図柄を表現した模型から古墳時代の国際交流を解説した（写真2）。次に訪れる丸山古墳は横穴式石室に入れないため模型で構造を確認した。丸山古墳は全長約310mと規模が大きいため古墳を体感する前に岡本高幸氏が製作した飴を用いて、口の中で前方後円形を触察した（写真3）。墳丘に沿って歩いて形と規模を把握し、登ることで高さを体感した（写真4）。この日の最後の訪問地は翌日に繋げるため飛鳥川の飛び石とした。ここは万葉歌に「明日香川 明日も渡らむ 石橋の 遠き心は 思ほえぬかも」（万葉集巻第11-2701）と詠まれた石橋を連想させる。川のせせらぎ、風に吹かれて揺れる草花の音や匂い、鳥や虫

の鳴き声などを感じられ、歌の世界観をより豊かに体感できる。万葉歌に詠まれた藻塩をおにぎりにかけて味わいながら歌を聞き、万葉びとの世界を体感した（写真5）。なお夕方に訪れたのは翌朝に再訪した際に、明るさ以外に聞こえてくる音や感じる気温などから時間によって変わる印象の違いを比較するためである。

　2日目は早朝に飛び石を再訪し、同じ場所でも時間によって印象が異なることを確認することから始めた（写真6）。飛鳥宮跡は発掘調査で検出された石敷遺構を復原しており、現地に立つと歩き心地を体感できる。近くには日本で初めて水時計を設置した水落遺跡と日本初の寺院である飛鳥寺があ

る。『日本書紀』に660年に初めて漏刻を作って、人々に時刻を知らせたと書かれており、水落遺跡の水時計で時を計り、鐘で知らせた可能性があることから、参加者は飛鳥宮跡に立ち、出土した木簡を元に再現された"蘇"を食べ、鐘の音を聞いた（写真7）。時刻を知らせる鐘の音は天皇が時間も支配しようとした表れであることを伝えて、鐘の音を聞いた。この後、鐘の音が鳴り響いた距離を知るために飛鳥寺まで歩き、到着後、鐘を衝き、宮跡で耳にした音との比較を楽しんだ。この後、昼食で現在の奈良県名物を堪能した。その後、飛鳥資料館へ移動した。村内には飛鳥時代の石造品が点在しているが、飛鳥資料館には石製の精巧なレプリカが設置されている。人物像に注目し、顔の表現、持ち物などを触察し、飛鳥時代の国際交流と飛鳥時代が石を多用した文化であったことを話合った（写真8）。

　最後に参加者全員で2日間を振り返って歴史体感ツアーのまとめとした。

展望と課題

　博物館の展示内容を理解するために博物館と文化遺産を繋ぐ歴史体感ツアーは重要な役割を持っている。本稿で紹介した歴史体感ツアーは試行錯誤の段階で、誰もが楽しむという点で改善点も多いが、博物館を核に各地の歴史観光コースを見直すことでどこでも実現可能な取り組みとなる。目的を定め、五感を使って全身で歴史を体感することは障害の有無に関係なく、共に一つのことを考えることに繋がる。発掘調査を通して直接的に歴史を感じ、遺跡・歴史に詳しい考古学者がその情報を視覚・聴覚プラスαの方法で伝えることで情報量は何倍も増える。そのため、歴史体感ツアーにおける考古学者の役割は大きい。

　広瀬浩二郎氏の"障害者にとっての壁をなくす「バリアフリー」を一歩進め、誰にとっても親しみやすい「ユニバーサル」が大事"という言葉は重要で、歴史体感ツアーは参加者全員で体感し、考え、楽しみながら共有するまさに「ユニバーサル」そのものである。歴史体感ツアーの実施には有機的な行程の検討や古墳の草刈りなどの事前準備が必要で管理団体との協力が欠かせない。この取り組みを通して関係者にもユニバーサル化の重要性が伝わることが期待され、地域全体のユニバーサル化へと繋がると予想される。

　最後に、丸山古墳見学中に大雨に降られてぬかるみの中を歩くことになり、企画者として雨を恨んだが、参加者から雨により古墳に登った印象が非常に強く残ったという感想が聞かれた。雨の中、屋内で解説を聞くだけではこうした感想は聞かれなかったと思う。天候も歴史体感ツアーの一部であることを感じた出来事であった。

【注】
1 奈良県立橿原考古学研究所附属博物館編『さわって体感考古学!!』同館誰もが楽しめる「ユニバーサル・ミュージアム」事業実行委員会、2017年
　北井利幸・山奥淳幹・鈴木英隆・煙山　薫「奈良県立橿原考古学研究所附属博物館「さわって体感考古学!!」の開催」『視覚障害教育ブックレット2学期号（'17）』ジアース教育新社、2017年

企画に当たり歴史に憩う橿原市博物館の松井一晃学芸員、飛鳥資料館の西田紀子学芸員、奈良県立万葉文化館の吉原啓研究員にご協力頂いた。丸山古墳、新沢千塚古墳群の見学には橿原市教育委員会にご協力頂いた。記して感謝申し上げます。

コラム

歴史資料にさわる

松井かおる

1. 江戸博で人気の体験模型

　東京都江戸東京博物館（以下、江戸博）常設展示室江戸ゾーン「町の暮らし」コーナーの一角に、「す組」の纏の体験模型が天井からぶら下がっている。小中学生や親子連れをはじめ、ここを通り過ぎる人のほとんどが纏を振って、江戸時代の消防組織、町火消の気分を味わう（写真1）。

　纏は、町火消の各組が用いた旗印の一種で、陀志とよばれる頭の部分に立体で様々な意匠が凝らされている。「す組」の纏は、籠目とひらがなの「す」の字を記した将棋の駒の形を三方向から見ることができるユニークなデザイン（籠目駒形三方面）だ。陀志の下には馬簾とよばれる細長い革製の房飾りが、纏を振ると、左右に揺れる。

2. 本物の材料で「さわれる纏」をつくる

　ユニバーサル・ミュージアム研究会を主宰されている広瀬浩二郎さんに、当館の常設展示のガイドボランティアを対象に視覚障害者対応研修の講師をお願いした折、展示室をご案内した。大名駕籠や肥桶、ダルマ自転車など、さまざまな体験模型とともに、上記の纏も体験していただいた。纏の重さ、革製の馬簾の柔らかな感触などは感じていただけたが、陀志は手が届かないため、肝心の

ユニークな形の触察ができず、複雑な形を言葉で説明するのも難しかった。

　これをきっかけとして、江戸博では触察用の模型を製作することとなり、一般社団法人江戸消防記念会に複製製作の許可をお願いした。同会から紹介された職人さんと打ち合わせた結果、ほぼ実物大の、陀志と馬簾を分離した纏と、全体の形を把握するためのミニチュアの纏を製作することとした。このとき、実物の纏の馬簾は木綿を二重にしたものに和紙を貼って胡粉を塗っているのでベニヤ板のように固く、振るとシャリシャリと乾いた音がすることを知った。体験用の纏では子供が体験する際の安全性を考慮して革製を用いたが、今回の触察用では本物の馬簾を採用した。

3.「す組」の纏　籠目のナゾを追う

　触察用の纏模型の製作にあたり、「す組」の纏（近代以降は「第一区六番組」）を引き継ぐ組頭、三宅輝久氏にもお願いの連絡を入れた。この時に、纏に関する歴史資料を問い合わせたところ、ご所蔵の『纏便覧』（1877年竹内氏蔵版）をご教示いただいた。本書によれば、「す組」は江戸時代には二番組に属し、木挽町、南八丁堀周辺等（現・中央区銀座、八重洲等）を担当した。纏の陀志の形は当初、源為朝が琉球から鶴を持ち帰った話に因んで、細長い籠の形だったが、1838年（天保9）からあのユニークな形になった。背景の籠目はその名残であろう。江戸の火事場を描いた江戸博所蔵の絵巻、「火事図巻」（1826年＝文政9年、伝長谷川雪丹／画）には細長い籠形の纏を持って火事場を急ぐ町火消が描かれており、本書の記述と

一致する。

　触察用の纏模型が完成した翌年、これを活用するワークショップ「さわって楽しむ江戸博」を行った際、この内容を参考用の触図・点字シートにまとめた（写真2）。上段は「火事図巻」、下段は『纏便覧』の各図版の上に触図を、タイトル、各解説文の墨字の上に点字をUV印刷した。

4. 歴史をさわる楽しみ

　上記のワークショップでは、体験用の纏を振った後、ミニチュアで全体像を把握し、触察用模型で陀志のユニークな形や馬簾の感触を体感できるよう企画した（写真3）。ガラスケース内に展示している本物の纏と同じ材料で製作した触察用の模型は、誰でもさわってみたい資料であることは、ワークショップを行った時に、多くの晴眼者が馬簾に触れたことで証明された。触察コーナーでは、上記の触図・点字シートで纏の変遷を紹介した。

　このほか、筑波大学附属視覚特別支援学校高等部、都立葛飾盲学校中学部の来館時、また、ユニバーサル・ミュージアム研究会の見学会では、まずミニチュアで纏の全体像を把握し、纏を振る体験につなげた（写真4）。

　本物の材料で製作した触察用の纏模型の馬簾部分は、折れやすく、顔や手に当たるとケガをする恐れもあることから、残念ながら通常の体験模型としては公開していない。

　今後も、視覚特別支援学校の見学時やワークショップ、アウトリーチなどで活用されることを期待する。

写真1

写真2

写真3　　　　　写真4

コラム
国立アイヌ民族博物館が歩む共生社会に向けて
―――――――

立石信一

博物館ができるまで

2020年7月に国立アイメ民族博物館を含む、民族共生象徴空間（愛称ウポポイ）がオープンした。博物館に限って言えば、東北以北で初の国立博物館であり、日本では先住民族を主題とした初の国立博物館でもある。

博物館が作られるきっかけとなったのは、2007年の国連総会での「先住民族の権利に関する国際連合宣言」の可決と、翌年の衆参両院で「アイヌ民族を先住民族とすることを求める決議」が可決されたことである。そして、2009年7月の「アイヌ政策のあり方に関する有識者懇談会」において、民族共生象徴空間が「アイヌ政策の『扇の要』」として提言され、アイヌ文化の振興のみならず、復興・発展させる拠点として、そして「先住民族の尊厳を尊重し差別のない多様で豊かな文化を持つ活力ある社会を築いていくための象徴」となることが目的として整備されることが決まった。

国立アイヌ民族博物館と国立民族共生公園

国立アイヌ民族博物館の常設展にあたる基本展示室では、アイヌ民族の視点から「私たちのことば」「私たちの世界」「私たちのくらし」「私たち

の歴史」「私たちのしごと」「私たちの交流」という6つのテーマが設けられている。これらのコーナーでは、いわゆる伝統的な文化とともに、「伝統的」なイメージからは離れた今の姿も展示している。例えば、「現代のしごと」コーナーでは、サラリーマンや農家、そしてアーティストなども紹介している。

6テーマ以外に、探究展示テンパテンパ（アイヌ語で「さわってね」の意味）というコーナーが設けられており、ここでは資料などに実際にさわってみながら、より探究的にアイヌ文化を知るための展示を行っている。この他にも体験教材として、民具の複製品を中心に、さわる、着る、使ってみることができる資料を徐々に整備している。

ウポポイには博物館とともに国立民族共生公園が中核施設としてあり、公園は「フィールドミュージアム」としてより「さわる」ことに特化しているとも言える。公園内にはアイヌの古式舞踊などを公開している体験交流ホールと、アイヌの食やムックリなどの楽器を体験できる体験学習館。木彫りや刺繍などのアイヌの手仕事の実演や体験を行っている工房。そしてチセ（アイヌ語で「家」の意味）が再現され、儀礼なども公開している伝統的コタン（アイヌ語で「村」の意味）がある。また園内にはアイヌ文化と関わりの深い樹木などが植えられているなど、隣接するポロト湖の景観とともに自然環境も重要な要素となっている。

共生社会に向けて博物館ができること

実は、博物館ができたポロト湖畔（ポロはアイヌ語で「大きい」、トは「湖」の意味）には、もと

もと地元白老のアイヌの人たちが中心になって設立した財団法人が運営していたアイヌ民族博物館があった。通称はポロトコタンという。前身となる施設が1965年にできて以来、50年以上にわたってこの地で営業を続けてきた。同博物館はウポポイの建設に伴って閉館したが、そこで働いていたスタッフの多くがウポポイでも働いており、そうした歴史的な流れのなかにある施設であることの一端も、ポロト湖と白老の気候風土に触れることによって知ることができるかもしれない。そしてウポポイでは、地元白老のアイヌの人たちをはじめ、各地のアイヌの人たちや、様々なバックボーンを持った人たちが働いている。

近代的な制度によって作られたこれまでの博物館は、権力や国家との関係が不可分であったという側面がある。こうした成り立ちを持つ博物館の展示が先住民族であるアイヌの人たちの「私たち」から語られていることや、様々な人たちの手によって運営されていることは、これからの博物館や社会のあり方を問い直すきっかけになり得るのではないだろうか。

「共生」を掲げ、近代的な合理主義では包含し得なかった多様なあり方を模索することで、ユニバーサル・ミュージアムの理念と共鳴しながら、国立アイヌ民族博物館は、新たな博物館像を描こうとしている。

国立アイヌ民族博物館

パノラミックロビーから見るポロト湖の風景

基本展示室

体験交流ホールでは伝統芸能が上演されている

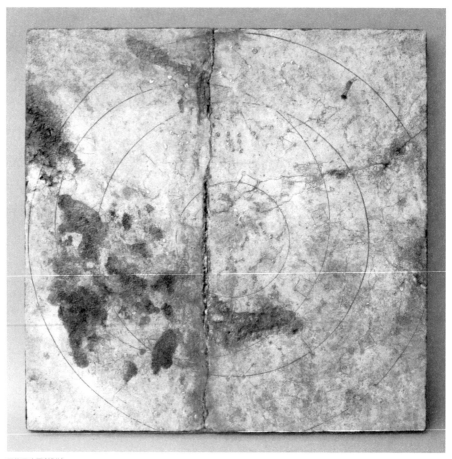

天井 天文図（部分）

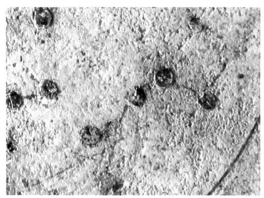

実物サイズ

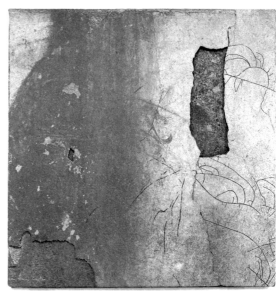

東壁 青龍図（部分）

[4-3] 陶板による「キトラ古墳壁画」複製
Ceramic Board Reproduction of the Kitora Tomb Stone Chamber
大塚オーミ陶業株式会社
Otsuka Ohmi Ceramics Co., Ltd.

5

音にさわる
Touch Sound

ユニバーサル・ミュージアムとは単なる弱者支援、障害者のアクセシビリティ確保ではない。本特別展は「音」の要素が多い。種々雑多な「音」が、「目に見えない世界」への入口になると考えている。しかし、本セクションで紹介する「音で感じるスポーツ」「音の絵はがき」（サウンドスケープ）などは、ろう者にとって直接楽しむことができない展示である。では、音は耳で聴くものではなく、身体でさわるものだと、発想を転換してみたらどうだろう。音の波動を触覚的にとらえる試み、オノマトペを駆使して音の感触を言葉で表す解説文作成など、さまざまな可能性を探る。何を伝えたいのかを明確に定め、そのためにどんな方法があるのかを多角的に検討する。ユニバーサル・ミュージアムは福祉の枠組みを超えて、人類の思考力と開拓精神を鍛える。

The Universal Museum does more than provide support for the weak and ensure accessibility for the disabled. In this special exhibition, sound is a frequently recurring element. We believe that all sorts of random sounds provide entryways to unseen worlds. But the soundscapes, sound spots and sound pictures, introduced in this section cannot be directly enjoyed by the deaf. But what about switching our thinking to conceive of sound, not as something heard

出展作品によせて

アーティストと視覚支援学校生徒との共同制作

亀井　岳

　今回の展覧会に際し、2019年11月21日から2020年2月26日の間の5回に渡り、大阪府立大阪北視覚支援学校中学部において、"笛吹きボトル"をテーマにした美術の授業を実施した。

　視覚に障害のある子どもに対する美術教育では、手を使った触覚情報の優位性により陶芸の課題に取り組む機会が多い。本授業のねらいは、触覚による造形表現と音による聴覚情報から感じ取ったイメージから、子どもたちが自分の主題を生み出すことにある。

　"笛吹きボトル"とは、現在のペルー、エクアドルを中心とする古代アンデス地域で発展した音の鳴る土器であるが、古代の世界を誰も見たことがなく、未知の世界の想像ということもモチーフに選んだ大きな理由である。

　"笛吹きボトル"には、身のまわりにいる鳥や犬などの動物、あるいは骸骨や不思議な衣装を着た人物など、一度見たら忘れられないような素朴で力強い造形がされている。そのボトルの注口から水を注ぎ、両手で抱えて片側にゆっくりと傾けると、細くて長い音が響き出す。これは、水がボトル内の空気を押し出し、注口とは逆側に施された笛玉と呼ばれる小さな球体の内面を空気が滑りだすことによって放たれる音だ。そして、次に反対側に傾けると、空気がボトル内に吸い込まれる音が聞こえる。私は、初めてこの音を聞いたとき、笛玉から放たれる澄んだ音よりも、この吸い込まれる音に惹きつけられた。ゆっくりと吐きゆっくりと吸う、交互に繰り返されるその音は、まるでボトルが深い呼吸をしているように思えたからだ。ほとんどの笛吹きボトルが、生物の形をしている

のは何故なのか。二千年の時を超えた生命の息吹を目の前にして、"笛吹きボトル"が生命のかたちを造形しているのではと感じるのに十分な理由となった。果たして、視覚に障害のある子どもたちは、古代の音を耳にし、その造形に触れる中で、何を感じ何を想うだろうか。

　授業ではまず、BIZEN中南米美術館所蔵の笛吹きボトルの映像から様々な音色を聞く。子供たちは、"笛吹きボトル"の呼吸音だけではなく、映像に映らない、その空間にある音までも聞き分けた。例えば、備前焼の窯元で撮影された映像には、映り込んでいないガス窯のシューシューという音に「火の音がする」と即座に子どもが言い、高く響く笛の音を「赤ちゃんの声や」と表現する。どの子どもたちも、音から浮かぶイメージを自由に発言する。

　次に、実物の古代アンデスの土器に直接触れる。子どもたちの指先はその小さな土器の表面を慎重に触れ、点から面、かたまりとしての全体にたどり着く。そして、岡山県立大学、真世土マウ准教授が制作した"笛吹きボトル"の復元モデルを両手で持ち、左右に揺らし音を鳴らす。この真世土マウ准教授のボトルは、現代の技術で製作されているものであり、驚くほどの音量が響きわたり、その迫力に驚きで歓声があがる。一つのクラスが6人ほどの授業であるが、賑やかな様子は、古代アンデスの笛吹きボトルの工房も同じような賑わいだったのではとイメージがよぎった。

　これらの事前学習に続く、笛吹きボトルの制作では、ペットボトルの型からとった土のボトルから造形を始める。柔らかい土のボトルに、たくさ

んの小さなパーツをつける子ども、思い切り握って変形させる子ども、それぞれのやり方で、形の変化を手のひらでとらえ制作する。視覚に障害のある子どもたちは、全体のかたちを瞬時に捉えることは難しい。しかし、指先に全ての神経を集中させ連続する部分を認識し、全体を構成する造形は、既存の視覚優位の価値観を超えて大胆で力強さが表れる。

　展覧会では、これらの笛吹きボトルを実際に手で触れて鑑賞できるが、ぜひとも、目を閉じ、指先と手のひらでボトルに触れ、点から面、そして全体へ広がる造形を感じてほしい。作品と同時に展示される、授業の映像と音声は、創作活動が喜びと発見の中にあるということの重要な要素である。障害のある子どもたちが、支援学校を飛び出し、博物館にアートを持ってやってくる。私は、アートが学術研究と博物館、そして、子どもたちの教育を結びつけ、ゆるやかに寄り添いながら次につながることが表現方法になり得るのではと思い、今回の作品を手がけるに至った。

出展映像より（笛吹きボトルのかたちと音を鑑賞する）

[5-2] 笛吹きボトルの音色 / The sound of the whistling bottle

亀井　岳
Takeshi Kamei

出展作品によせて

対話する音

渡辺泰幸

　私は音具「土の音」を道具だと思う。「土の音」を介して人や空間、時間によって様々な展開を生み出すことができる。

　観者は鑑賞するだけでなく身体でさわることができる。振ったり、転がしたり、叩いたりすることで音を出すことができる。

　「土の音」を囲み見知らぬ人同士が音を使ってコミュニケーションをとることをはじめる。

　音具にかかわるすべてのものが作品としてのカタチを決めていく。

　単純で簡単な形にすることでどんな人でも参加できることを大切にしている。

　粘土で作る、焼くことをなるべく自分の手から離すことで出来上がった音具が自然に生まれたようになる。

　そうすることで人は自然に音具とふれることができる。

　粘土をこねて型に押し付けて形を作る。同じ型を使いたくさん制作し、乾かし、野外で籾殻と一緒に野焼きをする。

　「土の音」は天候、時間、炎、空間等によって音が変化していく。

　こうしてできた音には、触覚や、視覚など人間のさまざまな感覚に向き合う力があると考える。

　音具や音と向き合うとき、かすかな土のにおいや、音具の遠い響きなどを身体全体で受け取ることができる。

　いろいろな人がありのままの自分と対話できる時間を提供できればと考えている。

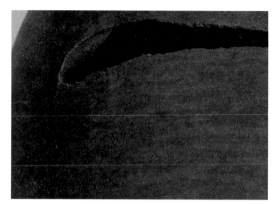

実物サイズ

上：「土の音　2008」(群馬県立館林美術館　土―大地のちから　での展示風景、撮影者　柳場大)
下：「土の音　2015」(愛知県陶磁美術館　愛知ノート―土・陶・風土・記憶―　での展示風景)

[5-3] 土の音 / The Beat of The Ground
渡辺泰幸
Yasuyuki Watanabe

出展作品によせて

さわる音 ── 音を楽しむ原点へ ──

永田砂知子

　私は、クラシックの打楽器奏者として、キャリアをスタートさせたのだが、音楽の起源や、人間が最初に手にした音の鳴るものはどんなものだったのだろう、というような根源的なことに関心があるタイプだった。そのせいか、西洋の完成された楽器から、どんどん原始的で素朴な楽器に興味が移り、アフリカの木琴、竹の楽団の参加、美術家が作るシンプルな作品、などを演奏したりしてきた。そういう中で、陶を素材とする「土の音」の作家、渡辺泰幸との出会いがあり、越後妻有トリエンナーレや陶芸の森など、各地の美術館で協働してきた。岐阜県美術館では「monophony」というCDも作ることができた。2019年に「土の音」の玉状と筒状の土鈴を使って「触る音」とい

うコンセプトでワークショップをやってみた。土鈴は、感触もよく、掌の中でさわるだけで音がでる。床に転がすとまたかわいい音が出る。複数の人がころころと玉を転がす様子はボール遊びをしているようだが、あちこちから聞こえる音を聴いていると、それはまるで森の中で自然の音を聴いているような心地良い音に感じられた。視覚障害の方も上手に足の間で玉を転がしたりして、とても楽しそうだった。目が見えている我々も目をつむって音を聴くとまたそこには新たな発見があった。さわるという行為の結果としての音は、意志をもって楽器を演奏することとは全く違う音の世界だ。そこに限りなく自由で自然な音を楽しむ原点を見たような気がした。

「土の音」を使ったワークショップ「触る音」(2019年11月10日、八王子クリエイト・ホール)
視覚障害、知的障害、音楽療法士など、参加者10名(見学者10名)程度のワークショップ

上：永田砂知子・パフォーマンス（2017年8月6日、岐阜県美術館・展示室、岐阜県美術館　アーティスト・イン・ミュージアム AiM 2017　招待作家・渡辺泰幸）
下：「実の音を聴く」（2015年8月1日、渡辺泰幸作品　展示会場：新潟県・十日町市土市、大地の芸術祭　越後妻有アートトリエンナーレ 2015）

出展作品によせて

タッチアート ── 人類の新たな「進化」が始まる！ ──

広瀬浩二郎

視覚障害者の「白杖道」

少し早起きして、爽やかな気分で自宅の最寄り駅に向かう。早足で歩く僕の前で、カンカンと白杖の音が響く。仕事を終えた僕は、ゆっくりと夜の公園内を進む。コツコツという白杖の音が心地よい。そう、白杖はさまざまな音で僕の「歩み」を演出してくれる。

僕が白杖を手にしたのは、中学（盲学校）入学直後である。まだ目が少し見えていた僕は、白杖を持つのが恥ずかしかった。白杖には、「自分は目が見えません」と周囲にアピールし、注意を喚起する機能がある。中学生の僕は、「目が見えない」事実を友人・家族以外に知られることに抵抗を感じていた。

しかし、中1の終わりに完全に失明した後は、白杖への抵抗感がなくなった。安全に歩くためには、白杖で自分の前方を確認しなければならない。白杖は手の代わりとなって、道の凹凸、障害物、階段などを感知する。この便利なセンサーは、僕の外出時の必須アイテムとなった。全盲となり、白杖の柄をぎゅっと握りしめて、こわごわ外へ踏み出す。この時、僕は視覚障害者として生きていく決意を固めた。いや、正確にはそんなにかっこいいものではない。「この杖と付き合っていくしかないだろう」「目が見える人とは別の方法で道を歩いていかなければならない」。そんなある種あきらめに近い心境だった。

視覚に頼らない単独歩行に慣れてくると、白杖が音のセンサーであることに気づく。杖の反響音

で道の幅、障害物との距離を推測することができる。同じ道を歩いていても、春夏秋冬、あるいは湿度の違いで、杖の音は微妙に変化する。杖の素材（金属、グラスファイバーなど）、石突の形状によっても、音は異なる。疲れた時、ちょっと落ち込んでいる時は、白杖を上下・左右に大きく振って、打楽器奏者の気分を味わう。「この杖で地球を鳴らしている」と思うと、ストレスが解消される。人込みを通過する際は、わざと白杖で大きな音を出し、視覚障害者（危険人物？）が近づいていることを伝える。白杖使用を躊躇していた中学生時代が、文字どおり遠い過去になったと、あらためて実感する。

白杖ユーザーとなって40年。今や、僕は魔法使いならぬ白杖使いのベテランである。趣味で武道に親しんでいることもあり、しばしば僕は自分が杖を用いて敵と戦う姿を妄想する。「杖は前後自由、長短自在。さあ、どこからでも攻めてこい！」こんな盲想（？）を楽しんでいると、壁や放置自転車などにぶつかり、痛い思いをする。座頭市修行は、まだ道半ばである。

幸か不幸か、実生活で白杖を武具として使った経験はないが、やはり杖は視覚障害者の有力な武器といえる。たとえば白杖は、手が届かないものを探るセンサーとして大活躍する。国立民族学博物館の前庭に設置されているトーテムポールをさわる際、僕の手が届くのは2メートルほどの高さまでである。その上の部分は、杖を頭上に伸ばして探る。杖は、トーテムポール表面の凹凸情報を

教えてくれるだけではない。杖が木に触れるトントン、コンコンという音が僕の心に響く。叩くというよりも、優しくノックする感覚である。「おい、トーテムポールよ、元気かい」「今日はいい音を出してるなあ」。杖を介して、僕はトーテムポールと対話する。やがて、この音のコミュニケーションは、自分自身との対話へと広がり深まっていく。

古来、杖は神の依り代といわれる。僕には神の存在を肯定も否定もできない。だが、自分の「歩み」を振り返ってみると、杖が「目に見える世界」と「目に見えない世界」をつなぐ道具となっていることがよくわかる。「木の精の声が聞こえるのは気のせい？」こんな駄洒落をつぶやきながら、今日も僕はトーテムポールを杖でノックする。

万人が持っている「目に見えない杖」

白杖は視覚障害者のシンボルだが、本特別展を通じて、僕は「すべての人が心の中に杖を持っている」ことを実証したい。この実験場となるのが「音にさわる」セクションの展示である。「音の絵はがき」（日本点字図書館提供）のコーナーでは、あえて視覚を用いずに、全国各地の祭礼行事など

の様子を聴いてもらう。同様に「音で感じるスポーツ」（芦屋大学協力）では、さまざまな競技の迫力を聴覚のみで体感していただく。

いうまでもなく、これらの展示の目的は、視覚障害者の疑似体験ではない。多彩な音が「目に見えない杖」となって、来館者の耳から身体に入り込む。この杖が来館者の心の中で、各人各様のイメージを描く。さらに、「目に見えない杖」は新たな音をキャッチするために、身体から外界へ飛び出していく。音は、人間の想像力と創造力を刺激する。「視覚に頼らないからこそ、独自の妄想（盲想）世界を存分に楽しむことができた」。こんな感想が来館者から寄せられることを期待している。

一般に、人間（2本足）は動物（4本足）から進化したといわれる。たしかに、手が自由に使えるようになったことで、人間が多様な文化を生み出してきたのは間違いない。手が創り、使い、伝えてきた人間の文化を"触"という切り口で再解釈するのが、本特別展の狙いでもある。しかし、一方で「進化」によって人間が失ったものも多い。危険を察知する能力を含め、音を聴き、音を活かすテクニックは「野生の勘」の代表だろう。近代以降、視覚に過度に依存するようになった人類は、

「野生の勘」を軽視し、「進化」の道を邁進してきたともいえる。

白杖を使用する視覚障害者は、いわば3本足の歩行者である。3本足が2本足よりも劣っているのか、もしくは優れているのか、単純に判断できない。だが、すくなくとも視覚障害者は、健常者が忘れてしまった「野生の勘」を保持しているのは確かだろう。視覚優位・視覚偏重の現代社会において、動物と人間の間を自在に往還する3本足歩行者が果たす役割は、けっして小さくないはずである。

「音にさわる」セクションでは、大阪北視覚支援学校の中学生たちが作った「笛吹きボトル」も展示している。これまで、全国各地で「盲学校生徒の作品展」「障害者アート展」が開催されてきた。本来、多義的で融通無碍な概念である「アート」に、わざわざ「盲学校」「障害者」などの冠を付すことについて、僕は疑問と不満を感じる。本稿で述べてきたように、3本足の視覚障害者は、2本足の健常者(多数派)とは違う「別の方法」(another way of life)で道を歩いている。この「別の方法」から生まれた作品を「盲学校」「障害者」という狭い枠に閉じ込めるのは、なんとももったいない。

「音にさわる」セクションで展示されるユニークな「笛吹きボトル」は、以下の三つのプロセスで鑑賞していただきたい。まずは、盲学校の生徒たちの作品に手を伸ばしてみよう。そして、背景に流れる映像の音に耳を澄ます。一つ一つの「笛吹きボトル」を軽く叩いて、音の触感を試すのもいいだろう。このコーナーでは、目が見える・見えないに関係なく、「タッチ・アート」(アートに触れる)という普遍的(ユニバーサル)な鑑賞体験を満喫できる。

視覚に頼らずに生活する3本足歩行者が、視覚に頼らずに制作した作品は、「タッチアート」(さわるアート)と呼び得るものである。「タッチアート」は見ること、見せることから解き放たれた「不可視の力」を内包している。「タッチアート」の多様性と可能性をじっくり探索するのが、第2段階の鑑賞の肝である。各自の「目に見えない杖」を駆使すれば、作品の背後にいる作者、盲学校の生徒たちと対話できるだろう。

最後に、「タッチアート」は万人の「野生の勘」を呼び覚ます起爆剤、魔法の杖であることを強調しておく。誰もが自身の心の中に「目に見えない杖」を持っている。この杖の復権を促すのが、「音にさわる」セクションの最終目標である。「笛吹きボトル」の野性に触発された来館者が、「目に見えない杖」とともに力強く歩み出す。きっと「"触"の大博覧会」は、2本足から3本足への新たな「進化」が始まる出発点として、人類史に位置付けられるだろう。

[5-1] 音の絵はがき / Sound-picture Postcards

「音の絵はがき」は、日本点字図書館が発行する月刊録音雑誌『つのぶえ』に連載された。1972〜1993年のコレクションから12編を厳選した。全国各地の祭礼や史跡が現地の音とともに紹介されている。録音雑誌の読者は視覚障害者に限定されるが、音声から目に見えない景色を想像する醍醐味は、多くの健常者にも体験してもらいたい。

[5-4] 音で感じるスポーツ

The New Pleasure of Sports through Ears

コロナ禍のため、プロ野球の試合が無観客で実施されるケースが増えた。静かな球場に響く打球音、選手の掛け声は迫力満点である。スポーツ振興に熱心な芦屋大学のご協力の下、10種類の競技の特徴的な音を収録した。音声を耳から身体に取り込み、心の中でイメージを広げる。こんな新たなスポーツ観戦法が定着することを期待したい。

論考

聴覚と触覚が呼び起こす
── 母の声と手足を通して ──

────────

大石　徹

　私たちは、所有することのできない事物を求める。ある瞬間、音、感覚を取り戻そうとする。私は母の声を聞きたいと思う。
── パティ・スミスの回顧録『Ｍトレイン』

　2012年から私はユニバーサル・ミュージアム運動に関わるようになり、その運動のリーダーの広瀬浩二郎が書く数々の文章を読んできた。それらを読んでいなければ、聴くことや触れることが持つ大きな意味に気づかなかったに違いない。そして、もっと違うように自分の母の死も受けとめているだろう。

1. 母の重病

　私の母が入院している兵庫県宝塚市の病院の主治医から「お母さんの血液検査の結果がとても悪い」という電話があったのは2021年2月12日の昼前だった。これから母を相部屋から個室に移し、午後には面会できるようにしておくとのことである。コロナ禍のため病院では面会禁止だが、特例として1日につき5分だけ面会できることになった。

　母がこんな状態になったのは、急性汎発性腹膜炎（大腸が破れて便が腹部全体に流れ出る病気。その死亡率は50％）の後遺症のためである。この腹膜炎は、大阪府某市の精神病院での医療ミスによって起こった。医師が不適切に向精神薬を母に投与したことの副作用で生じたのである。

　母が精神病院に入院したいきさつを手短に記そう。急に母の精神状態がおかしくなり始めたのは2019年9月半ばである。そのとき母と私の二人で住んでいた。どう母に対応するかについては、母の担当ケアマネージャーに相談していたのだが、このマネージャーは常に自分のせっかちな判断を押しつけてくる。宝塚市立病院の心療内科が2週間後には診察することになっていたのに、1日でも早く精神病院に入院させるなり連れて行くなりせよと急かす。

　その結果、母は大阪の精神病院に入院し、10月19日には腹膜炎になり、兵庫県の公立病院へ運ばれて大手術を受け、その後は精神的にもおかしくなくなる。この公立病院は重病者専用のため、全治していない患者でも、ある程度まで治ったら退院しなければならない。だから12月25日に兵庫県尼崎市の某病院へ移る。ここでの主治医だった消化器内科医は誤診したり、ほぼ毎日、母が痛がる血液検査をするのに、その検査結果からは何も診断できなかったりした。この消化器内科医に怒った母が約20日間にわたり治療を拒んだので、宝塚の病院へ2020年2月19日に移ることになる。

2. 母の最期

　それから約1年後の2021年2月12日（金）の面会では母がフェイスシールドとマスクをしているため、表情がわからない。まず私が「これまでいろいろよくしてくれて、ありがとう」と言えば、弱々しい声で母は「ありがとう、いろいろと」と

言う。「これまでお母さんに何もしてあげられなかった。ごめんな」と言えば、母は首と（掛け布団の中から）手を振り、私の発言を否定する。「お母さん、しんどいか」と訊けば、はにかんだ感じで「そりゃ、しんどいよ」と言う。そして弱々しい声で「一緒に帰ろう」と言った（結局、一緒に拙宅へ帰れたけれど、そのとき母は変わり果てた姿で骨壺に入っていた）。「明日もまた来るからな、じゃあね」と言って手を振れば、母も手を振る。

この面会の後、主治医から説明を受けた。主治医は、「血液検査の結果によれば、全身が衰弱しています。3〜4日後に亡くなる可能性もあります」と言う。

13日（土）の昼に面会へ行ったとき、母はうとうとしていた。この日はフェイスシールドだけである。「お母さん！」と呼びかけたら、目を覚まし、昨日よりもさらに弱々しい声で「ありがとう」と言う。その日、母が口にした言葉はそれだけである。これが母から聴いた最期の言葉になった。

14日（日）の昼の面会では呼びかけても反応しない。

そして15日（月）の午前1時15分ごろ看護師から「もう命が危ないです。急いで来てください」という電話があり、私は病院に駆けつける。やっと母は息をしている状態だ。フェイスシールドもマスクもしていない。頬がこけ、浴衣のようなタイプの病衣からは胸が半分くらい見え、その胸が呼吸に合わせて動く。すべてのあばら骨が浮き出て、全身がミイラのように痩せこけている。呼びかけても反応しない。

死の床には50分ほど立ち会った。その間、母に話しかけつづける。初めのうちは「これまでい

ろいろよくしてくれて、ありがとう」や「医療ミスを起こすような病院に入院させて、ごめんな」と語りかけていた。しかし、その後は、ひたすら三つのことばかり、すなわち「お母さんは死なない！」「90歳や91歳で老衰で死ぬ家系やろ！」「奇跡は起こる！」ということばかり母に向かって言いつづける。

看護師は母の病室に私を案内したら去り、母と私の二人きりにしてくれたけれど、母が亡くなる数分前に病室へ入ってくる。心電図の動きから、およそいつ亡くなるのかわかるようだ。看護師からうながされて私は母の手首を握る。その手首は、うっすら冷たくゴムのような感触だ。ほとんど骨と皮だけである。とても薄いゴムが骨と皮の間にあるという感じだ。

母が亡くなったのは15日の午前2時29分である。享年84歳8ヶ月。臨終を確かめる役目の当直医を看護師が呼びに行っている間、母と私の二人きりになったので、死に顔を覗き込む。母は、うっすら片目だけ開けて、死の床のそばで見守る私のほうを眺めていたような様子で、大きく口を開いている。

葬式は17日（水）だった。葬儀屋が「お顔の周りにお花を入れてください」と言い、弔問客たちが棺に花を入れ、母の上半身は花に包まれる。ちゃんと扉や窓が閉まっているかどうかを確かめるためノブや錠にさわるように、私は母の死を確かめるため母に触れたかった。花に包まれた上半身はさわれないので、顔に触れ、頭をなでる。顔も頭も冷蔵庫の中よりも冷たい。母がまとっていた白い着物の内側にドライアイスが入れられているからだろうか。母親の顔や頭に触れるなんて、物

心ついてから 1 度もなかったなと思った。顔と頭の次は、着物の上から片足全体に触れてみる。足も骨と皮だけだ。手足が骨と皮だけになるまで 1 年 5 ヶ月も粘り強く病気と闘いつづけたなんて、真面目な性格の母らしいと思う。

3. ユニバーサルな別れのために

ところで、母に面会したとき、2 月 12 日は顔が見えず、13 日は疲れ切っていて無表情だった。このように視覚から情報を得られないとき、相手の気持ちは声を通して一番よくわかるはずである。母の場合は「ありがとう」と感謝しながら旅立ったと思いたい。

また、眺めるだけでなく手足に触れることによって、母のがんばりや死を身に沁みて感じられた。

母がこうして最期の数日に遺した声と感触をたとえ忘れないとしても、自分の一番大切な人と 2 度と話せないのは、人生で一番さびしいことである。もう 1 度、私は母の声を聴きたい、その声に乗っている言葉を聴きたいと思う。それにしても、大切な人との会話がこれで最後になるかもしれないと感じたとき、自分の口から出てくる言葉は、どうして「ありがとう」や「ごめんなさい」ばかりになってしまうのだろうか。

大切な人とのこうした別れは誰にでも訪れる。死との闘いでは、いつか必ず誰もが負けるからだ。今回の特別展が、そういうユニバーサルな別れをよく噛みしめるための練習の場にもなればと願っている。なぜなら、広瀬浩二郎が著書『それでも僕たちは「濃厚接触」を続ける！』で述べているように、「身体に眠る潜在能力、全身の感覚を呼び覚まし、万人の日常生活に刺激を与えるのがユニバーサル・ミュージアム」なのだから。

【参考文献】
広瀬浩二郎『それでも僕たちは「濃厚接触」を続ける！ ── 世界の感触を取り戻すために』小さ子社、2020 年
パティ・スミス『M トレイン』（管啓次郎 訳）河出書房新社、2020 年

コラム
ろう者と博物館
————————

相良啓子

　「ろう者が楽しむことができる博物館」とは何か。私の脳裏には、音声以外の方法でも必要な情報を伝えられるように様々な工夫をしている博物館、手話をするのに十分なスペースがあり、適度な明るさがあり、素敵な出会いや語らいが得られる博物館がぱっと思い浮かぶ。「出会い」というのは、そこで働くヒト、展示されているモノとの出会いを指す。それまで知り得なかった新しい情報がすっと入ってきて思考を巡らすことができる博物館、思いもよらず、心地良い会話ができた博物館は、ろうである私にとっても魅力的な博物館だ。

　ろう者は、移動には問題がなく自分の好きなようにいつでも自由に動ける。「明日博物館に行きたい」と思いたったらすぐにでも予定をつくることができる。問題が発生するのは、館内に到着した後だ。受付での案内がよく理解できない、館内で流れる音声情報が理解できない、いや、流れていることさえも気づかない。またこの状況が、他者には見えない、気づかれないため、ろう者側が何らかの問題点を指摘するまでは、何も対処されずに放置されたままの状態になりがちだ。受付で、音声だけで案内されても、その声はろう者には伝わらない。「聞こえない状態」は目には見えないので、ろう者側も聞こえないことを相手に伝える必要がある。聞こえないとわかった後で、さっと筆談に切り替えて伝える、案内の文字に手をよせて視覚的にわかりやすい方法で伝える、手話がわかれば手話で対応する、ジェスチャーを加えてわかりやすい話し方に切り替えて案内する、など話し方を少し変えてもらうだけで、ずいぶん印象がよくなるものだ。

　ここで、私にとって印象的だった美術館・博物館訪問の体験談を2つ紹介したい。1つは、2014年ニースのマルク・シャガール美術館でのこと。受付の対応もよく、私がろう者であることを伝えると、電子ガイドが渡された。絵画作品には、QRコードがついていて、解説を電子ガイドで見ることができる。解説は文字だけでなく、フランス手話の動画もあり、文字と手話の両方が楽しめた。自分のペースで鑑賞できたあのときの心地良さは、いつまでも心に残っている。このような手話解説付きの電子ガイドの導入は、台湾および韓国でも積極的に行われている[注1]。

　もう1つは、2019年パリのパンテオンで行われた「ろう者の歴史」をテーマとした特別展だ（写真1〜3）。この特別展は、世界中から2000人以上の手話話者が集う世界ろう者会議と同じ期間で開催され、企画責任者はろう者だった。中心に、等身大の人が映る筒がおいてあり、モニターに映し出された話者と自分が話しているような錯覚に陥るしくみで構成されていた。手話の展示というと、上半身だけが映し出される話者をイメージしがちだが、頭から足の先まで写った話者が、伝統的なフランスの服装を装い、フランス手話や国際手話

で語るのだ。同時に、英語の字幕、フランス語の字幕がつけられており、非常に国際的に展開された企画だった。世界各国から訪れた手話話者との出会いや静かな語らいがあり、展示物から受けるろう社会の歴史に関する深い学びも多く、3時間歩き回っても全く疲れず、ほどよい心地よさが残った。

　九州国立博物館では、2020年2月に「手話通訳付きバックヤードツアー」を企画し、博物館の大切な「展示する」「運ぶ」「守る」仕事の舞台裏を覗いたり、文化財専用の大型エレベーターの乗降体験ができるバックヤードツアーを手話通訳つきで企画した。このようなツアー企画は、展示物の裏側の貴重な情報を知ることができ、興味深い。手話通訳者を導入した企画は、六本木の森美術館でも行われており、博物館の手話ガイド育成支援プロジェクトは、つくばでも開始された。ただし、多くの手話通訳付きの企画はその日限定であるため、文字と手話を含めた電子ガイドの導入と、時折実施される手話通訳付きの企画との組み合わせが実現できれば、ろう者から注目を浴びる博物館となりそうだ。聴覚に頼らずとも、自分のペースで、その展示物の背景に関わる情報まで知ることができるように工夫された博物館は、ろう者だけでなく誰にとっても魅力的な博物館になるであろう。

【注】
1 相良啓子「新世紀ミュージアム　国立台湾美術館」『月刊みんぱく』2018年10月号、16-17頁（http://fields.canpan.info/report/detail/22411）

写真1　話者が等身大に映る筒状の展示物

写真2　特別展の心地良いスペース

写真3　手話で「ろう」を表現している女性の垂れ幕

6

見てわかること、さわってわかること
Seeing, Touching, Understanding

ユニバーサル・ミュージアムを支える理念は「from」である。絵画・
絵本など、世の中には見ることを前提に創作された視覚芸術が多数存
在する。本展で紹介する「さわる絵画・絵本」は、単に視覚情報を触
覚情報に置き換えるものではない。原作者が見ている世界を翻案者が
再解釈・再創造し、触覚的に表現する。視覚芸術の新たな魅力を引き
出すのが「さわる絵画・絵本」なのである。視覚芸術の翻案に当たっ
ては、「さわって感じる」「さわって確かめる」検証作業が不可欠だろう。

出展作品によせて

想像開花模様／Flowering Imagination

Yoko-Sonya

　私たちは、普段身近にある自然にどれ程意識を向けているだろう。そしてどれだけの人たちが植物に触れて、その不思議な創りに魅了されているのか。私たちの日常感覚で"花"は、はかなく美しいもの。しかし生物学的には、生命の連続性を担う力強い器官である。つまり、自然界の美しさは完璧な機能美である。自然界の美を模倣して、私たちが作り出す芸術美は、その既に完璧な美を超えることは難しい。ただ、私たちがその美しさに感動し、想像力の源にするところに新しい種類の美が生まれるのだと思う。人は今も昔も自然界に魅せられ、その美しさを自分たちの生活の一部に取り入れてきた。

　ここ数年、私は北タイで主にモン族の女性達と一緒にアートプロジェクトをおこなってきた。この活動を通して彼女達のコミュニティでの虐げられた地位、彼女達の想いを垣間見ることができた。昔、モン族の女性達は皆、自身と家族のために着る正月用の衣装を1年をかけて毎日少しづつ手刺繍を施しながら作っていく。その作業は細かく、大部分が手刺繍なので時間がかかり根気のいる作業だ。出来上がった衣装は、一年に一度の晴れの日"モン族の正月"に着るのみで、次の正月にはまた新たに作る。言ってみれば一生に一度着るだけの服である。もし娘が生まれれば、自身が着た衣装を娘に着させることができる。その為、大概の女性たちは衣装を大切に保存している。

　その女性達が全て手作りしていた時代の古い衣装を部分的に集め、再び彼女達の手仕事に花を咲かせたいという想いをこの作品にした。女性のプリーツスカート、男性が纏う一着に就き百個以上の星のパッチワーク。これらの素材でできた植物の一部のようなオブジェをさわって、頭の中でその植物の全体像を創り出し、花を咲かせてみて欲しい。

　あなたの想像した花は、モン族の女性達がその種を撒き、私が日を当て水を撒き、そしてあなたという細胞の集合体の中で開花した。

　あなたの中で咲かせた美しい花がどんなものか、誰かに話して欲しい。

実物サイズ

[6-1] 想像開花模様 / Flowering Imagination
Yoko-Sonya

出展作品によせて

おもちゃでコミュニケーション ── おもちゃと遊ぶ手 ──

長嶺泉子

赤ちゃんがその小さな手でお母さんのおっぱいや哺乳瓶をつかまえたら、次にその手が握りしめるのはガラガラのような「おもちゃ」ではないだろうか。その語源とされる「持ち遊び」の通り、おもちゃは手にして遊ぶことが前提にある。積み木遊びではバランス良く積み上げる際に手指の動きは細やかに制御され、デジタルゲームではコントローラーを絶妙に操作して敵を倒す。こどもたちはおもちゃで遊びながら手指の機能を高めているのだ。

優れたおもちゃの条件のひとつに「遊び方の多様性」が挙げられる。たとえば積み木には積むだけでなく、並べる、音を出す、見立てるなど、対象者を絞らない遊び方が幾通りもある。おもちゃを通して家族や友達、そして知らない者同士がコミュニケーションを取りあい、一人ひとりが手指を通しておもちゃと対話する様子は、筆者の勤務するわらべ館ではよく見られる光景だ。

触察により視覚情報以上の深い理解が得られるなら、おもちゃの中には優れて手指の感覚を豊かにするものがあるだろう。玩具メーカーが、身体障害の有無にかかわらずだれもが共に遊べるおもちゃを「共遊玩具」として開発している。たとえばスイッチの入切を突起で分かりやすくして利便性を高めたもの、またはさわり心地や音色のバリエーションなど趣向性を高めたもの、その他、触察だけで形勢がわかる対戦ゲームなど、商品の幅は確実に広がりを見せている。

そうした共に遊ぶおもちゃの中でも触感の違いそのものを楽しむもののひとつが、本展で紹介したネフ社の「タッチテスト」（独語：tastspiel）。同社の創業者クルト・ネフが、台座と円盤それぞれに当てはめられた9つの異なる素材を触察で組み合わせていくおもちゃをデザインした。なでるだけで違いが分かる素材から、指で押して気づくわずかな厚みの違い、つまり見た目では気づかない素材まで含まれる。円盤の大きさや厚みはこどもの手にもなじみ、じっくり丁寧に触れるおもしろさに気づくだろう。同社のおもちゃは規格自体は正確無比だが、楽しみ方は車のハンドルの「遊び」のように、振幅が心地よい。

さて、ヨーロッパの機械人形オートマタにも用いられるからくりの機素とは、既出のおもちゃとは異なり、機械を動かす仕組みの基であり、たとえば時計や風車、映写機などへ部分的に組み込まれ、ハンドルを回すと歯車（ギア）やクランクが動き、その先にある物体の動きを制御する役目を果たす。わらべ館では収蔵する木製の機素80点のうち数点を選び、来館の触常者（「触常者」という語については、広瀬浩二郎氏による本書総論参照[p.22]）に体験していただく機会を設けている。まず静態で大きく触れた後、ハンドルを回し、全体の動きを両手で掴み取ったり、歯車同士が噛み合う箇所や回転が上下運動に変わる箇所などに指を差し入れたりして動きの変化を体感する。当館におけるこの試みはまだ手探りの段階にある。だれもが十分に「触察」できる「共遊玩具」をじっくりと落ち着いてさわれる環境も整えるべきではないかと模索しているところだ。

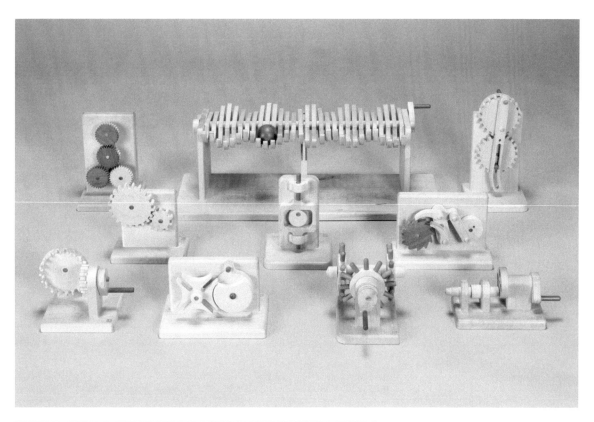

写真(上)・奥(左より、以下同)：遊星ギア・玉送り・送りづめ、中：平歯車列・確動カム・複動づめ、手前：クラウン歯車・ゼネバストップ・ピン面歯車・磁石の機構(制作：若林孝典)

写真(中)・左より：タッチテスト(デザイン：クルト・ネフ)・マグネフ(デザイン：オミリ・ロスチャイルド)・エリプソ(デザイン：ザビエル・デ・クリップレー) すべてネフ社

実物サイズ

[6-2] 触察玩具 / Tactile Toys
わらべ館(鳥取) 所蔵
collection：WARABEKAN

出展作品によせて

「Tactile Photography＝さわる写真」というアート・メディウム

天田万里奈

はじまり

2019年フランスで、マリー・リエスという写真作家に出会った。パリ盲学校の生徒達のポートレイトやドキュメンタリー映画を10年間に渡り撮り続けていた彼女は、被写体の生徒達と写真を共有するために、極度近視の版画家に依頼して、写真をエンボス加工するプロジェクトをはじめていた。そのとき私は、彼女の写真展のキュレーションと日本の写真ラボと「さわる写真」を開発するプロジェクトの依頼をKYOTOGRAPHIE 京都国際写真祭の共同代表ルシール・レイボーズと仲西祐介から受けていた。

物事を可視化することに重きを置く現代社会の風潮に逆らい、しかも「写真祭」というプラットフォームで、写真を目では見えないものへと変換する。ダダイストなプロジェクト依頼にわくわくした。

教育ツールとしての触図制作のノウハウとは一線を画す

KYOTOGRAPHIEの長年のパートナーである写真ラボ堀内カラーと共同開発する事が決まっていたが、私も彼らもこれまで目で写真作品を確認してきた人間だ。私は帰国してすぐに、全盲のアーティストとして作品制作と発表をしている光島貴之さんと、国立民族学博物館でユニバーサル・ミュージアムの研究と実践をしている広瀬浩二郎さんに協力を求めた。2人とも幼少期に失明し、長年それぞれ違う立場で、さわることを基軸に活動してきた人物だ。

視覚障害者教育の現場でも、触図制作のため点字プリンターや立体コピー機は活用されてきたが、

写真1　マリー・リエス展「二つの世界を繋ぐ橋の物語」
© Hiroshi Yamauchi /KYOTOGRAPHIE

わかりやすさを求めるために、輪郭線が強調され、主に線や点々が使用されていた。今回はこのような常識の外で、写真ラボがプロトタイプを作った。線や点ではなく面で盛り上げた「さわる写真」を渡された光島さんは、面のエッジの部分をさわって輪郭を確認する事に新鮮味を感じ「これが写真なんだな」という印象を持った。広瀬さんも、わかりにくさを指摘したが、具体的にたくさんの改善案を出してくれた。2人が既存の触図制作のノウハウにとらわれずに、ビジュアル・アートの制作現場が作ったものに意欲的に対峙する姿に私は感動した。新たな試みに挑戦したいと思う人達がここに集まり、創造的なことが始まっているという実感があった。

ABCの共同制作

堀内カラーのUVプリント技術では、インクを重ねて吹きかけることによって高低は0-1ではなく繊細に表現でき、多様な手ざわりを作りだせた。光、色、テクスチャー、フォーカス、ボケ、遠近感など写真作品に含まれる要素が、どのような手ざわりの変化で表現されるべきかの前例はなく、

写真2 （左）テストプリントを
さわり、ビデオ会議で
堀内カラーへフィード
バックをする。
© Yusuke Okura /
KYOTOGRAPHIE

写真3 （右）マリー・リエス展
「二つの世界を繋ぐ橋
の物語」
© Hiroyasu
Takahashi /
KYOTOGRAPHIE

写真4 　© Marie Liesse

試行錯誤しながら決めていった。

　光については、意見が分かれたのが興味深かった。黄色のソファーの上で点字絵本を読む少女の手に、太陽の光がスポットライトのようにあたっている作品がある。中心の明るい光が周りに広がるにつれて徐々に淡く暗くなっていく情景を、ザラザラからブツブツそしてツルツルとインクの手ざわりを変えて表現した。明るい方がツルツルすべきだという意見もあり、この写真を「さわる写真」にした事で、人々の光の感触の多様性があぶり出された。

　テストプリントを刷ってみてはじめて、撮った角度や、構図から、さわったときにどうしてもわかりにくい作品がある事がわかった。例えば、生徒が深くうつむきながら熱心に点字を読んでいる作品では、首が隠れていることや、撮った角度の関係で目と鼻の間隔が非常に狭く写っていることで、さわっていても顔だと認識しづらかった。何時間もかけてテストプリントを作った後に「さわる写真」として発表することを諦めた作品が何点かあった。

　写真の中に特に面白い手ざわりや形があると、メインの被写体や情景よりもそっちに印象が引っ張られてしまうという事も起きた。芝生の上に座り込み親密に話し合う少年達の写真があったのだが、光島さんと広瀬さんは少年たちの背後の校舎の窓の手ざわりに感動し、2人の指先は窓周辺ばかりを行き来した。

　写真作品にある全ての情報を色々な手ざわりへと訳していくのではなく、作品のメイン・メッセージを感じ取るために欠かせない人物・詳細以外は省いていくという発想がチーム内で共有できたのは、走り始めてから2、3ヶ月経ったときだった。

　広瀬さんは「さわる写真」の開発プロジェクトをABC Projectと呼んだ。AはArtisan（技術者）＝技術を持っている写真ラボ堀内カラーのチーム、BはBlind（視覚障害者）＝出来上がったものを確認してアドバイスができる広瀬さんと光島さん、そしてCはCurator（キュレーター）＝さわってわかるように考案していくために情報を間引

く作業、つまりデフォルメしていく上で、作品の一番大切な部分を決めていくキュレーターだ。もちろんフランスにいるマリー・リエスにも了承を受けた上で取捨選択したが、作品をどう伝えるべきかという判断は、作品と鑑賞者の仲介を務めるキュレーターの私の役割だった。

例えば、右の作品（写真5）で優先したのは、情景のコントラスト、バランスそしてメイン・メッセージだった。省いたのは、繰り返し写っている物や色、人の群衆によって写真に刻まれていたリズム。写真作品の構図によって感じる視線の誘導作用や遠近感もオリジナルの写真作品に感じるところだったが、さわる写真の要素として含めなかった。

遠くにいる人や物を小さく描くというルールは、目で世界を捉えている人間がビジュアル・アートを扱うときに用いる遠近の法則だ。それは、目で世界を捉えていない人間にとって、ナンセンスなことだ。マリー・リエスはこの法則で作品に奥行きを作っていたが、メイン・メッセージを伝えるのに絶対に必要な要素ではなかったので省いた。写真前景にある消火栓も視覚的には目立つが、さわってわかりにくそうだったので省いた。

重要なエレメントは大きく4つ、奥行きも3段階までに絞った。前景に新学期である事を示唆する地面に散らばった秋の落ち葉。中景に大木とそれに守られるように幹と一体化しているジョセフ。背景には、独りでいるジョセフと対照的に、集う2人の学生。これだけでもさわるものは多く、鑑賞には7分ほど時間がかかる。実は写真フェスティバルの会場で、鑑賞者が一つの作品と向き合うには、7分間というのは通常よりも長い時間であり、これだけデフォルメしても、まだディテールが多すぎるのではないかと懸念していた。

しかしながら晴眼者で写真愛好家の中には、写真のアーティスティックな要素を削除しすぎていると感じる来場者もいた。一方で視覚障害がある来場者の中には、ジョセフが消火栓にぶつからずに大木まで辿り着けたのかが気になり、消火栓の存在を聞いた事で、はじめて作品を立体的に感じることができ、さわる写真にもあった方がよかったと言う人もいた。1枚の作品を「さわる写真」にするのに何枚ものテストプリントを制作し議論し、改善を重ねたはずだったが、展示来場者と言葉を交わすと反省点はたくさん出てきた。

言葉によって広げる

各写真には子供達の物語を綴るショートテキストを添えていたが、それに加えて「さわる写真」には、さわり方の説明をつけ足した。ショートテキストには文学的な表現を使ったが、さわり方の説明は簡潔にまとめた。来場者の触欲をうまく引き出すように、さわり方とさわりどころを強調することが重要だった。手を動かしながら情景が脳裏に沸き起こるような言葉を選び、手ざわりに合うオノマトペでの表現にもこだわった。

1枚の作品に、写真、さわる写真、物語、さわり方の説明、と多くの情報があり、鑑賞するのに時間がかかるのではないかと懸念したが、長時間さわって鑑賞していても手首が疲れないように机には傾斜をつけ、リサイクル資材を使用しさわり心地が面白い椅子の設置を展示デザイナーの小西啓睦が考案してくれた。

「さわる写真」がもたらしたもの

視覚障害があり触察に慣れている来場者からは、さわり方の説明と物語のテキストがあった事でわかりやすくなり、写真鑑賞を楽しめたという意見が多かった。一方で晴眼者が目を閉じてさわると、

写真5　マリー・リエス展「二つ
の世界を繋ぐ橋の物語」
© Hiroyasu Takahashi /
KYOTOGRAPHIE

写真6　マリー・リエス展「二つの世界を繋ぐ橋の物語」
© Mikoto Yamagami /KYOTOGRAPHIE

写真7　マリー・リエス展「二つの世界を繋ぐ橋の物語」
© Takeshi Asano /KYOTOGRAPHIE

ほとんどわからなかったという感想もあった。(そう言う人の中には、目で見るのと同じくらいの速さで、さわってわかろうとしている人が多かった。さわって鑑賞するときには根気と最低でも7分くらいはさわる必要があることを来場者へ事前に説明すべきだったと反省した)

いずれにせよ今回の企画では、完璧にわかる「さわる写真」の制作には至らなかったかもしれない。そもそもこれは「晴眼者の視覚」を再現するための「さわる写真」ではないのだ。しかし「さわる写真」がそこにある事で、晴眼者は、視覚障害者がどのようにビジョンを描いているのか、好奇心に取り憑かれ、想像をめぐらす機会を得た。視覚障害者は、写真という表現方法にふれる機会を得た。両者からは、さわるという行為で、より密に作品や作者の思いに近づけたというフィードバックもあった。

「さわる写真」の制作は、それぞれ感性や感覚、背景の違うメンバーが集まって行なった。お互いが「見えていない」ところを、相手の言葉を信じて頼る事で出来上がった。写真作品の翻訳としてスタートしたものだったが、出来上がった「さわる写真」は、それ自体がアート作品のようなものとなった。意欲的なメンバーと共にこの創造的かつ果敢な挑戦に参加できた事を幸せに思う。

[6-3] さわる写真 / Tactile Photography
マリー・リエス / Marie Liesse
KYOTOGRAPHIE制作・所蔵
production・collection: KYOTOGRAPHIE

出展作品によせて

陶板名画

大塚オーミ陶業（株）　大杉栄嗣

実物サイズ（日傘の女）

　「名画を陶板に焼きつける」という発想は、大型の陶板（平らな陶器の板）を開発したごく早い時期から活用の方法として提案されてきた。元来、やきものは焼成後に優れた耐久性を持つが、その製造プロセスにおいて変形や割れなど想定外の結果が生まれやすい。特に色彩については焼成時の複雑な化学変化により発色させるため、多彩な色彩を再現することは難しいとされている。大塚オーミ陶業ではこの難題に長年取り組み、経験と工夫により微妙な色彩や表面の凹凸などの質感も高精細に表現出来るようになった。

　出展の「キトラ古墳壁画、天文図・東壁（部分）」（[4-3] p.134）は2010年に製作した試作品である。漆喰の浮き・剥がれや天文図の金の表現など発見当時の石室内部を再現している。「ヒマワリ」「日傘の女」の2点は油絵のタッチを釉薬で盛り上げることにより表現した。また、加山又造「風」は胡粉で描かれた白い羽の凹凸が感じられるよう工夫した。このように原画の表面の光沢やざらつき感を変化させる、あるいは表面に残る様々な痕跡を表現することで、より高精細な複製を目指した。

　やきものによる複製の展示は、その特性から温度・湿度や紫外線などの厳密な管理の必要がなく、間近で観ることも、さわることもできる。破損や劣化の恐れも少なく、今までとは違った鑑賞方法を提供できる。実在するモノとして直接触れられることで得られる感動は大きく、現物への理解と興味を引き出すきっかけとなる。

上　：[6-4c] 風（加山又造）　陶板による複製
A Bird in the Wind：Matazo Kayama（Ceramic Board Reproduction）

下左：[6-4b] 日傘の女（モネ）　陶板による複製
Woman with a Parasol - Madame Monet and Her Son：Claude Monet
（Ceramic Board Reproduction）

下右：[6-4a] ヒマワリ（ゴッホ）　陶板による複製
Sunflowers：Vincent van Gogh（Ceramic Board Reproduction）

大塚オーミ陶業株式会社
Otsuka Ohmi Ceramics Co., Ltd.

出展作品によせて

触図という二次創作物による作品鑑賞の新たなかたち

辰巳明久

私の専門はビジュアル コミュニケーション デザインであり、現役のアートディレクター・デザイナーであるとともに、大学ではビジュアル・デザインという専攻の教員を務めている。

視覚による情報伝達を旨とするビジュアル・デザインでは、対象者は目が見えることが前提であり、作品を作る上で、全盲やロービジョンの人への配慮は、全くなされないか、後付けで少し対策を施すことが多いというのが実情である。一方、大学での研究・教育では、ビジュアル・デザインという分野について、自己批判的な視座をもって臨んでいるが、視覚障害者の方を無意識に排除している今の状況を変える必要性はいつも感じている。

このような姿勢で研究・教育を進めていたある時、広瀬浩二郎先生から、多くの視覚障害者は、さわることによる絵画作品の鑑賞を望んでいるので、著名な絵画を触図にすることに取り組めないかというお話をいただいた。

絵画作品を触図にすると、原画とは全く違う作品になるので、広瀬先生からこのお話をいただいた当初は、触図が本当に作品鑑賞になるのか納得できないでいた。しかし、考えを巡らすうちに、触図として立体化した作品は、作品鑑賞の新たな役割を担うのではないかと思い至った。触図として二次創作された新たな作品は、原画と鑑賞者のブリッジとしての役割を果たすことになり、そのことには意義があるのではないかと思えるようになったのである。そして、2020年度学部3回生の授業課題「さわる絵画」を開始したのである。

「さわる絵画」が原画と鑑賞者のブリッジとしての役割を果たすことについて確信を持てるようになったのは、授業が始まり、学生たちが制作を進める中で、さわる絵画の作品を介して話が弾むということに気がついたときである。「原画はこのような色だけど、このような手ざわりの素材にしてみたんだね。」「原画にある遠近を、このように立体化して表してみたんだね。」といった会話が、教員と学生、あるいは学生間でくりかえされたのである。

今回の展覧会でも、原画と学生たちが作った作品との差異を話題に、視覚障害者の方と晴眼者の方との間で多くの会話が弾むと予想しているが、これは作品鑑賞の新たなかたちに思える。

一方、「さわる絵画」が対象とする鑑賞者は、主として視覚に障害を持つ人たちなので、冒頭で述べた、ビジュアルデザインの前提が異なっている。前提が異なることにより、ビジュアルデザインの新たな地平を開くことになるのではないかという期待も込めて「さわる絵画」に取り組んだのだが、その期待どおり、学生たちは、思いもよらない工夫を施し、作品を完成させた。その工夫の中に、ビジュアル・デザインという領域が、視覚だけではなく触覚を使ったデザインに発展する可能性を見いだせたと感じている。

授業にご参加いただいた広瀬先生には、研究者としての高いご見識に視覚障害者としてのご自身の体験を交え、熱心にご指導いただいた。この場を借りて深く感謝申し上げたい。

[6-6a] バベルの塔（ピーテル・ブリューゲル）二次創作 ／ The Tower of Babel（Pieter Bruegel）Reproduction
池松奏 ／ Kanade Ikematsu
[6-6b] 叫び（エドヴァルド・ムンク）二次創作 ／ The Scream（Edvard Munch）Reproduction
稲岡莉々 ／ Riri Inaoka
[6-6c] 糸杉のある麦畑（フィンセント・ファン・ゴッホ）二次創作 ／ Wheat Field with Cypresses（Vincent van Gogh）Reproduction
小野一葉 ／ Kazuha Ono
[6-6d] 夜のカフェテラス（フィンセント・ファン・ゴッホ）二次創作 ／ Café Terrace at Night.（Vincent van Gogh）Reproduction
小幡咲奈 ／ Sana Obata

[6-6e] 大家族（ルネ・マグリット）二次創作 / The Large Family（Rene Magritte）Reproduction
何淳怡 / Ka Zyuni

[6-6f] 赤子（ゆりかご）（グスタフ・クリムト）二次創作 / Baby（Cradle）（Gustav Klimt）Reproduction
桐畑百花 / Momoka Kirihata

[6-6g] 鎖に繋がれた犬のダイナミズム（ジャコモ・バッラ）二次創作 / Dynamism of a Dog on a Leash（Giacomo Balla）Reproduction
高美遥 / Miyou Kou

[6-6h] 聖トマスの懐疑（カラヴァッジオ）二次創作 / Incredulità di San Tommaso（Caravaggio）Reproduction
佐々木侑子 / Yuko Sasaki

[6-6i] 斑猫（竹内栖鳳）二次創作 ／ Hanbyo（Seiho Takeuchi）Reproduction
竹内柊祐 ／ Shusuke Takeuchi
[6-6j] 画家の寝室（フィンセント・ファン・ゴッホ）二次創作 ／ Bedroom in Arles（Vincent van Gogh）Reproduction
中島萌 ／ Moe Nakajima
[6-6k] 真珠の耳飾りの少女（ヨハネス・フェルメール）二次創作 ／ Girl with a Pearl Earring（Johannes Vermeer）
Reproduction
長谷川優羽 ／ Yu Hasegawa
[6-6l] 白紙委任状（ルネ・マグリット）二次創作 ／ Carte Blanche（Rene Magritte）Reproduction
馬場まゆみ ／ Mayumi Baba

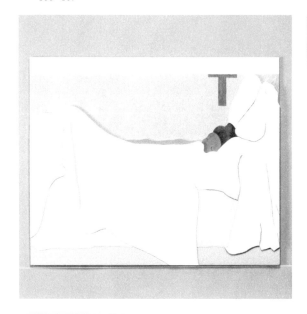

[6-6m] ベッドにて（エドゥワール・ヴュイヤール）二次創作 / In Bed（Édouard Vuillard）Reproduction
古草舞也子 / Mayako Furukusa

[6-6n] 出を待つ（道化師）（鴨居玲）二次創作 / Wait for the departure（Rei Kamoi）Reproduction
矢野陽太 / Yota Yano

[6-6o] ゴルコンダ（ルネ・マグリット）二次創作 / Golconda（Rene Magritte）Reproduction
吉村英珠 / Yoshimura Manami

[6-6p] 通りの神秘と憂愁（ジョルジュ・デ・キリコ）二次創作 /Mystery and Melancholy of a street（Giorgio de Chirico）Reproduction
藤岡未唯 / Miyu Fujioka

『フランスの、さわってたのしむ絵本読書室』展より / ATELIER MUJI 2018

フランスのタランという街に、目の見えない子どもたちのために絵本を作る工房「夢見る指先」がある。さまざまな仕掛け、素材を組み合わせた「さわるポスター」は、触覚による発見・感動を促し、子どもたちの「触欲」を刺激する。本ポスターは、2018年に東京で開かれた「フランスの、さわってたのしむ絵本読書室」展で紹介されたものである。（広瀬浩二郎）

実物サイズ

『それでも僕たちは「濃厚接触」を続ける！』には、ユニークな触感を楽しめる民博所蔵資料60点の写真が掲載されている。それらを触図にした。目の見える人も触図にさわると、手で創り、使い、伝えられてきたモノの特徴、魅力を知ることができる。この小冊子は、ポストコロナの人類が「世界の感触」を取り戻すための手引書となるに違いない。（広瀬浩二郎）

上・中：[6-5] フランス製の「さわるポスター」
A Tactile Poster Made in France
株式会社良品計画所蔵
Collection: Ryohin Keikaku Co., Ltd.

下：[6-11a] 触図冊子　世界の感触―国立民族学博物館所蔵資料から
How to Touch the World: Exploring Tactile Materials at the
National Museum of Ethnology

出展作品によせて

彫刻『神奈川沖浪裏』 ── 北斎の世界観に触れる ──

戸坂明日香

葛飾北斎の富嶽三十六景「神奈川沖浪裏」の版画をモチーフにした触図と半立体図を鑑賞する機会があった。触覚で版画を理解するという点において非常に有効な教材であると感じたが、一方、"芸術鑑賞"という点においては物足りなさを感じた。

北斎が描いた風景を簡潔に言うなら、大きな波と富士山、そして波に揺られる船乗りたち…であるが、そこには獣のように勢いよく襲いかかる波や、遠方に鎮座する富士山に波しぶきが重なり、雪がしんしんと降っているかのような静寂も描かれている。こうした北斎の世界観をもっと鮮明に触覚で伝える方法はないだろうか？と考えるようになった。小さな試作品をいくつか作ってみたが、波と富士山との遠近感を立体で表現しようとしたら彫刻ではなくジオラマになってしまった。また、獣の爪のような波をそのまま立体にしたら、触れた時に「波の迫力や躍動感」よりも「痛い」という感覚が先に感じられ、視覚と触覚の違いに愕然とした。

指先や手のひらが彫刻に触れ、その形をたどり、腕や体全体が動いた時に沸き起こる感覚。それは鑑賞者個人の経験や精神状態に紐づくものかもしれないが、私の作品に触れた人が葛飾北斎の世界観に少しでも近づくことができるようにと、そう願いながら制作した。芸術鑑賞というのは何かを理解するための行為ではなく、鑑賞者の中にある深い記憶を呼び起こすような、そういう体験であってほしいと思う。

実物サイズ

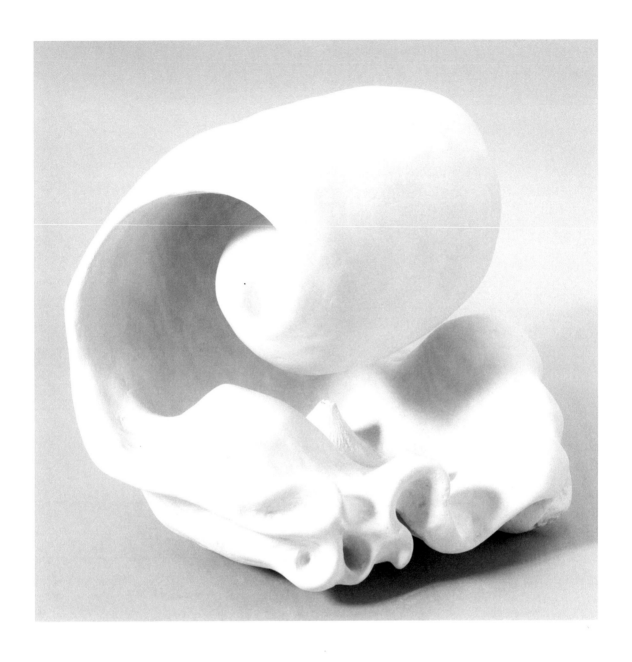

[6-7] 彫刻『神奈川沖浪裏』
Dive into Katsushika Hokusai's Wave
戸坂明日香
Asuka Tosaka

出展作品によせて

さわるポップアップ絵本の魅力

桑田知明

さわることと見ること、それぞれの関係性と役割を、私たちはどれだけ意識できているだろうか。

本を開くと、幾何的な折り畳みの構造物によって、ページの情報が飛び出すものを、一般的にポップアップ絵本という。一般的なポップアップ絵本は、ページを開けば自動的に飛び出す為、両手で把握できるサイズの立体でありながら、さわるよりも目で楽しむ要素が強い。それならば、手でさわらないと情報が飛び出さない絵本を作るのはどうかと考えたのが、私がさわる絵本の制作を始めたきっかけだ。

さわる絵本づくりを続ける理由は、グラフィックデザイナーである私が、視覚優位な分野にいながら、それを頼りとしないことに取り組むことに意味があると考えているからだ。さわることと見ることのそれぞれの関係性と役割を考え、さわる絵本というさわれる形にすることは、視覚優位の分野に新たな可能性を発見することができるのではないだろうか。

私がさわる絵本を作る時に心がけていることは二つある。一つは、絵本への最初の出会い方が手でさわることを前提に制作を行うこと。そしてもう一つは、私自身を絵本の鑑賞者として排除しないということだ。他の誰でもない自分にとってのさわる絵本がどういう存在か考え続けたいと思っている。

本展覧会で、さわる絵本から、さわることと見ることが交差する絵本など、それぞれの多様なあり方をさわり比べてもらいたい。そして、皆さんがまずは自分にとってのさわることと見ることはどういうことかを感じて、是非楽しんでもらいたい。

実物サイズ(こわれてひとつに)

出展作品によせて

触察本　小川未明『野ばら』、『山之口貘詩選集』

真下弥生

　言葉そのもののリズムと力を味わい、行間の余白に想像をめぐらせる ── すぐれた挿絵やカットは、自身は脇役でありながら、読者を本の世界の奥深くへと連れて行ってくれる。触図でもそのようなことが出来ないか、という発想から制作を試みた触察本である。既存の絵画作品を触察化するというアプローチではなく、また描かれている内容を説明して完結するのではなく、言葉で直接あらわされていないものを想像し、言葉の余韻に心を委ねる楽しさに同伴するような「触挿絵」の制作を試みた。

　制作は取り上げる作品の選定からスタートした。定着した挿絵がなく、読み手の想像の余地を残した文章を探して、さまざまな短編小説や児童文学を手にしたが（この過程が実に楽しかった！）、結果、物語と詩の2作品を取り上げることにした。期せずして、両者とも大正から昭和にかけての男性作家の作品となったが、小川未明円熟期の代表作『野ばら』も、推敲の鬼と呼ばれた山之口貘の詩も、冗長な言葉がなく、これ以上付け加えるものがあるのかと圧倒されたが、同時に多様な読み方を許容するゆとりにも満ちていた。

　触挿絵の素材は極力アナログにすることを心掛け、『野ばら』では、仕上げの異なる複数種の革を用いた。経年、そして人の手が触れることによる劣化は形あるものの宿命だが、同時に革製品はさわること、使うことによって艶が出、味わいが増す。『野ばら』は1世紀にわたって繰り返し読まれてきた児童文学だが、さわることによるモノの変化も、物語の一部となることを目指した。

　『山之口貘詩選集』は、山之口が遺した詩から、テーマや執筆時期の異なる作品を5点選び、布や紙、乾燥した植物の葉などのさまざまな素材を使った、抽象造形を添えたものである。素材そのものの感触を楽しみつつ、直感的な造形となるよう心掛けたが、元の言葉の良さを殺さぬよう、制作中は常に緊張感も覚えた。

実物サイズ（『野ばら』）

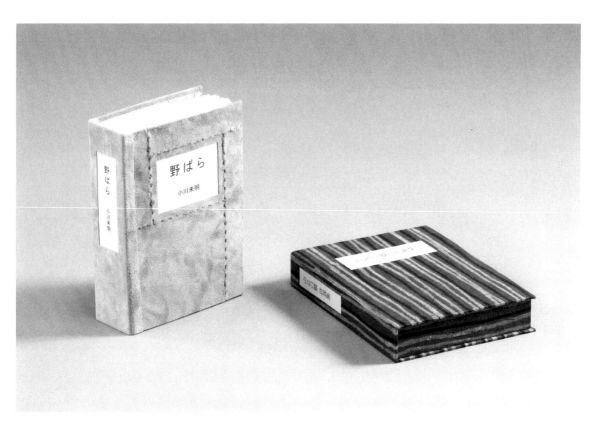

[6-9a] 触察本　小川未明『野ばら』/ Tactile book, Mimei Ogawa, *Nobara* (*A Wild Rose*).
[6-9b] 触察本　『山之口貘詩選集』/ Tactile book, *Selected Poems of Baku Yamanoguchi*.
真下弥生
Yayoi Mashimo

出展作品によせて

変体仮名を触読する意義

伊藤鉄也

　一人静かに本を読む、という行為を「黙読」という。平安時代に書かれた『更級日記』には、一日中『源氏物語』を夢中になって読んだ作者は、ついには〈物語〉を暗記するほどになった、とある。自分では文字が読めなくても、読んでもらうことで〈物語〉は楽しめる。『国宝　源氏物語絵巻　東屋』では、お姫さまは目の前に〈物語絵〉を置き、侍女が語る〈物語〉を楽しんでいた。

　現在、目の見えない方のために、図書館などでは「対面読書」というサービスがなされている。しかし、それは、自分が思うように〈物語〉を楽しむこととは異なるものである。点字に訳されたものがあれば、自分の指でその文章が読める。パソコンを使って、文章を読み上げさせることもできる。しかし、手書きの文字を読むことまでは、今はまだできない。紙に手で書き写された文字を自分だけで読むことができたら、日本の伝統的な文化や文学について、目が見える人と見えない人が情報を共有できるようになる。異文化を共有する可能性を求めて、今から7年前に触読の調査と研究をスタートさせた。

　平安時代から鎌倉時代にかけて読まれていた〈物語〉は、縦横20センチの大きさの本であった。それをA4サイズの大きさに拡大コピーして、特殊な用紙に立体文字として浮き出させる（写真1）。ただし、学校で学んだ五十音の平仮名だけでは、これは読めない。変体仮名という今では使われていない、漢字を崩した約250文字（ユニコードに採択）を知る必要がある。この変体仮名を少しずつ覚えると、800年前の手書きの写本が読めるようになるのである。変体仮名が混じっているので、目が

写真1

見えても読める方は少ないことを考えると、読書のスタート地点は同じ条件だといえる。

　実際に調査と研究を進めると、目が見えなくても予想外に変体仮名が読めることがわかってきた。日本の伝統的な文字で書き伝えられて来た文化に関して、共通の体験を通したコミュニケーションが成り立つ。気持ちも意識も千年前に馳せ、書かれた当時の文字で生の〈物語〉を読み、意見を交換できるようになる。目が見えない人と見える人が、対等の関係で新しい読書の体験を語り合えるのである。

　これまで取り組んで来た成果は、『変体仮名触読字典』と『触読例文集』として公開している。この参考資料があれば、手書きの写本を読む力を養うことができる。目が見えない人も見える人も、共に学んでいくことにつながっていく。今回の特別展で展示している字典と例文集を直にさわり、実際に読むことをイメージして、ぜひ古写本の1ページ分を触読する体験をしていただきたい。きっと、新しい読書の世界が拓けることであろう。

上：[6-10a]『変体仮名触読字典』/ A Learner's Dictionary for Variant Forms of
　　Kana Letters (the Japanese Syllabary) : How to Read by Touch
下：[6-10b]『触読例文集』/ Illustrative Sentences: How to Read Variant Forms
　　of Kana Letters (the Japanese Syllabary) by Touch
伊藤鉄也
Tetsuya ITO

出展作品によせて

「点字つきさわる絵本」のいままでとこれから

千葉美香

さわる絵本、また点字つきさわる絵本をご存知だろうか。見えない子どもたちにも絵本を楽しんでもらいたいと、50年近くまえから、いろいろな取り組みがなされてきたが、始めはボランティアによる手作りがほとんどだった。

絵の部分はその絵のイメージにあう、さまざまな感触の布や、毛糸、皮などを貼って表現して、墨字に加えて文章は点字もつける。既存の絵本を原本にしたり、オリジナルのものを考案したり、くふうをこらして1冊1冊手作りしていた。なかには、こすると匂いがする素材を使ったものもあり、できあがったものは、必要とする子どもたちに届けられた。先駆けとなったのは、東京都品川区の「むつき会」というグループで、製作ボランティアグループは全国各地に広まっていった。

むつき会の絵本

その後1984年に大阪で岩田美津子さん主催の点訳絵本を貸し出す岩田文庫ができた。点訳絵本とは既存の絵本に点字と絵の形に切った透明の塩ビシートを貼り、絵の説明をつけたりしてさわって絵本の絵と文章がわかるようになった本だ。岩田さんは全盲のお母さん、晴眼の2人のお子さん

を育てるなか、「絵本を読んで！」と請われたことがきっかけとなった。点訳絵本を見たときに、お子さんたちは「お母ちゃんの字がついてる！」と大変に喜んだそうだ。

そして友人が作ってくれた点訳絵本が100冊にもなったとき、同じような境遇の他の人にもと、全国の施設や家庭に貸し出すための文庫を始めたのだった。点訳絵本を作るボランティアも増えるにつれ、『てんやく絵本の作り方』の教本やDVDも製作し、蔵書は1万冊以上となり、現在も「てんやく絵本ふれあい文庫」として、変わらず活動を続けている[注1]。

しかし手作りのものだけでなく、図書館や書店に並ぶ市販の点字つき絵本がもっと増えてほしいと、岩田さんは2002年に「点字つき絵本の出版と普及を考える会」を発足する[注2]。ここには、それまでに点字つきの絵本を刊行したことのある出版社や、興味をもつ出版社、印刷所、盲支援学校の先生、書店員、著者などが自由に集まった。出版社の枠を超えて、製作にコストや技術が必要な点字つき絵本について情報を交換しあい、共有して市販のものを増やそうとしている。

市販となったさわる絵本の最初は、1979年デンマークの翻訳絵本『これ なあに？』（偕成社）だ。隆起印刷が可能になりデンマークで企画され、海外製作された本の日本語版で、当時話題となった。内容は抽象的な形や手ざわりで登場人物たちが表現されていて、見える子も見えない子も同じスタートラインにたって読み始めることができる画期的な絵本だ。この絵本は、1990年代から海外の印刷所がなくなってしまい重版ができずにいたのを、「点字つき絵本の出版と普及を考える会」の発

足がきっかけとなって、日本製作で復刊することができた。そんななか、会で協力しあって現在までに新刊、翻訳あわせて約20冊、復刊5冊が各社から刊行されている。

　会に関わる人たちは、絵本の新ジャンルとして「見えない子も見える子もいっしょに楽しめる絵本」がもっと増えていけば、という思いのなか、活動を続けている。

【注】
1（てんやく絵本ふれあい文庫）
　http://tenyaku-ehon.la.coocan.jp/
2（点字つき絵本の出版と普及を考える会）
　https://tenji.shogakukan.co.jp/

上　：[6-11b] 国内で市販されている主な「さわる絵本」
　　　Picture Books for Touch Published in Japan
中左：[6-11c] 視覚障害者に貸し出される点訳絵本
　　　Picture Books with Braille for Visually-impaired Readers
中右：[6-11d] 海外の「さわる絵本」
　　　Picture Books for Touch from Foreign Countries
下　：[6-11e] 点字カレンダー ／ Wall Calendars with Braille
（[6-11d] 以外の写真は展示品の一部）

論考

触図活用のABC — アーティスト、視覚障害者、学芸員の協働 —

————————

真下弥生

2019年12月4日夕刻、アフガニスタンで医療・水源確保の活動を続けていた中村哲医師が銃撃を受け負傷、ほどなくして死亡の報が流れた。筆者はこの時、騒がしい喫茶店で仕事をしていたのだが、速報を目にした途端、周囲の音や風景が消え、後は仕事にならなかった。

訃報にはかなりの衝撃を受けたが、実は筆者は、中村医師の著書を読んだことは一度もなく、当然のことながら直接会ったことも、活動の現場に行ったこともない。日本での支援団体・ペシャワール会に、年末ごとに寄付をしている父のもとに送られてくるニュースレターや講演録に目を通していた程度で、あとは2001年の参議院参考人質疑の際の姿が記憶に残っているくらいだろうか。にもかかわらず、なぜ自分がこれほどまで中村医師の死に動揺しているのか、その時点ではまるで分からなかった。

幾日か考えるうち、限られた機会の中で触れていた中村医師の仕事が、自分が制作や鑑賞のワークショップを立案・実施する際の基盤となる考え方に、いつしか大きな影を落とし、無意識の指針となっていたことに気が付いた。国際協力と触察ワークショップの企画、まして触図の活用といったテーマには、何ら接点がないように見える。だが、社会包摂・障害者対応に取り組む、昨今の日本の博物館・美術館のプログラムを考える際、誰が誰に向けて、いや、誰とともにどのような仕事をするのかという起点は、絶えず振り返りを迫られる、蔑ろにできない問題である。触図の制作も例外ではない。

今回の事件を機に — というのも悲しいことだが — 中村医師の著作を手に取りながら、触図制作・活用の場の構築のための、協働のあり方について考えてみたい。なお、触図は地図や数学の図形など、さまざまな用途で制作されるが、本稿では、美術鑑賞の場で使用される触図制作を前提とする。

触図の役割

まずは「触図」の目的を確認しておきたい。絵画作品や地図など、主として平面／二次元上に展開する、視覚を用いて把握することを前提とした事物は、そのものに直接手で触れても、描かれている内容を把握することは困難である。輪郭線を浮き上がらせる、異なる領域をさまざまな触感の点や線で描き分ける等の方法で半立体化することで、描かれている内容を、触覚を活用して把握する手立てといえようか。代表的な技法として、エンボス印刷や立体コピー、点字の凸点を並べた点図などがあるが、素材・アプローチの仕方は無限である。

もっとも、触図はそれ自体では機能せず、作って公開すれば終わりではない。さわりながら今全体のどの部分に触れているのかといった、時宜を得た言葉によるサポートが必要であり、複雑な形状は必要に応じてそぎ落とす・補足する等、視覚情報を触察に適した情報に翻訳するという作業も

求められる。美術作品の場合、独特の作りこみをしばしば要する。

2013年に東京への招致が決まったオリンピック・パラリンピックは、スポーツ競技のみならず、文化プログラムの実施を義務付けている[注1]。それに伴って、日本国内、とりわけ首都圏エリアでは、障害者を含めたダイバーシティ・インクルージョンを推進する文化事業の開催が推奨されるようになり、そのような企画を支援する公的な助成プログラムも、わずかながら増えた。公共の文化施設であり、観光資源でもある博物館・美術館へのバリアフリー化の要請も内外ともに高まりを見せ、視覚障害者向けの触図提供も、そうした取り組みの一環ともいえる。

では、美術作品の触図化を実際に手掛けるアクターは誰だろうか。本稿タイトルの「ABC」に沿って挙げると、美術作品の制作者であり、時に触図のデザインを担うアーティスト（artist: A）、当事者として触図を活用する視覚障害者（person who are blind and living with low vision: B）、主として作品を展示する美術館のスタッフ・学芸員（curator：C）── 日本でいうところの「学芸員」と、美術展で活躍する「キュレーター」とは職分が必ずしも一致しないが、ここではその議論はひとまず措く ── が考えられる。

「ABC」はそれぞれの知見と専門性を有しているが、役割が厳密に区分されているとは限らず、視覚障害者・アーティストが作品の調査研究に加わる等、時に重複・交換する場合もある。中村医師も本職は医師でありながら、用水路の設計・建設を後年手掛けている。

どこを向いた〈活動〉なのか

中村医師の著作には、現地で求められていることに目を向けない国際支援活動に対する、冷徹な目線が幾度となく顔をのぞかせる。そのような支援者の視線の先にあるのは、目の前にいる手助けを必要とする人々ではなく、その活動も「現地のニーズを重んずるよりも、「国際社会」と称する先進国の国民を満足させるプロジェクトに終始」する[注2]。1991年の湾岸戦争勃発の際には、支援団体は足早に現地を去り、住民は危険な状態のまま残された[注3]。

いきなり悲観的なことから始めざるを得ないが、筆者はこうした中村医師の言葉に出会うたび、東京オリンピック・パラリンピック後の文化行政、とりわけ文化活動のバリアフリー化の末路を見る思いで、胃を締め付けられた。「オリパラ」閉幕後、経済の冷え込みや人手不足を理由に、文化という、利潤を生むには非効率的な分野にかける資源、ましてや障害者という「少数者」に対する「配慮」などしている余裕も手間もないという方向に流れる潜在的な契機は、既に遍在している（この文章を書いた時点はおろか、印刷直前の最終チェックの時点でも、新型コロナウイルス感染症収束の気配はない）。ダイバーシティ・インクルージョン推進の根拠は、自分たちにとって真に必要なものと認識されているからではなく、大規模国際イベント開催都市・国としての見栄えをよくする要請、アリバイ作りにほかならない。

そのような土台の上で触図制作を遂行したところで、企画に関与した者にとっては、自分の「仕事」の実績にはなるかもしれない。だが、触察の環境構築が道半ばのままプロジェクトが終了する

と、とりわけ触図活用の主体である視覚障害者は、中途半端な状態で放り出されてしまう。助成を得たにしても単年度、長くても2-3年の支援期間では、その間に結果を出さねばと焦りも生じる。腰を据えた現状把握や準備よりも、早急な成果追求や失敗を黙殺する報告に傾きかねない。アフガニスタンで躍った「はなやかな会議やもよおしもの、外国人の援助の論理を満足させる保健教育用の雑誌やパンフレット」[注4]が、文化活動の世界でも隆盛する。触図活用の「ABC」は、自分のかかわり方がこうした流れに加担していないか、まず自省が必要だろう。

「オリパラはチャンスだ。賛否はあるとしても、この流れに乗って現状を変えよう。自分たちの存在感を拡大しよう」という期待も理解できる。だが、その大きな流れに不測の事態が発生したり、主催者の意向で方向転換がなされたりした時、自分たちの活動も共倒れになるような依存関係に拠っていてはならない。楽ではないが、小規模でも低予算でも、軸を見失わずに活動を続けるしたたかさを育むことが必要ではないか。

支援する／される

悲観から目を転じて、では充実した触図活用の追求、とりわけ協働のあり方とはどのようなものだろうか。

触図活用の「ABC」と中村医師の活動の場にいる人びととの関係性は、単純に置き換えて論じることも、支援者 ── 被支援者という関係でとらえることも出来ない。文化事業に限定せずとも、日本の社会制度の広範な領域における障害者の位置づけは ──「ABC」ではBがその立場とみなされる

が ──、通常のサービスを利用できない、特別な、追加のコストを要する被支援者という見方が根強くある。紛争・自然災害によって困難な生活を強いられているアフガニスタンの人びとも、国際社会が支援の手を差し伸べなければならない対象ととらえられがちである。

だが、障害者もアフガニスタンの人々も一方的な支援の受け手なのだろうか。視覚障害者でいえば、視覚を用いない、視覚に依存しない生活から蓄積された知見があり、それらは時に視覚障害者の集団知として発展し、独自の文化を構築する。多数者として視覚主導の生活環境を構築してきた「晴眼者」は、自身の立つ足元を問われるとともに、ひいては社会構造、現行の「インクルージョン」も、多数者の側が変わることなく、少数者を「包含」するという危うい前提があることに思い至るだろう。触図制作の目的も障害者対応、美術館のバリアフリー化の一環にとどまらず、視覚そのものを問い直しつつ、芸術表現を鑑賞・解釈するという、一筋縄ではいかない課題へと変貌する。アフガニスタンの山岳地帯に暮らす人々も、厳しい環境と折り合う暮らしの知恵を連綿と育み、継承する文化を築いてきた。「アフガン人に半人前はいない」とは、現地のことわざである[注5]。

多くの場合、多数者に属するAにもCにも、知識と経験に裏打ちされた専門性があるが、それを「非専門家」や「被支援者」を支配・操作する道具にしてはならない。まして、己の知見をもって彼らの代弁者たれると任ずるのは、少数者の経験知の収奪である。少数者になりがちなBにも、もちろん同様の姿勢が求められる。

触察の手ごたえを愉しむ場を作るという目的は

2011年の地震で大きな被害を受けたニュージーランド第二の都市、クライストチャーチ。統廃合で廃校になった小学校の校舎を再利用し、地域住民の活動拠点としている。敷地内に子どもたちの絵で飾られた石焼窯を設置し、皆でパンやピザを焼き、食事を囲む。2018年撮影

韓国・ソウルの盲学校の知的障害重複クラスの美術の授業の様子。視覚障害を持つ子どもの美術教育を推進する団体が委託され、運営している。子どもたちに長期的に伴走し、創造性を育む姿勢が貫かれている。2009年撮影

遠大だ。それぞれの協働者が持つ、自分にはない知見から謙虚かつ素直に学びながら力を出し合う姿勢と、ともに歩み続けるスタミナと楽観性があって、ようやくたどり着くことが出来るのだろう。

　中村医師の急逝後、ほどなくして発生した新型コロナウイルス感染症は、またたくまに国境を越え、人の暮らしと生命を脅かしている。美術・文化活動の縮小にとどまらず、この感染症の特徴上、さわる、人と顔を合わせて協働するという触察の場づくりの根幹が揺らぐ事態となっているが、それでもなお、作品鑑賞の機会は失われてもよいものではない。触図活用の「ABC」は、もっともその機会を奪われがちな立場の人たちの声と経験に耳を傾け、粘り強く模索を続けることが、今こそ求められるのではないだろうか。

【注】

1 International Olympic Committee, "Recommendation 26: Further blend sport and culture," Olympic Agenda 2020. 2014, <https://stillmed.olympic.org/media/Document%20Library/OlympicOrg/Documents/Olympic-Agenda-2020/Olympic-Agenda-2020-127th-IOC-Session-Presentation.pdf#_ga=2.104772232.969609054.1583768495-150589243.1583768495> accessed on March 10, 2020; 太下義之「「オリンピック文化プログラム」序論 ── 東京五輪の文化プログラムは二〇一六年夏に始まる」東京文化資源会議編『TOKYO1/4と考える　オリンピック文化プログラム：2016から未来へ』勉誠出版、2016年、2-3頁

2 中村哲『アフガニスタンの診療所から』筑摩書房（ちくま文庫）、2005年（初版1993年発行）、215頁

3『アフガニスタンの診療所から』134頁

4『アフガニスタンの診療所から』122頁

5 中村哲『辺境で診る辺境から見る』石風社、2003年、92-93頁

論考

触図活用の新展開?!

―――――

岡本裕子

写真1

はじめに ── 触図活用にいたる経緯

　作品をみることを「鑑賞」というが、そもそも「鑑賞」とはどういう行為なのだろうか。目の前にある作品をよくみて、鑑賞者自身の中にある知識や経験したことを総動員し、作品の中で一体何が起きているのかを理解しようと考え続ける行為そのものが鑑賞ではないだろうか。この時、鑑賞者は、視覚情報を元に、客観的事実と主観的解釈を自分の中で巡らせながら作品と向き合っている。「美しいもの、珍しいものをみて楽しむこと、みてほめること」の意味を持つ「観賞」とは異なる。

　ところで、視覚が、他の感覚器官に比べて短時間により多くの情報を得る器官であることは周知のとおりである。しかし、視覚から多くの情報を得ているはずの晴眼者が、「作品そのものをみる」時間よりも「作品キャプションを読む」時間のほうが長いという状況がミュージアムでは多々見受けられる。晴眼者は、視覚から多くの情報を受けてはいるが「意識を持ってモノ（作品）をみている」とは言い難いようである。そこでミュージアムでは、作品そのものをじっくり（意識を持って）みてもらうための様々な取り組みを行っている。その取り組みの一つに「対話を用いた鑑賞」（写真1）がある。

　一方、視覚障害者のミュージアム利用の観点から、立体作品などをさわることができる鑑賞プロ

グラムが多くのミュージアムで行われるようになってきた。当館（岡山県立美術館）でも、2011年から、立体作品をさわることができるプログラムや参加体験型の展覧会観覧プログラム、また、さわることに対するハードルが高い平面作品では、対話を用いた鑑賞を岡山県立岡山盲学校と一緒に実施してきた。そして、2018年に実施した対話を用いた鑑賞では、視覚障害者がより能動的に作品情報を得る機会の充実を図りたいと考え、触図の一つである「さわる絵画／立体コピー」（以下、「さわる絵画」）を鑑賞補助ツールに取り入れた。しかし、「さわることはわかること」、だから「さわることは楽しい」という過去の体験の有無によって、「さわる絵画」を鑑賞補助ツールに取り入れたプログラムの成否が分かれた。写真2は、指を丸めて「さわる絵画」をさわっている生徒の様子である。さわることを通して情報を読み取ろうとする意志があまり感じられない。指を丸めた手からでも触覚情報を受け取ることはできるが、積極的に情報を受け取ろうというさわり方ではない。つまり「意識を持ってモノをさわっている」とは言い難いようである。一方、過去の体験からさわる楽しさを知っている生徒は、鑑賞補助ツールとしての「さわる絵画」から触覚情報を主体的に受け

写真2

写真3

写真4

取り、客観的事実を理解することができていた。さらに、目の前に展示されているモノ（絵画作品）そのものと「さわる絵画」から得た客観的事実を照らし合わせ、主観的解釈を自分の中で巡らせながら作品と向き合うことができていた。

　このことから、触図を活用する場合、さわる楽しさをまず最初に体験することが大切であることがわかった。また、客観的事実と主観的解釈を自分の中で巡らせながら作品イメージを創り上げるために行っている「意識を持ってモノをさわる」行為は、晴眼者が「意識を持ってモノをみる」ことにも通じるものがあるのではないかと考えた。そして、視覚障害者が情報を受け取るためだけの触図活用ではなく、晴眼者が「意識を持ってモノをみる」ためにも触図は活用できるのではないかと考えるようにようになった。そこで、視覚障害の有無に関わらず、誰もが参加することができる「暗闇ワークショップ／触ってみて、みて！－触察アートゲームにチャレンジ－」を企画することになった。

鑑賞補助ツールとしての「さわる絵画」と「暗闇ワークショップ／触ってみて、みて！」

　企画したワークショップは、「歩くこと」や「物を食べる・飲む」という日常の行為の間に、「さわる絵画」を用いた「触察アートゲーム」という非日常の行為を入れて、終始暗闇の中で行うことにした。視覚を使う必要がない「暗闇」という環境は、視覚障害の有無に関わらず、誰もが視覚以外の感覚器官を使って参加することを可能にする。また、視覚に頼りがちになる晴眼者にとっては、暗闇は触覚に集中するための最適な環境でもある。同時に暗闇は、お化け屋敷のようなわくわく感やドキドキ感にあふれているので、誰にとっても楽しさの演出になる。

　ワークショップの核になる「触察アートゲーム」で使用する「さわる絵画」は、〈アートゲーム編（「パターンを楽しむツール」「構図を楽しむツール」）〉と〈所蔵作品6点の触図編（内、2点）〉で

写真5 （左）
写真6 （右）

ある。一つ目の「パターンを楽しむツール」は、厚さ5mm、横6cm、縦5cmの四角形の中に、正方形、三角形、丸、ひし形、二重丸、六角形、ハートの図形が凸線で表現されている触図のピース（写真3）。二つ目の「構図を楽しむツール」は、縦向きA4サイズの画面に、上から雲、雨、山、川が配置された触図（写真4）。三つ目の「所蔵作品2点の触図」は、当館所蔵作品の中から、明治洋画の黎明期を支えた作家の代表作を2点（写真5：松岡寿《ピエトロ・ミカの服装の男》、写真6：原田直次郎《風景》）セレクトして制作した鑑賞補助ツールとしての「さわる絵画」（写真7・8）である。さわる絵画の制作にあたっては、「大きさ」「さわり心地」、そして「さわってわかること」を重視し、視覚障害当事者の触読校正をへて触図制作をしている「点字・触図工房BJ」の小川眞美子さんに依頼した。

ワークショップは、視覚障害の有無に関わらず、小学生以上を対象としたプログラムを3回、高校生以上を対象としたプログラムを2回実施（各回所要時間：90分、各回参加人数：6人）。ファシリテーターは、視覚障害当事者（暗闇のスペシャリスト）である広瀬浩二郎さん（国立民族学博物館）と「さわる絵画」触読校正者でもある藤下直美さ

ん（社会福祉法人名古屋ライトハウス）に依頼した。また、視覚を使うことができない状況（終始暗闇の環境）下でワークショップを実施するため、モノをさわることを介すると同時に、「声・コミュニケーションを介する」ことが重要になる。小学生以上を対象にした回では、参加者一人一人が自分の気づきについて声を発することに重きを置いてプログラムを進めた。そして高校生以上を対象にした回では、他者との関係性を高めるリレーションゲームでほぐしを行った後、参加者一人一人の気づきをコミュニケーションを介して共有しながらプログラムを進めた。

むすび ── ワークショップを終えて

「私は絵（立体コピー）の鑑賞が楽しかったですね。いろいろな情景を思い浮かべながら紙の隅々まで触ってみるのはなかなか楽しいです。子供たちがまだ小さかった頃、私はもう全盲となっていましたが時々美術館に行っていました。そして、たくさんの絵を子どもたちにみてもらいました。私は何をしたかというと、子供たちの感想の言葉やその場に居合わせた人からの言葉を聞き想像するという絵の楽しみ方をしていました。本物の絵

写真7

写真8

とは違っていたかもしれませんが、結構楽しかったです。」

「指先に集中して一生懸命イメージを頭の中に創ろうとするのですが、うまくいかないですね。改めて《ピエトロ・ミカの服装の男》を展示室でみると、顔の角度、帽子の飾り、服の襟、ひげの様子など、普段何となくみていたところをよりよくみることができたと思います。すべての作品を触るようにとはいかないとは思いますが、自分の好きな作品はそういう見方ができるようになったら

いいなと思いました。」

前者は視覚障害（全盲）、後者は晴眼の参加者のコメントである。鑑賞補助ツールとしての「さわる絵画」は、視覚障害者にとっても晴眼者にとっても、「意識を持ってモノをさわる／みる」行為を触発しているようである。そのもう一歩先にある触覚／視覚情報を元に、客観的事実と主観的解釈を自分の中で巡らせながら作品と向き合う「鑑賞」の糸口にも成り得るのではないだろうか。

論考

美術館における協働の試み ——「さわるコレクション」制作の現場から ——

―――――――

松山沙樹

「感覚をひらく」の取り組み

京都国立近代美術館では、2017年度より「感覚をひらく —— 新たな美術鑑賞プログラム創造推進事業」(以下、「感覚をひらく」)を行っている(注1)。本事業は、"目で見て楽しむ場所"だと思われてきた従来の美術館、そして美術鑑賞のあり方を問い直し、触覚や聴覚、嗅覚などさまざまな感覚を使った活動を行いながら、作品の体験の仕方や美術館での過ごし方の新しい可能性を模索するプロジェクトだ(注2)。「感覚をひらく」では主に見えない・見えにくい方と協働しながらワークショップやツールの開発を進めているが、障害のある方だけを対象とした福祉的な取り組みではない。プログラムには、子どもから大人まで、また障害の有無にかかわらずさまざまな人が共に参加する。そして、作品の特徴を別の角度から発見できることはもちろん、他の参加者の何気ない言葉によって作品についての印象が大きく変容したり、対話することで参加者どうしの相互理解も深まっていく点が特徴である(写真1)。

所蔵作品をさわって学ぶツール：「さわるコレクション」

本事業では、立ち上げの初年度(2017)から、「さわるコレクション」という触察ツールを制作している。これは、京都国立近代美術館の日本画、洋画、写真版画、陶芸、漆工、竹工、染織などさまざまなジャンルの所蔵作品から毎年3点(平面2点、立体1点)について、触図と文章で紹介するものだ。絵画や版画など平面作品の場合はその構図を、立体作品の場合はその形状を凹凸のある印刷であらわした「さわる図」と、図だけでは表せない作品の色や技法、制作背景などを紹介し点字で印刷した「文章」の2つから成り、これらが、作品のカラー図版、作家名・作品名・材質技法・大きさ・解説を記した紙製ファイルに収められている。とりわけ図の印刷においては、各作品の特徴を表現するために適した技術を選択しており、作品によって図のさわり心地が異なっている(注3)(写真3)。

「さわるコレクション」の制作は、盲学校では美術の点字教科書が発行されていないという状況(注4)を踏まえて、全国の見えない・見えにくい子どもたちの元へ届けることを目的として始まった。さらに、一人でも多くの視覚障害者へ当館のコレクションの魅力を伝え、美術館が近くになくても本物と向き合った時のように作品から豊かなイメージを思い描いてほしい。そんな願いから、図の印刷にはエンボス印刷や紙の貼りつけといった既存の技術を応用することで印刷費を抑え、できるだけ大量印刷を可能にする工夫を行っている。こうして毎年3作品、各1,000部ずつ印刷し、全国の盲学校、ライトハウス、点字図書館へ発送しているほか、館内で希望者への無料配布を続けている。

写真1　本物の所蔵作品をさわって鑑賞する

写真2　「さわるコレクション」

写真3　（左）さまざまな印刷技術による「さわる図」

写真4　（右）井田照一《Weekday》1968年、京都国立近代美術館蔵

協働への道

「さわるコレクション」は、作品選び、さわる図と文章の検討、試作品の制作、検証という流れを経て、印刷に進む。2017、18年度は美術館が京都教育大学と連携して制作を進め、さわる図と文章の試作品が完成した段階で視覚障害のある方から意見をもらって改善を加えていた。見えない方と話をする中で感じたのは、視覚経験の有無や触図をさわり慣れているかどうか、また図をさわる際の手の動かし方には個人差があるということだった(注5)。一方で制作側は全員晴眼者であり、見えない方が図に触れた時の「分かる」、「分からない」、「面白い」、「つまらない」といった感覚を十分に理解することができないのではないかという

懸念も持った。結局のところ、「この輪郭線をもっと太く」「この点点は削除」と表現上の修正点を記録することに終始し、作品のどんな特徴を伝えたいのか、そのために質感や風合いをどの程度表現し、どこまで簡略化するのかといった点まで議論を十分に深めることができないままであったと感じた。

こうした課題を乗り越えようと、3年目（2019年度）は視覚障害のある方、大学生、美術館スタッフでワーキング・チームを作り(注6)、作品選びの段階から協働して制作を進めることとした。その結果、参加者自身が作品から感じ取った印象が盛り込まれたユニークな図と文章が出来上がった。

たとえば井田照一のリトグラフ作品《Weekday》

写真5　リチャード・スリー《かたむいた角》1987年、京都国立近代美術館蔵

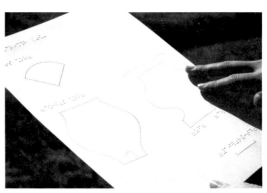

写真6　立体を二次元で表現した触図の例（写真は点図による壺の表現）

写真7　検討会議の様子

写真8　《かたむいた角》の触図（ペーパークラフト）

（写真4）を担当したチームは、実際に作品を鑑賞し、「青い空と、赤い腕輪の巻かれた女性の白い腕」、「白いプールサイドから青い水面へ垂れ下がる赤いロープ」など、見える人には本作から多様な見立てが生まれるという気づきを得た。さらに各自の印象の違いを伝え合うことで、見える・見えないにかかわらず豊かなイメージを思い描くことができたという。そして、この経験こそが本作の魅力であると考え、作品についてのさまざまな見方を「文章」の中で紹介することで、作品の特徴を届けようと工夫した。

美術の世界への「楽しさへの近道」を届ける

　また、ツールの受け手である見えない方が制作側に加わることで、視覚障害のある当事者の方が「さわるコレクション」をどう活用し、どんなふうに理解を深めていくか、具体的に想定しながら制作を進めることができた点も、大きな変化であった。ここでは、リチャード・スリー《かたむいた角》を担当したチームでの議論を紹介したい。

　本作は、細長い三角錐を横に倒した形をした焼き物のオブジェ作品だ（写真5）。一般的に立体作品の形状を触図で伝える際には、"上から見た図"、"横から見た図"といったように複数の視点からの断面図であらわすことが多い（写真6）。しかし、このチームにいた全盲のYさんは、盲学校時代に抱いた美術への苦手意識から、二次元の図を触って立体作品の全体像をイメージすることは難しさを覚えると当初から話されていた。これを聞いたメンバーの一人が、それならばペーパークラフトの

ような立体物にしてみてはどうかと提案した。一方で別の晴眼者からは、簡易的な立体は作品の本質を誤って伝えてしまうのではという懸念が出された。確かに、単純化されたペーパークラフトからは、《かたむいた角》が本来持っている、ゆるやかに湾曲したユニークな形状や、ぽってりとした量感、手で触れた時のひんやりした質感といった多くの情報がこぼれ落ちてしまっている。1回の検討会議では結論が出ず、その後もメールでのやりとりが続いた。

　そんな中10月下旬の話し合いの際、Yさんが「分からへんけど…」と少しためらいながらも、「僕は、楽しさへの近道をつくってあげたい」と言われた。曰く、見えない人が立体作品を理解する最初のステップは、全体像の把握である。自分がこの作品について何も知らない立場だとしたら、平面図をさわって頭の中で立体を組み立てるよりも、こうして三次元のかたちに触れるほうが鑑賞することへのハードルはずっと低く感じると。「楽しさへの近道」とは、自分と同じように平面の図をさわり慣れていない人や、美術の世界を無縁に感じている見えない人たちに向けて、まずは何かの取っ掛かりでも美術に触れるきっかけを届けたいという、自身の経験を踏まえた言葉であったのだろう。このチームは彼の意見を取り入れながらペーパークラフトを改良し（写真8）、自分たちが触覚や視覚を通して感じ取った作品の印象については「文章」で具体的に紹介することとした。

むすびにかえて

　このように3年目の「さわるコレクション」は、美術史学的・教育学的な視点から作品を紹介する

ことに加え、制作に携わった人びとの切り口から作品の魅力を発信するツールにすることができた。こうしたダイナミックな変化は、美術館が異なる感性や経験、専門性を持つ人たちと協働したことによる成果であり、誰もが楽しめる（ユニバーサルな）美術鑑賞に向けた大きな前進だと捉えている。

　「感覚をひらく」は"正解"のないプロジェクトだ。時には美術館自身も、自分たちが当然としてきた美術鑑賞に対する考え方や作品解釈を問い直し、更新していく努力が求められる。難しさもあるが、事業に関わる人たちがさまざまな"当たり前"を取り払い、作品を介して共に過ごすことから、美術鑑賞や美術館の可能性がさらに開かれていくはずだ。そうした実感を、今、少しずつ持ち始めているところである。

【注】
1 単年度事業であり、文化庁芸術文化振興費補助金からの助成を得て実施している。
2 これまでの実施事業についてはウェブサイトを参照。https://www.momak.go.jp/senses/
3 これまでに使用した印刷方法は、次の通り。UV印刷、熱入りエンボス印刷（一段階・二段階）、点図、紙の貼り付け、ペーパークラフト。
4 広瀬浩二郎氏より筆者へのメール、2017年1月8日付。
5 一般的に触図を理解するためには、点字の触読よりも上級のテクニックが求められるとされる。（広瀬浩二郎「視覚障害者の絵画鑑賞：「副触図」の可能性 ── 共同研究：「障害」概念の再検討：触文化論に基づく「合理的配慮」の提案に向けて」、『民博通信』161号、2018年、p.20）
6 視覚障害のある方々として、見えない・見えにくい人と見える人が言葉を介して作品鑑賞を行う市民団体（ミュージアム・アクセス・ビュー）に協力を要請した。この団体は2002年から継続的に当館で鑑賞ツアーを行っている。

コラム

日本展示資料の新たな活用
―「Dr.みんぱこ」の開発 ―

日髙真吾

はじめに

　国立民族学博物館（以下、民博）の本館展示の一つである「日本の文化展示場」は、2015年3月に2年間をかけて新しくリニューアルした展示場である。日本の文化を、祭礼や日常のくらし、そして日本在住の外国人のくらしの視点から紹介している。来館者には、本館展示場で展開している世界各地の文化と日本の文化のどこが共通していて、どのようなことが異なっているのかを知ってもらうことを理解できる展示構成を意識している。

　一方、日本の文化展示場では、さわることのできる資料をあえて展示していない。その理由は、視覚情報から展示内容を理解することと同じように、触覚情報から展示内容を理解する仕組みを何とか実現したいという狙いが日本の文化展示場のリニューアルでは考えられていたからである。そこで本稿では、触覚情報から展示を理解することを目的として開発を進めている展示案内ツール「Dr.みんぱこ」について紹介したい。

1. Dr.みんぱこに求める要件

　Dr.みんぱこの開発では、触覚による円滑な展示理解のために、4つの機能要件を求めることと

した。ひとつめは、資料を「さわる」ことから展示の観覧がスタートし、資料情報を得られることである。すなわち資料を「さわる」ことを、通常の展示観覧のスタートとなる「視る」ことと同じようにしたいと考えたのである。二つ目の要件は、Dr.みんぱこが展示資料の案内ツールであることを伝えるために、装置から来館者に向かって音声と文字でメッセージを送ることである。その上で展示資料を「さわる」ことから資料情報が得られる仕組みを三つめの要件とし、「資料をさわってください」という音声と文字による通知と、「さわる」ことで展示解説がはじまることとした。また、すべての来館者がほぼ同等の資料情報を得られることを四つ目の要件とした。

2. Dr.みんぱこの機能

　Dr.みんぱこに求める要件を満たすため、Dr.みんぱこでは、「さわる」ための展示資料、人感センサー、重量センサー、音声と字幕による資料解説の番組を組み合わせることとした。人感センサーは、来館者がDr.みんぱこの正面30cmに近づいたときに、PCの画面からの音声と字幕つきの動画で装置の自己紹介と取り扱い説明がはじまり、来館者の興味を引き付ける仕掛けとした。次に、来館者が実際に資料をさわることで、展示台に設置した重量センサーが反応し、音声と字幕による映像番組から資料情報が得られる機能とした。

まとめ ── 今後の展開

　Dr.みんぱこは、2019年9月に開催されたICOM（国際博物館会議）京都大会において、民博の新た

な展示ツールとして紹介した（写真）。ここでは、日本の文化展示場で展示している「ねぷた」、「やごろどん」、「たのかんさあ（田の神）」の複製品3点を展示資料として紹介した。

このとき意外だったのは、来場者がなかなか展示資料にさわらないという光景である。この点は、今後「さわる展示」を進めていく際の一つの課題となると考える。

また、現段階の資料解説は、資料をさわるとい

うきっかけをうまく利用できていない。資料をさわることでどのような感動が得られるのか。そこには、例えば大きさや重さであったり、さわり心地であったり、凹凸の変化などさまざまな感触があるのだろう。これらの感触をどう生かして、資料解説をおこなうのかについても今後は考えていく必要がある。こういった点も精査し、Dr.みんぱこをよりよい展示ツールへと成長させていきたいと考えている。

ICOM京都大会でのDr.みんぱこの展示（ねぷた）2019年9月4日、筆者撮影

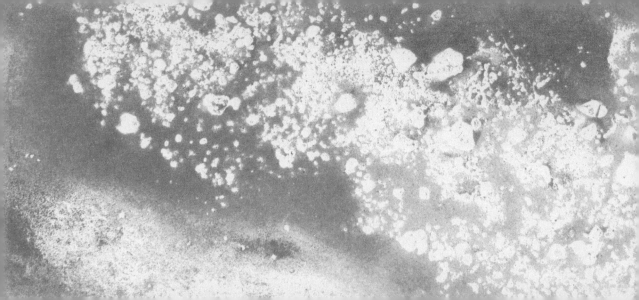

7

ユニバーサル・ミュージアムの未来

Future of Our "Universal Museum"

論考

「さわる展示」の意義と苦悩
── 南山大学人類学博物館の実践から ──

————

黒澤　浩

1. 南山大学人類学博物館のリニューアル

　愛知県名古屋市の南山大学には、「人類学博物館」という大学博物館がある。この博物館は、1949（昭和24）年に南山大学人類学民族学研究所の付属陳列室としてスタートし、国内外の考古資料、世界諸地域の民族誌資料、そして昭和の生活資料や民具を蒐集・展示してきた。その後、紆余曲折がありながらも、2009年にリニューアル計画が本格化し、その過程で、ユニバーサル・ミュージアムへと大きく舵をきることになったわけだが、その経緯についてはすでに報告しているので[注1]、ここでは繰り返さない。2013年10月、常設展示をほとんど全面的に「さわる展示」として、南山大学人類学博物館はリニューアル・オープンしたのである（写真1）。

2.「さわる展示」をつくる

　ここでは、これからユニバーサル・ミュージアム化を目指そう、あるいは「さわる展示」を導入しようと考えている博物館・美術館（以下、まとめてミュージアムとする）のために、われわれが留意してきた点を3つ紹介しておこう。

　1つ目は、「わからないことは当事者に聞け」ということである。われわれは博物館を専門としているが、障害者や福祉については全くの素人である。その点、広瀬浩二郎さんから名古屋ライトハウスを紹介してもらったことは、大きな意味をもった。わからないことがあると、すぐに連絡して確認したり、教えてもらったりすることができたのである。大事なのは、見常者（「見常者」「触常者」という語については、広瀬浩二郎氏による本書総論参照［p.22］）であるわれわれが勝手に判断してはいけないということであって、名古屋ライトハウスからのアドバイスによって、様々な工夫を採りいれることができた（写真2・3）。しかし、視覚障害者のみなさんからの言葉として何よりも印象的だったのは、「特別なイベントとしてではなく、いつ行っても楽しめるミュージアムであってほしい」という言葉だった。

　2つ目は、「さわる展示」をつくることの大変さである。ケーシングされた展示とは違い、さわる展示は露出展示なので、資料の破損・劣化や防犯・防災といった問題が大きな課題となる。しかしその一方で、さわるための自由度は確保しなければならない。さわる展示では資料の保存と活用の両立という問題が通常の博物館活動よりも一層重くのしかかってくるのである。人類学博物館の展示でも様々な工夫はしているものの、残念ながら、これがベストだという解決策があるわけではない。そして、何よりも展示制作自体、事前に展示レイアウトを確定し、全て手作業で資料を固定しなければならないという予想以上の労力を要することは強調しておきたい。

　3つ目は、最も重要なことだと思うが、ミュージアムをユニバーサル・ミュージアムたらしめる客観的な十分条件があるわけではないということである。後になって、ある人から、ユニバーサル・

写真1　「さわる展示」の工夫　床の仕様でゾーンが変わったことがわかる

ミュージアムとは「運動」だと言われた。そういう意味で、ユニバーサル・ミュージアムに具体的な完成形はなく、それぞれの理想型があって良いのかもしれない。このことに気がついてから、われわれは人類学博物館を、ユニバーサル・ミュージアムを目指すミュージアムと位置付けることにしたのである。

3.「さわる展示」と想像力

　広瀬浩二郎さんは、ユニバーサル・ミュージアムを「誰もが楽しめる博物館」とし、「見る」ことを、ある意味で強いてきたミュージアムという装置に視覚障害者を介在させることで、「視覚優位・視覚偏重の近代的価値観」を乗り越えるための突破口とする、としている(注2)。そしてさわる展示についても、①目が見える・見えないに関係なく、万人が楽しむことができる、②「さわる展示」を構想するに当たって、「触常者」と称される視覚障害者の触覚活用術を積極的に取り入れる、の2点が要諦であるとする(注3)。では、「さわる展示」とユニバーサル・ミュージアムの理念とを結びつけるものは何だろうか。ここでは「想像力」を考えてみたい。経験的に言って「見る」という行為は、視覚情報が想像力に優先される。それに対し、「さわる」という行為は、触覚によって得られた対象に関する情報を想像しなければ、そのイメージを得ることはできない。こうした想像力は、人類が進化の途上で獲得した生存戦略の一つと言えるから、それは「生きる力」に他ならない。ユニバーサル・ミュージアムとは、視覚優位・視覚偏重によって喪失しつつあるわれわれの想像力(＝生きる力)を回復する方法であるとすることができる。

写真2 「さわる展示」の工夫
　　　―展示に向かうイス

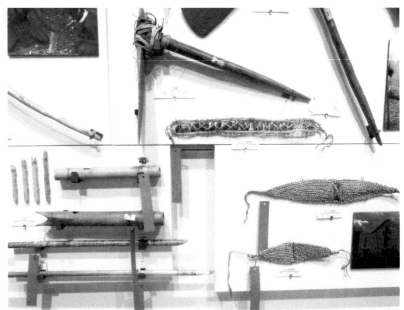

写真3 「さわる展示」の工夫
　　　―点字のタグ

4. 人類学博物館の苦悩

　しかし、そんなユニバーサル・ミュージアムを実現していくことは、簡単なことではない。「さわる展示」とは言っても、展示物に積極的にさわろうという人はそれほど多くなく、特に大人ほど資料にさわらない傾向があるようだ。これは、日本ではミュージアムという存在が、価値あるモノを見させていただく場である、という歴史的な刷り込みに由来するからであろうか。

　人類学博物館の「さわる展示」は確かに評判もよく、展示室のメッセージコーナーには「さ・わ・れ・て・楽しかった」という書き込みも多い。また、授

業等で学生に話を聞くと、人類学博物館は資料に
さ・わ・れ・る・ことが特色だと捉えられていることがわ
かる。人類学博物館は展示物をさ・わ・れ・る・博物館と
みなされているのである。だが、それはわれわれ
の意図とは異なる。この「さわる／さわれる」と
いうのは単なる言葉の問題ではなく、広瀬さんも
指摘するように、「さわる」が新しい発見を得る
ための主体的な行為であるのに対し、「さわれる」
はさわっても良い、という触察をあくまで従とす
る捉え方である[注4]。私自身も意識して「さわる
展示」と言い続けてきたが、どうやら学生を含め
た利用者にはそのことが伝わっていないようであ
る。展示が単なる「さ・わ・れ・る・展示」であったなら
ば、時が経つにつれてそこから得られるはずの発
見・驚き・感動が減退していくのは当然の成り行
きである。このことから、「さわる展示」には「さ
わる」ことを主体的な行為として、想像力を涵養
し、新たな発見を促すような仕掛けが必要なので
ある。

　また、「さわる展示」ではまず、さわることの
楽しさ・魅力が伝えられなければならない。しか
し、人類学博物館の「さわる展示」ではそれも伝
えきれていない。その理由を考えたとき、実はわ
れわれ自身に「さわる」ことによる発見・驚き・
感動の経験が足りないのだという、かなり衝撃的
な事実に思い至った。自分たちで実感を伴って経
験できていないことを、人に伝えられるわけがな
い。われわれは、そんな当たり前のことにも気づ
かずにいたのである。

おわりに

　われわれは人類学博物館のスローガンを「全て

の人の好奇心のために」とし、そこに、障害の有
無、年齢や学歴、そして担っている文化的背景の
違いに関わりなく楽しめる博物館を目指す、とい
う思いを込めたつもりである。われわれが目指す
ものは、敢えてユニバーサル・ミュージアムと言
わずとも、「誰もが楽しめる博物館」が当たり前に
なっている社会である、という目標はブレていな
い。

　しかしながら、2020年から続く新型コロナウ
ィルス感染症の拡大によって、「さわる」という行
為自体が忌避される傾向にある中で、今後の「さ
わる展示」をどう展開するかは課題である。とは
言え、人間の歴史は、他者との接触の中で発展し
てきたのだから、いわゆる「新しい日常」が本来
の姿であるはずがない。いつかそう遠くない未来
に、ユニバーサル・ミュージアムが「ふつう」に
なることを信じている。

【注】
1 黒澤浩「さわる展示の未来 ── 南山大学人類学博物館の挑戦」
広瀬浩二郎編『ひとが優しい博物館』青弓社、2016年
2 広瀬浩二郎『さわる文化への招待 ── 触覚でみる手学問のすす
め』世界思想社、2009年
3 広瀬浩二郎『触常者として生きる　琵琶を持たない琵琶法師
の旅』伏流社、2020年
4 注3に同じ

論考

未就学児と向き合うこと ── さらなる
ユニバーサル・ミュージアムの展開を目
指して ──

────────

鈴木康二

はじめに

　「未就学児」というのは、一般的に小学校入学前の子どものことを示し、概ね0〜6歳前後の乳幼児が該当する。博物館等で開催されるワークショップ等で、小学生の兄姉が体験している横で、「君はまだ理解するのは無理だから、大人しく待っててね。」と諭されながら、退屈そうにしているあのチビッ子たちである。

　様々なワークショップを概観すると、美術館や自然科学系の博物館では、未就学児・乳幼児向けに開催されることは、実はそんなに珍しくはない。美術館では、「0歳児」を対象としたモノさえ見られる昨今、むしろ未就学児をターゲットとして捉えていないのは、歴史系博物館に偏ってさえいるように感じる。美術や自然科学の世界は、「未就学児の感性そのものに訴えかけるから可能なのだ。」と言われる一方で、歴史系の場合は「感性に加えて'一定程度の知識'がなければ、成立しないのでは?」と言った意見も見られるのが実情であり、確かにある種の正鵠を得た見解かも知れない。しかし、実は美術でも、自然科学であっても、そこに【知識】がなければ、より深層での感性を求めるワークショップへはたどり着けないのが実態であり、逆に言えば、「【知識】を必要としない、幼児の感性に働きかけるワークショップ」でさえあれば、歴史系でもけして不可能ではなく、むしろ積極的に実践すべきであろう。

ピアジェ『知能の誕生』≒"我が子の観察日記"

　さて、では「幼児の感性に働きかけるワークショップ」とは、どんなものだろうか。改めて「ユニバーサル・ミュージアム」的観点から、「さわる・ふれる」そして「つかむ」という行為に注目して、乳幼児の発達心理学的な観点から少し整理してみよう。

　20世紀を代表する心理学者に、ジャン・ピアジェがいる。彼は、発達心理学あるいは認知発達という分野において、乳幼児が何を認知し、その認知過程がどのように発達するのか、ということを多数の著作で記してきた。その著作を丁寧に読んでみると、実はそんなに難しいことが書いてある訳ではなく、どこにでもいる「心優しいお父さん」が、丁寧に愛情一杯に接しつつ記してきた「我が子たちの観察日記」にも見えてくる。ピアジェは、自分の子どもたちを、誕生の瞬間からずっと、その様子を丁寧に観察しながら、時に子どもたちを実験台にしながら、その成長・発達の様子を丁寧に、愛情一杯に、そして記録として残してきたのである。

　その記録を、筆者なりに読んで気になったのは「さわる・ふれる・つかむ」という「乳幼児自身の具体的かつ能動的な行為」が、乳幼児の発達過程の中で、どの段階から表出するのか、という点である。

　結論から言えば、ピアジェによれば、概ね「5〜6カ月」ぐらい ── もちろん個人差があるので、5

カ月とか6カ月という数字そのものをキーワードとして覚える必要はないが、目安としては概ねそれぐらい——の段階で、手で物をつかむ時に、手に意識があるのではなく、つかむ対象のほうに意識が移り始めるのではないか、ということのようだ。そして、「1歳2カ月ぐらい〜2歳前後」の段階になると、つかむモノに明確な関心を持って物をつかむようになる、あるいは、つかんだものを観察するようになる、というのだ。つまり「生まれてまだ5カ月の子」が「能動的につかみ始め」ている可能性があり、そしてさらに1歳を過ぎ2歳になる頃には、「つかんだものに対する明確な意識」を持っている可能性が高い、ということを、知っておく必要があろう。

幼児の「つかむ」

さて、そこで今度は、実際に乳幼児を含む子どもたちを対象に実践したワークショップにおける、子どもたちの観察所見を提示してみたい。とは言うものの、残念ながら2歳未満の乳幼児については、まだ手元に所見はない。現時点では、2歳児、3歳児（いずれも月齢は不明）についての大雑把かつわずかな観察所見があるのみである。従って今後の予察という意味もかねて、ここで整理・紹介し、若干の感想を述べるに留めたい。なお特にこの実践にあたっては、NPO法人ちゃいれじに全面的に協力を頂いている。

2歳児の観察所見

さて、ここで紹介するのは、本物の土器片や石器などの出土品（主に"表採"資料）、それから「真弧（マコ）」——考古学の中で、出土品の「実測」

写真1　ホンモノの出土品を「さわる・つかむ」

作業に使う道具——に慣れ親しんで頂くべく開催したワークショップで、木製マドラー等身近な材料を用いて、手のひらサイズの「手作りマコ」を作る取組である。

この「マコ作り」に挑戦した最年少が、現時点では2歳児である。この「マコ作り」の作業工程によっては、2歳児の力では物理的に対応できない場合もあり、大人（スタッフ）の援助も必要ではあるが、本人は十二分に楽しんでおり、手作りマコが完成するととても満足げな表情を見せてくれた。もちろんその一方で、同じ2歳児でも必ずしもマコ作りに興味を示さない子もいるが、その場合でも、「本物の土器片や石器」あるいは「真弧」そのものには少なからず興味を示す場合は多い。中には十数点用意した土器片などを、全点、ひとつずつゆっくり「さわって・つかんで」確認する様子が見受けられたり（写真1）、真弧で自分や近くにいる大人の指の形を数十回も確認してみたりと、近くでその様子を観察している筆者からみても「よく飽きないね」と思いたくなるほどである。それらの土器片が「昔の人が使った土器の欠片」であることや「数百年〜数千年前のモノ」だというこ

写真2　手作りマコ完成！

写真3　展示ケース内の「石器」を巡覧

と、あるいは真弧が「考古学者が出土品を実測するのに使う道具」であること、などは必ずしも理解できていない、あるいは気にも留めていないかも知れないが、少なくとも子どもたちの心の中に、小さな「何か」は残っているのではなかろうか。

3歳児の観察所見

　一方3歳児の場合も、「マコ作り」を体験、終了（写真2）した後、土器片を触ってみたり、真弧を鼻や額に当てて遊んでみたり、「本物の土器片や石器」あるいは「真弧」に対してさらに興味を示す場合が少なからずあった。ただ、2歳児のように「ただ黙々とひたすら触り続ける」というよりは、ある程度、その「モノそのもの」もしくは「さわるという行為」を「体感（≒観察?）」し、当人なりの「理解」が進んだ、もしくは「納得」した時点で、興味はほかの対象（≒次のステージ）に移行しているようにも観えた。すなわち展示ケース内にある石器を順番に眺めたり（写真3）、土器を凝視したり（写真4）、というようにである。筆者の眼にはそれが「最初にふれたモノ」に対しての「似たモノ・違うモノ」を探しているようにも観えた。つまり、そこには「くらべる」という意識が既に介在し始めている様に筆者には見受けられた。

　ちなみに、3歳児については、モノ作りを絡めたほかの歴史系ワークショップにおいても、「切る」「貼る」「描（書）く」等の行為に一瞬没頭する様子（写真5）が、しばしば確認できたし、その後その行為についての「理解・納得」を経て、次の行為・モノへと関心が移る様子を看取している。

写真 4 展示ケース内の「土器」を凝視

写真 5 手作り高瀬舟に「描く」

まとめにかえて

今回のワークショップにおいて、そもそも肝要なのは、前提として、ワークショップそのものが「1対1（子ども1人に対してスタッフ1名）」の状況に依って実施されていたことである。「子ども1人ひとりに、寄り添い、丁寧に向き合う」ことで、例えば2・3歳児でも、充分コト・モノへの興味・関心を引き付けられそうなことは確認できた。逆に言えば、従来のいわゆるワークショップや体験プログラムのような「（多数を対象にした）定型化した取組」は、特に未就学児に対する場合、実はあまり効果的では無いのかも知れない。個々人の発達段階の差や興味の対象など様々な状況を考慮できず、その結果を「君にはまだ難しかったかな？」と結論付けてしまっているのではなかろうか。

ピアジェの記録からも、今回の所見からも読み取れるのは、子どもの発達において、「さわる・ふれる・つかむ」は間違いなくキーワードであり得ることは想像に難くない。しかしその一方で、近い将来、コロナ禍を経て、発達期に「ホンモノにさわる」ということを知らずに過ごしてきた子どもたちとも向き合うべき時が来る可能性も考えられる。ともあれ「誰もが楽しめる」ことを最優先に考えながら、さらなる工夫をしつつ、未就学児と向き合い続けていきたい。

【引用・参考文献】
J.ピアジェ著／谷村覚・浜田寿美男訳『知能の誕生』ミネルヴァ書房、1978年

論考

盲学校と美術館の連携

————————

藤島美菜

連携の現在

近年、美術鑑賞をめぐる盲学校と美術館・博物館の連携が、全国各地で行われている。教員、学芸員、アーティスト、研究者、ボランティア等との協同作業によるこれらの取り組みは、各館のコレクションの特色も反映し、内容や目的も様々である。盲学校の子どもたちを含め、視覚に障害のある人たちを対象とした活動は、1970年代後半以降、各地で関係者が試行錯誤を重ねてきた。本稿では、愛知県の盲学校と美術館の事例を紹介しながら、連携のあり方を考察したい。

連携の始まり

1980年代後半から90年代前半にかけて、東海地域の各地に美術館が開館し、触察を伴う鑑賞に取り組んでいた[注1]。当時の象徴的な活動に、視覚障害研究会（1994～99年）、その改組である東海視覚障害研究会（1999～2002年）があり、視覚障害者、盲学校教員、研究者、医者、リハビリの専門家など様々な立場の人たちが勉強会や報告会を行っていた。地域で広く視覚障害者の鑑賞活動を推進していたといえる[注2]。

こうした動きを背景に、愛知県美術館と盲学校の連携は、学習指導要領に拠りつつ関係者の熱意を支えとして行われてきた。1989年の中学部学習指導要領の「美術」では、授業の造形活動と連動して鑑賞能力を高めることが目標であった[注3]。愛知県美術館は1998年、盲学校中学部の理科担当教員からの問い合わせをきっかけに、彫刻の触察や立体コピー図[注4]を用いた絵画鑑賞を行っている。2003年の学習指導要領の一部改訂[注5]で、初めて総合的な学習の時間において、地域の博物館等の施設との連携や活用が求められるようになる以前のことである。一方で、当時の学校関係者の「校外学習の行先は生徒が決めるが、美術に興味のある子は一人しかいない」「立体コピーでも理解できないだろう」といった発言が残されており、盲学校がまだ鑑賞に消極的であったことが窺える。2004年夏、県立2校の盲学校の小学生から卒業生までが参加する鑑賞会が、愛知県美術館で実現した。鑑賞会の情報が広がり、視覚障害以外の障害をもった児童も参加している。隔年で3回実施した後、2011年以降は、盲学校中学部が、校外学習で地域の美術館を順に訪問し、各館と連携して鑑賞学習を行うことにつながっている。

盲学校に限らず、美術館見学あるいは鑑賞学習に取り組む学校はいまだ少数であり、こうした継続的な美術館訪問も、関係者の熱意や地域の緊密な連携に拠るところが大きい。近年愛知県美術館が鑑賞学習の普及を推進する事業を行った際には[注6]、盲学校との連携も飛躍的に進んだ。しかし今、こうした事業後に残された種をいかに育てて継承するかが問われているのではないかと思う。人材育成、地域連携、そして核となる美術館・博物館が志向する未来像が主な種であろうか。学校や各機関が、予算確保という現実的課題に向き合いつつ、目的の多少の差異も理解し合うなど、柔軟に連携を図ることが次なる発展を開く鍵となるであろう。

写真 1　國府理（アーティスト）「ドラム・カー」名古屋盲学校 2012 年 11 月 16 日（岡崎盲学校 11 月 19 日）
ドラム缶を流れる水の音に耳を澄ます小学生。波の音、動物の鳴き声等が聞ける仕掛けもあった。ドラム缶をバチで叩いたり、弦を奏でたり、不思議な拡声器で歌を歌うことが出来た。

写真 2　青田真也（アーティスト）「さわる、けずる、アートとの出会い」名古屋盲学校 2013 年 10 月 25 日（岡崎盲学校 2013 年 10 月 24 日）
紙やすりを何種類も使い分けて様々なものを削る作品制作体験。アーティストは、3 日間の制作時間で、漂白剤ボトルの表面を硬質から軟質な触感へ変化させた。

盲学校プログラム ── 現代アートの効用 ──

　2012 年以降、愛知県美術館は、盲学校で講師を招いてプログラムを行ってきた。当初、アーティスト・プログラムは、学校現場に多少の混乱をもたらした。現代アートの先見性と新奇の手法が、学校側の固定観念を揺るがすものであったからである（写真 1）。触覚や聴覚などから体験できる作品世界を奔放に楽しむ子どもたちの様子に、あれは美術なのかと眉をひそめる教員もあったという。鑑賞にとどまらず、アーティスト自身にも子どもたちは興味津々であった。制作を追体験するワークショップでは（写真 2）、作品の売値が材料元値の数百倍となることなどを聞くに及び、高校生はアーティストを羨望した。アーティストの努力や制作にかかる時間に特別な思いを寄せ、アーティストの存在は生徒の職業観までも変化させた。

　現代アートは、障害のある子どもたちが親しみ、彼らに思考させる場を作り出した。また、現代アートに限らず優れた作品は普遍的な美を内包する。

視覚のみならず他の諸感覚からも、その美しさや託されたメッセージを受け取ることが出来るのであり、共に新しい感覚を追求し楽しみたいと思う。そのためにも美術館は、確かな作品を選択する鑑識眼を持ち、共有していく姿勢を忘れてはならない。

連携の未来

　2018 年、愛知県美術館は盲学校で出前授業を行った。触常者（「触常者」という語については、広瀬浩二郎による本書総論参照 [p.22]）の講師は、生徒たちに造形制作とメッセージを通して世界を知的に認識させた（写真 3）。メッセージは彼らに響き、多様な社会を生きていく力になったことだろう。やがて社会を変えていく源になるものと言ってよいかもしれない。盲学校と美術館が連携することの意義のひとつは、子どもたちがこうした未知の感覚や概念に気づくことであり、人との出会い、作品や体験から感じ取ることである。

　2020 年以降、感染症パンデミックの影響で活動

写真3　広瀬浩二郎（国立民族学博物館）　岡崎盲学校 2018年 10月 4日（名古屋盲学校 2018年 9月 21日）
　　　　広瀬氏が粘土で制作したオリジナル作品《つづく手》（6点組）に込めた手のメッセージについて、中学部と高等部の生徒たちと
　　　　対話を交えながら、自己の体験を伝えた。タイトルとメッセージは次のとおり。（左下の写真右上から反時計回り中央へ）《つた
　　　　える》《他人の手と出会い　つなぐ》《つくって》《つつんで》《つかんで》《告げる》「視覚障害者はもっと手を大事にしよう」。
　　　　生徒は身近な「手」を再認識し、粘土で各自にとって印象の深い手の場面を思い浮かべ、自分の手に触れながら「手」を制作
　　　　した。

が制限される中、愛知県美術館は盲学校・一般高校とオンラインでつながった（注7）（写真4）。教員たちとの信頼関係と企画に関わった高校生たちの思いが実現を後押しした。オンラインによる鑑賞という未経験の課題に対して、まずは「交流」に主眼を置き、生徒の内面を引き出した。両校の生徒作品によるプレゼンテーションで交流を図った結果、同世代の高校生らしい対話が成立した。展示室と教室を結んだオンライン鑑賞では、視覚的要素は主役になる一方で脇役にもなった。動画と音声と共に映しだされる作品に対して、触覚や聴覚もその魅力を伝える役を担ったからである。作品に近接して、触るかのように部分を写し、触察可能な作品は手で叩いたり、触れて素材やかたちの感触を、教室に伝えた。触感的な音や作品を描

写した言葉からヒントを得て、両校の生徒たちは対話を重ね、作品のイメージや解釈を創りだした。触感が作品の本質をとらえる大事な要素であることを、実物を前にすることのできない制限された鑑賞スタイルがあぶり出したかたちとなった。

　その後、対面形式の鑑賞会とワークショップが実現し、直接交流することができた。参加生徒の感想を挙げておこう。（盲学校生徒回答）「作るのが難しかった。鑑賞が楽しかった。」「初めての行事だったので、とても新鮮で楽しかったです。」（一般高校生徒回答）「盲学校の人たちに時々構いすぎたことを反省した。構いすぎたら逆に傷つけてしまうかもなと考えたりして意識しすぎるのもまた違うかも。いろいろ調整が難しかったけれど、一緒に笑って会話ができたのが良かったと感じる。」

写真4　鳥居信吾（愛知県立名古屋盲学校）、高橋承一（愛知県立岩倉総合高等学校）、藤島美菜（愛知県美術館）
「～名古屋盲学校＆岩倉総合高等学校＆愛知県美術館～　ネットワーク鑑賞交流—美術館が教室に、ICTでひろがるコミュニケーション—」　名古屋盲学校　2020年10月14日
2校の高校と愛知県美術館をオンラインで結び、展示スペース（愛知芸術文化センター10階）に設置された作品を鑑賞［今井瑾郎《大地》1992年　鉄　直径700.0cm］。展示スペースにいる学芸員の説明や問いかけを聞きながら、教室で建築マケット（模型）に触れている。岩倉総合高等学校と意見交換も同時に行っている（画面右の各枠内）。

「盲学校の人たちと意見交換をして、私が気づかなかったことなどがあって、いろんな視点が知れて面白かったです。」この連携は、特別支援学校と一般高校の枠を越えて、特性の異なる人たちが同等に語り合う場となることができたと感じている。盲学校との連携から、アーティストを含め、人や作品との出会いの中に、自身や社会を変えていくきっかけが秘められていることを改めて認識することができたのである。

【注】
1 1982年三重県立美術館開館、1987年、常設展で視覚障害者が彫刻の触察を行うことを可とした。1988年名古屋市美術館が開館、1989年「手で触れる喜び — 手で見る彫刻展」、1992年「手で見る美術展／セヴン・アーチスツ：今日の日本美術帰国展によせて」、1994年「心で見る展覧会 — 私を感じて」を開催。1992年愛知県美術館開館、1995年休館日に視覚障害者とボランティアによる鑑賞会を試行的に実施。1998年から視覚障害者との鑑賞会を開始。1993年名古屋YWCA美術ガイドボランティアグループ発足。この団体は、名古屋市美術館の代表作品のアメデオ・モディリアーニ《おさげ髪の少女》を見たいという視覚障害者の希望によく対応できなかったことをきっかけに設立。現在では「アートな美」と名称を変更（「アートでトーク　見えない人見えにくい人と絵の前でかたりあうのも多笑の縁」アートな美、2011年、5頁）。
2 名古屋市美術館角田美奈子学芸員のご教示による。
3 盲学校、聾学校及び養護学校小学部・中学部学習指導要領（平成元年10月）「美術」

1 目標「造形活動によって、表現及び鑑賞の能力を培い、豊かな情操を養う。」
4 深山孝彰「視覚障害者の美術ガイド実践例から — 美術鑑賞における立体コピーの使用方法について」『愛知県美術館研究紀要』第12号、2006年、65-74頁
5 盲学校、聾学校及び養護学校小学部・中学部学習指導要領（平成11年3月告示、15年12月一部改正）第1章総則　第2節教育課程の編成　第4総合的な学習時間の取り扱い6（4）
6 2011〜13年度に、文化庁文化芸術振興費補助金「文化遺産を活かした観光振興・地域活性化事業」（2011〜12）、「地域と共働した美術館・歴史博物館創造活動支援事業」（2013）を受けて、「愛知県鑑賞学習普及事業」を実施。幼児から小中学生、および盲学校児童・生徒を対象とする鑑賞学習の普及事業を実施。2012年度「子どもたち・教員・学芸員を結ぶ〜地域の連携と多様な鑑賞をめざして〜」、2013年度「子どもたち・教員・学芸員を結ぶ〜地域に根ざした美術館活動をめざして」では、視覚に障害のある子どもを対象とする事業の実施や立体絵画等のツールを制作。また県内美術館と盲学校事業に関する意見交換会を設置し、点字冊子『さわるアートブック』①②を編集。事業後2017年、「視覚障害ワーキンググループ」を設立し、盲学校の授業に協力する等適宜活動を継続。
7 2020年度「〜名古屋盲学校＆岩倉総合高等学校＆愛知県美術館〜　ネットワーク鑑賞交流 — 美術館が教室に、ICTでひろがるコミュニケーション — 」
2020年9月23日、29日、10月14日、21日　以上9：50〜10：40、オンライン交流＆鑑賞　名古屋盲学校高等部5人、岩倉総合高等学校12人、教員2人、学芸員1人　参加。
11月14日9：30〜16：00、古代エジプト展鑑賞会・造形ワークショップ　名古屋盲学校高等部3人、岩倉総合高等学校19人、その他高校1人、教員4人、学芸員1人　参加。
2021年3月27日9：30〜16：00、横尾忠則展鑑賞会・造形ワークショップ　名古屋盲学校高等部2人、岩倉総合高等学校9人、可児工業高校4人、教員5人、学芸員1人　参加。

論考

ユニバーサル・ミュージアムで信頼できる社会へ

堀江典子

本稿では、「ユニバーサル・ミュージアム」を持続可能で信頼できる社会づくりにつなげることを考える。

1. 都市施設は伝えることができる

私たちの諸活動を支えている多種多様な施設や空間は、本来の機能に加えて博物館のような役割も担えると考えている(注1)。

身近な都市施設は、さまざまなことを伝えている。例えば、東京駅構内には創建当時の赤レンガ壁が保存展示されているし(写真1)、京都市営地下鉄の二条城前駅には工事中に発掘された遺物が展示されて、通りかかる人々に歴史を伝えている。旅の途中で思いがけず出くわすこともある。フランスの地方都市を訪れたとき、立体交差の橋脚の下に描かれたイラストからは、ワットによる蒸気機関の発明以降の鉄に絡んだ産業の歴史とともに、鉄鋼で栄えたその町の歴史を知ることができた(写真2)。また、ある駅舎の出入り口の横の壁には「この駅から」で始まるプレートがはめ込まれていて、この駅から1200人の愛国者たちがナチス協力者の裏切りによってダッハウ強制収容所に送られたと記されていた(写真3)。

わざわざ博物館へ足を運ぶことがない人に対しても、通勤通学の途上や日々の生活の場で伝える

写真1　東京駅丸の内駅舎の遺構展示

ことができるのが都市施設なのである。

2.「誰一人として取り残さない」ために

国連が設定したSDGs、持続可能な開発目標の17のゴール、169のターゲットに沿った取り組みが各方面で進められている。SDGsは地球上の「誰一人として取り残さない」ことを必須としている。これを地域の持続に不可欠な公共財である都市施設に当てはめれば、身体状況、言語、経済状況など諸々のことにかかわらず、生活者として誰もが都市施設にアクセスでき、誰もがインタラクティブにかかわれるといったユニバーサルであることが不可欠ということである。以下、三つの観点から考えてみたい。

◇環境関連施設について知り、環境行動をとる

上下水道や廃棄物処理施設などの環境関連施設の維持は一人一人の環境行動に左右される。例えば、上水道に関しては水源の保全や節水が、下水道に関しては処理施設や水環境に過剰な負荷をかけないよう排水時に注意が求められる。また、ごみ処理に関しては、ごみ排出量を削減することはもちろん、適正に分別し、決められた回収日に正しく出す必要があり、そうして円滑なごみ回収と

写真2　フュメルの橋脚下（ロット＝エ＝ガロンヌ県、フランス）

写真3　ペンネ駅舎のプレート（ロット＝エ＝ガロンヌ県、フランス）

焼却設備の運転を妨げないよう一人一人が努めなければシステムは維持できない。実際、子ども達や一般の人が見学できる浄水場やごみ処理施設は多く、さわれる設備や体験型の展示、多言語による解説を工夫したり、車イスや視覚障害者に対応している施設も少なくない[注2、3]（写真4）。

　環境に配慮したライフスタイルを心がけることは、誰にとっても求められ、ユニバーサルであることが不可欠なのである。

◇防災関連施設について知り、安全行動をとる

　防災について学べる施設は各地に設置されてい

る。地方においても、例えば、福知山市防災センターでは消防本部に体験学習施設が併設され、発災時の状況や、適切な安全行動のとり方を体験できる（写真5）。災害が多発する中で、実際に地震の揺れ，洪水時の水圧、火災時の煙などを体感し、119番の通報体験、消火体験、救急救護体験、家具の転倒防止、防災グッズの使い方など実際に身体を使ってみることを通して、いざという時にどのように身を守るか、備えるかを身につけておくことは、「誰一人取り残すことなく」ますます重要になっている。

写真4　遊びながら水道の仕組みを知る
（岡山市三野浄水場内の水道記
念館）

◇**交通関連施設について知り、安全に利用する**

　視覚障害の方が駅のホームから転落するという痛ましい事件が繰り返されている。ホームドアの設置が進められているが、同時に、駅、列車、踏切、道路、交差点、橋、バスターミナル、車などといった交通関連の施設や設備について知り、安心して安全に移動できることは誰にとっても基本である。その場合、いずれも実際に触って構造を身体で覚えることが必要かつ有効である。

　子どもが遊びながら交通ルールを体得できる施設としては交通公園があるが、視覚障害者に対しては、例えば、鉄建建設（株）は建設技術総合センターの模擬線路やホームを使って鉄道施設の構造や列車非常停止警報装置などを体験してもらう鉄道体験会を2011年から開催している(注4)。2020年にはJR東日本東京支社も東京都盲人福祉協会と体験会を実施しており(注5)、このような取り組みも広がって欲しい。

3. 身体感覚で周囲を捉える

　近年、私の職場がある京都においても街並みの変容が進み、いつの間にかホテルや駐車場ができている。以前そこが何であったか思い出せないことがしばしばある。おそらく、何かしらの実体験があれば覚えているはずだが、見ているはずなのに記憶にとどまっていない。記憶の定着、そして周囲を捉えて自分との関係を確かなものにするためには体験や体感が必要なのだ。

　地域を持続させていくためには、先人の知恵や工夫、歴史の教訓、地域の記憶を実感とともに受け継ぎ、愛着を持って地域にかかわる担い手を育てていかなければならない。そのために、手でさわることを中心に身体感覚で捉えようとする「ユニバーサル・ミュージアム」の考え方を活かしたい。

　ヒトは手を使うことで進化してきた。近年の視覚偏重とバーチャル体験だけで済ませてしまうような方向性は、人を退化させてしまうのではないかと懸念している。自分でも、かつては考えなくても勝手に手が動いて書けていた漢字ですら、恥ずかしながら覚束なくなっているし、電卓やスマホの計算機能に頼るようになって、簡単な暗算も

写真5　消火活動の体験型展示（福知山市防災センター）

怪しくなってきた。これらは、ある意味、ヒトとしての退化なのではないか。視覚とバーチャル偏重の風潮に抗って、身体感覚で実感として周囲を、そして世界を捉えていくトレンドを「ユニバーサル・ミュージアム」でつくれたらと思う。

オリンピック・パラリンピックなどの大イベントはバリアフリーやユニバーサルデザインを、特にハード面での整備を確実に進ませる。しかし、それだけで終わらせてはいけない。オリパラには、スポーツだけでなく文化・芸術の展開も含まれている。バリアフリーやユニバーサルデザインは当たり前として、その上で、その先に飛躍させたい。

4. さわる、さわれる、信頼できる社会へ

さわる、さわれるは信頼関係である。例えば、ガイドヘルプのとき、視覚障害の方はガイドを信頼して腕に触れ、その進路、身体を委ねる。握手やハグもやはり信頼である。また、博物館で展示品をさわらせるという場合には、さわる人が展示物を大切に扱ってくれると信頼してさわらせているのである。さわる、さわれるは信頼できることが前提なのである。広げて考えれば、「さわれるまち」とか「さわれる社会」というのは、「信頼できる社会」ということになるのではないか。コロナ禍で接触を避けることが求められたなかで、不安を感じることなく近づき会話し飲食を共にし触れ合えることへの渇望にあらためて気づかされた。我々は、さわらないですむ社会をつくるのではなく、安心してさわれる社会をつくることに尽力すべきなのではないか。「ユニバーサル・ミュージアム」は信頼できる社会づくりにつながっているのである。

未だ玉石混交、模索状態かも知れない。だが、海のものとも山のものとも知れなくても、多種多様な「ユニバーサル・ミュージアム」を志向する取り組みがあちこちで同時多発的に、自己増殖的に質量ともに拡大していくことを期待したい。「ユニバーサル・ミュージアム」の種が日本全国、世界各地でばらまかれ、芽吹き、根を張り、生き生き伸び伸びと育って百花繚乱になって欲しい。その中から淘汰されて、持続可能なものが定着していくであろう。

さわって体感できる豊かな生活文化が花開き、持続可能で信頼できる社会が実現することを願っている。

【注】
1 堀江典子「都市施設における博物館的機能の可能性と課題」『博物館学雑誌』第41巻第1号、2015年、75-83頁
2 堀江典子「浄水場における博物館的機能の現状」『博物館学雑誌』第44巻第1号、2018年、49-58頁
3 堀江典子「ごみ処理施設における博物館的機能の現状」『博物館学雑誌』第45巻第1号、2019年、107-120頁
4 鉄建建設 https://www.facebook.com/watch/?v=1446242492102595（2021年1月3日最終閲覧）
5 東京新聞 TOKYO Web https://www.tokyo-np.co.jp/article/63574（2021年1月3日最終閲覧）

論考

ユニバーサル・ミュージアム研究会は何を目指すのか

――――――

原　礼子

はじめに

　ユニバーサル・ミュージアムと聞いて、どのような博物館を思い浮かべるだろうか。世界的な規模の博物館？ それとも一般的な博物館？

　欧米諸国においては、大規模な博物館の意味で使われることが多い。これはルーブル美術館や大英博物館など19の博物館によって2002年に出された共同声明「Declaration on the Importance and Value of Universal Museum」（ユニバーサル・ミュージアムの重要性と価値に関する宣言）の例からも伺える。しかし日本においては、1985年にアメリカ・ノースカロライナ州立大学のロナルド・メイスによって提唱された「ユニバーサル・デザインの7原則」の意図を汲み、「だれにも優しい博物館」の意味で「ユニバーサル・ミュージアム」という表現が使われるようになった。

　この言葉が公の場で使用されたのは、1998年に神奈川県立生命の星・地球博物館で開催されたシンポジウム「ユニバーサル・ミュージアムをめざして ―― 視覚障害者と博物館」が最初である。2006年には国立民族学博物館（民博）でも広瀬浩二郎を中心に「さわる文字、さわる世界 ―― 触文化が創りだすユニバーサル・ミュージアム」と題した企画展が開催され、「ユニバーサル・ミュージアム」が脚光を浴びることになった。

　こうして2009年に始まったのが、国立民族学博物館における研究プロジェクト「誰もが楽しめる博物館を創造する実践的研究」、通称「ユニバーサル・ミュージアム研究会」（UM研）である。この研究会は広瀬浩二郎を代表に、日本学術振興会科学研究費の補助金を得て、科研費プロジェクトとして始まったが、その後、民博の共同研究会へと形を変えながら活動を続け、2019年には10周年を迎えた。この機会に今までの研究会の歩みを振り返り、今後の目指すべき道を考えてみたい。

ユニバーサル・ミュージアム研究会の活動

　研究会の活動は、本書巻末の年表にある通り、4つの期間に分けられる。当初はこのように10年間も続くとは誰も思わなかったであろう。これはひとえに代表である広瀬浩二郎の前向きな行動力によるものである。では第1期から見ていこう。

　2009年に、誰もが楽しめる博物館の創造を目指し、様々な可能性を探る活動が始まった。博物館を「見る」だけではなく、さわる、聞く、嗅ぐ、味わうも含めた「五感」で楽しむ場として捉え直すために、各地のミュージアムで研究会やワークショップが実施されたのである。メンバーには博物館や大学の関係者に加え、アーティストや視覚障害者も多数参加した。異なった視点から自由に意見を交わすことにより、多くの新たな気づきが生まれた。

　この時期で最も印象に残る研究会は、青森県三内丸山遺跡で開催されたワークショップだろう。参加者には収蔵庫の中で、膨大な量の縄文土器を自由にさわって鑑賞する機会が与えられた。本物に直に触れることで得られるパワーや感動は、視

縄文住居址を体感する（国際基督教大学、2010.3.6）

野外彫刻の鑑賞（大原美術館、2012.3.25）

覚による鑑賞では決して得ることができない。その後も東京、大阪、滋賀、岐阜、岡山に会場を移して数々の実践的な試みが行われ、「さわる」ことの意義を深めていくことになった。この間の活動については、国立民族学博物館で2011年10月に開催されたシンポジウムにおいて報告され、『さわって楽しむ博物館』（広瀬浩二郎編著、青弓社、2012）として刊行されている。

第2期　共同研究会「触文化に関する人類学的研究」

　2012年度からは、民博の共同研究としてプロジェクトの活動が継承された。ここでは人類学的視点から「触文化」（さわらなければわからない事実、さわって知る物の特徴）を考察することとなる。公共政策や観光の専門家が新たに研究員として加わったため、調査の対象は博物館の外にまで広がり、まち歩きのフィールドワークを通じて、公園や街並みのユニバーサル化が検証された。

　この頃より、研究会のメンバーも「視覚障害者

文化を育てる会」（4しょく会）のイベントに参加するようになる。この会は「食・色・触・職」の4つの「しょく」を基本に「斬新かつユニークな文化を創造しよう」との主旨で、広瀬浩二郎ら関西地区の有志により2001年に結成された。春と秋には様々なイベントが開催され、毎回多くの視覚障害者が参加する。2012年秋の「色にさわる、色を創る、色で伝える」という企画では、障害者と晴眼者が1組になり、異なる手触りの素材を組み合わせ、色をイメージした作品を制作した。障害者と間近に触れ合い、意見を交わすことから晴眼者が学ぶことは多い。「触文化」を育むために、共同での研究は不可欠である。

　更にこの期間の特筆すべき事柄として、ユニバーサル・ミュージアム研究会の活動に触発された外部の研究者らによって、各地で新たな動きが生まれたことが挙げられる。黒澤浩は「誰もが楽しめるユニバーサル・ミュージアム」を目指して、南山大学人類学博物館を全て「さわる展示」にリ

世界をさわるコーナーの触学（国立民族学博物館、2012.3.24）

色名のない絵の具をつくるワークショップ（国際基督教大学、2017.3.4）

ニューアルし、点字のほか7カ国語の解説をつけた（2013）（本書第7章p.194「「さわる展示」の意義と苦悩」参照）。篠原聰は東海大学において、「ユニバーサル・ミュージアム」をテーマとした公開連続講座（2013、2014）を開催している。両者はその後、研究会のメンバーに加わることとなる。

2015年11月には、国立民族学博物館において「ユニバーサル・ミュージアム論の新展開」と題したシンポジウムが開催され、その成果は『ひとが優しい博物館』（広瀬浩二郎編著、青弓社、2016）にまとめられた。

共同研究会から再び科研費プロジェクトへ

2016年4月に「障害を理由とする差別の解消の推進に関する法律」（障害者差別解消法）が施行されたことを受け、第3期の共同研究会は「"障害"概念の再検討 —— 触文化論に基づく"合理的配慮"の提案に向けて」のテーマのもとで行われることとなる。今までの研究の成果を活かし、「合理的配慮」のために必要となる事柄が検討された。研究会においては従来のメンバーに加え、毎回ゲストスピーカーを迎えて「わかりやすい触知図とは何

か」「考古展示のユニバーサル化」「生き物に触れる」「化石は語る」など様々な分野の事例が報告された。

また研究会と連動して行われた、アーティストによる数々のワークショップも忘れることはできない。「色名のない絵の具をつくる」（堀江武史2017）。「描いてみよう、さわってみよう —— 私たちの『超自由戯画』」（さかいひろこ2017）。「飛び出すトーテムポール」（桑田知明2018）など、どれも周到に準備されたプログラムで、「誰もが楽しめる博物館」を考える上で貴重な体験となった。

共同研究プロジェクトは続行中であったが、2018年度からは山本清龍（東京大学）の尽力もあり、新たに科学研究費の助成を受けることとなる。これにより更に充実したワークショップの開催が可能となった。宮本ルリ子（滋賀県立陶芸の森）は当初から研究会のメンバーとして、陶芸を活用した数々の企画を提供してきたが、2018年には半田こづえと共に実験ワークショップ「素材の言葉、形の言葉」を行なった（本書総論p.32「鑑賞と制作の新たな地平」参照）。また2019年7月にも滋賀県立陶芸の森の全面的な協力により、信楽で「歩いて、触れて、創る」という新しい形のま

ワークショップ参加者の笑顔（滋賀県立陶芸の森、2018.7.15）

ちあるきワークショップが開催された。この企画で制作された作品は「私たちの射真（しゃしん）」として、2021年秋に国立民族学博物館で展示されることになる（本書第2章 p.72「五感を研ぎ澄まして「体感するまちあるき」」参照）。

　2019年11月、研究会は10年間のまとめとして、「日本におけるユニバーサル・ミュージアムの現状と課題」と題した公開シンポジウムを民博で開催した（本書第7章 p.214「博物館から社会を変える」参照）。

これからの研究会

　さて、このように研究会では視覚障害者の視点から、主に「さわる」ことに注目して「だれもが楽しめる博物館」を探ってきた。一方、広瀬浩二郎は2016年に「つなぐ×つつむ×つかむ　無視覚流鑑賞の極意」と題する企画展を兵庫県立美術館でプロデュースするなど、独自に幅広い活躍を続けている。こうした活動により、ユニバーサル・ミュージアムの理論は広く浸透したといえよう。しかし、この10年間に博物館を取り巻く状況も大きく変わった。わが国では世界で最も早く高齢化が進み、今では65歳以上の人口が28.7%（総

務省「人口推計」2020）を超えた超高齢社会である。また訪日外国人も急激に増加しており、その数は2014年に1000万人を超え、2018年には3倍の3000万人を突破した（日本政府観光局発表統計）。こうした現状を見れば、博物館は障害者のみならず、高齢者や外国人を含めた「誰もが楽しめる場」でなければならない。（ただし、2020年以降はコロナ禍により訪日外国人は激減中）

　では、博物館は本当にだれにも優しい、楽しめる場になっているのであろうか？

　確かに物理的な面ではバリアフリー化が進み、アクセシビリティも高まったといえよう。

　各地の博物館で触図や音声によるサービスに加え、様々なデジタル技術を駆使した情報提供が行われている。今では博物館に行かなくても、展示をバーチャルに体験することも可能となった。しかし越えるべき意識上の障壁はまだまだ高い。

　「じっくり、ゆっくり、自由に」鑑賞してこそ、物の本質に触れることが出来る。また「さわる」という鑑賞法は全ての人にとって楽しく分かりやすい。そのためには必要な場で、必要に応じて手助けする「人」の力も重要であろう。

　情報が溢れ、効率化ばかりが追求される現代の社会において、人々がホッとし、自己を見つめ直すためにも、広瀬が提言する「感覚の多様性を尊重する博物館」としてのユニバーサル・ミュージアムが果たす役割は大きい。その実現に向け、ユニバーサル・ミュージアム研究会は、これからも様々な挑戦を続けることであろう。

コラム

博物館から社会を変える
── 公開シンポジウムの成果 ──

────────

広瀬浩二郎

2019年11月3日〜4日、国立民族学博物館（民博）で公開シンポジウム「日本におけるユニバーサル・ミュージアムの現状と課題──2020オリパラを迎える前に」が実施された。本シンポジウムには両日とも、全国の博物館関係者を中心に、140名余が参加した。ユニバーサル・ミュージアムとは、「誰もが楽しめる博物館」という意味で用いられる和製英語である。二日間の熱気あふれる議論を通じて、ユニバーサル・ミュージアムに関心を寄せる人の輪、研究と実践のネットワークが確実に広がっている手応えを共有できたのは、シンポジウムの大きな成果といえよう。

民博でユニバーサル・ミュージアムをテーマとする大規模なシンポジウムが開催されるのは、今回が4回目である。2006年の初回シンポジウムでは、米国・メトロポリタン美術館の教育普及担当者に、ソーシャル・インクルージョン（社会的包摂）の理念に基づく多彩なプログラムの事例を紹介していただいた。「障害者対応は21世紀の博物館にとって重要な課題であり、日本もこれから頑張っていかなければならない」。06年のシンポジウムが、欧米の先進例に刺激され、日本でもバリアフリー、ユニバーサルデザインの取り組みが各地の博物館に定着していく契機となったのは確かだろう。

11年の第2回シンポジウムでは、考古学・自然史系の博物館関係者が中核となり、日本人の発表者のみで、すべてのパネルを組むことができた。従来は子ども向けの事業と位置付けられてきたハンズオン、さわれる展示に「ユニバーサル」の観点を加えることにより、日本の博物館は新たな段階に入った。そんな知的興奮、わくわく感がシンポジウム会場に満ちていたことが印象に残っている。

15年の第3回シンポジウムには、たくさんの美術館学芸員が参加してくれた。美術館では、彫刻などの立体作品にさわる試みは1980年代から蓄積されてきたが、二次元の絵画に関しては一部の美術館スタッフ、ボランティアが「言葉による解説」を行う程度だった。「視覚障害者にどうすれば絵画の魅力を伝えることができるのか」。この難解な問いは、「そもそも視覚芸術とは何か」という根源的な探究にリンクする。ユニバーサル・ミュージアムは視覚優位、視覚依存の近代的な博物館に対して異議申し立てをする思想運動へと発展した。観光・まちづくりなど、ユニバーサル・ミュージアムの発想を他分野に応用する成功例が多数報告されたのも、15年シンポジウムの特徴だった。

そして、19年の第4回シンポジウムである。このシンポジウムの狙いは、作品の制作者であるアーティストを積極的にユニバーサル・ミュージアム運動に巻き込むこと。シンポジウムの各セッションでは「視覚から触覚への変換」を通して、アートがどのように進化・深化するのかについて、活発な意見交換がなされた。シンポジウムに登壇したアーティストはそれぞれ試行錯誤を続け、独

創的な作品を民博の特別展「ユニバーサル・ミュージアム ── さわる！"触"の大博覧会」（2021年9月～11月）に出展している。

　ユニバーサル・ミュージアムとは、単なる障害者対応、弱者支援ではない。視覚偏重の近代化の過程で、人類が失ってしまった「感覚の多様性」を取り戻すための壮大な実験装置がユニバーサル・ミュージアムなのである。視覚障害者は健常者とは異なる世界のとらえ方、「見方」を保持している。彼らは視覚を使わない代わりに、全身の触角（センサー）を総動員して事物を認識する。ユニークな見方を味方にすることで、健常者のライフスタイルも変わっていくのではないか。

　欧米的なソーシャル・インクルージョンは、多数派が少数派を包含するという側面が強い。ユニバーサル・ミュージアムは障害者・健常者という二項対立を乗り越え、「見る文化」と「さわる文化」の異文化間コミュニケーション、五感の相互交流を促進する。2021年の東京オリパラは、「障害」をキーワードとして、健常者の「文化の見方」を再考する絶好のチャンスである。民博の特別展を活用し、日本発の共生の概念であるユニバーサル・ミュージアムを国際的に発信していきたい。

2015年の第 3 回シンポジウムちらし

2019年の第 4 回シンポジウムちらし

〈参考文献〉
1 広瀬浩二郎編『だれもが楽しめるユニバーサル・ミュージアム ──"つくる"と"ひらく"の現場から』（読書工房、2007年）
2 広瀬浩二郎編『さわって楽しむ博物館 ── ユニバーサル・ミュージアムの可能性』（青弓社、2012年）
3 広瀬浩二郎編『ひとが優しい博物館 ── ユニバーサル・ミュージアムの新展開』（青弓社、2016年）
※ 1 は06年、2 は11年、3 は15年のシンポジウムの成果報告書である。

結語ならぬ決語　世界をつなぐユニバーサル・ミュージアム
── "触" の大博覧会から 2025 年大阪・関西万博へ ──

────────

広瀬浩二郎

◉「古い生活様式」を取り戻すために

　「自分の 15 年余の研究・実践の集大成として、2020 年の秋に特別展を実施する」。こんな計画の下、僕は展示コンセプトを練り上げ、出展協力者との交渉を重ねてきた。ところが、新型コロナウイルスの感染拡大に伴い、緊急事態宣言が出され、特別展の延期が決まった。特別展の開幕予定日まで半年を切り、展示準備に集中していた僕は、目標を失ったまま、在宅勤務の日々に突入した。「さて、これから何をすればいいのだろう」。

　世間ではウイルスの感染予防の必要性が強調され、人と人との距離を取ることが求められるようになった。「ソーシャルディスタンス」「新しい生活様式」という言葉を耳にする機会も増えた。社会全体が「さわらない・さわれない・さわらせない」現状は、「拒触症」とも称することができる。「拒触症」の蔓延に直面し、全盲の僕は戸惑い、危機感を抱いた。「このままでいいのだろうか」。

　視覚障害者の日常は濃厚接触の連続である。点字の読み書きに代表されるように、視覚障害者はさわることによってさまざまな情報を得ている。外出時には文字どおり周囲の見常者のサポート（手助けと手伝い）が不可欠である。視覚障害者にとって、物・者にさわらぬ生活はあり得ない。新型コロナウイルスそのものに対する恐怖は、ワクチンや特効薬の普及により徐々に軽減されるだろう。問題なのは、「拒触症」の流行が僕たちの生活様式を変えてしまうことである。そこで僕は、人類が「拒触症」という緊急事態を克服し、「古い生活様式」に復帰するための一助として、あらためて自身が取り組んできた「さわる展示」の意味をじっくり考えてみることにした。「今こそ、濃厚接触の大切さを視覚障害者から発信すべきではないか」。

　2021 年の秋へと開催が延期された特別展のタイトルは、「ユニバーサル・ミュージアム ── さわる！ "触" の大博覧会」である。以下、プロジェクト提案書の一部を抜粋して、展示の概要を確認しよう。

　　①展示の趣旨：本展は、「ユニバーサル・ミュージアム」（誰もが楽しめる博物館）の人類学的研究に取り組む全盲の視覚障害者が中心となって企画・実施するものである。現在、ユニバーサル・ミュージアムは単なる障害者対応、弱者支援という枠を超えて、国際的に注目されている。大学の学芸員養

成課程のカリキュラム、博物館の職員・ボランティア研修などでもユニバーサル・ミュージアムを取り上げるケースが増えた。本展は、各地の博物館・美術館の最新動向を踏まえ、ユニバーサル・ミュージアムの具体像を広く国内外に発信することを狙いとしている。特別展の運営自体が博物館における「合理的配慮」の実践事例、あるいは障害当事者発の「ソーシャル・インクルージョン」（社会的包摂）の試みとしても注目されるだろう。

　②展示の意義：2016年4月に障害者差別解消法が施行された。学校教育の現場等では、さまざまな障害者に対する「合理的配慮」のあり方が模索されている。「障害学生支援室」を学内に設置する大学も多い。一方、社会教育・生涯学習施設であるミュージアムにおいては、合理的配慮への取り組みが遅れている。また、2021年には東京でオリンピック、パラリンピックが開催される。その関係もあって、昨今、各方面で「障害者」施策が推進されている。本展の会期はパラリンピックとも一部重なる。いわゆる「オリパラ」現象を一過性のブームで終わらせるのではなく、日本の障害者施策を「ユニバーサル」の観点で問い直し、社会変革へとつなげていかなければならない。本展では、「ポスト・オリパラ」の文化戦略を意識して、多様な展示と関連イベントを積極的に展開する。

　③展示構成：本展のサブタイトル「大博覧会」は、多種多様な素材と方法で"触"の可能性を追求する意気込みを示している。特別展の各セクションは、視覚優位・視覚偏重の従来の博物館展示のあり方に一石を投じるチャレンジと位置付けることができるだろう。セクション1〜5では、来館者が触覚（視覚以外の感覚）に集中できるように、会場全体を暗くする。ただし、来館者の安全確保には十分留意し、照度を適宜調整したい。セクション6では絵画・絵本など、視覚的な要素が強い作品を展示する。特別展の総括として、あらためて「見る」ことと「さわる」ことを比較するのが本セクションの主題である。

　2020年4月〜5月、在宅勤務を強いられる中、僕は特別展のテーマ、展示を企画するまでの経緯を整理し、文章化していった。この文章は京都の出版社・小さ子社のサイトで連載コラム「それでも僕たちは「濃厚接触」を続ける！」（全8回）として公開した。点字を1点ずつ紙に打ち込み、1行ずつ原稿を書き進める。この手と頭を駆使する身体運動を通して、僕はコロナショックから立ち直ることができた。連載コラムに大幅に加筆し、国立民族学博物館所蔵の画像資料も多数収録して、同名のタイトルの書籍を10月に刊行した。

　連載コラムの反響は予想以上に大きく、少なからぬ見常者が「拒触症」に疑問と不満を感じていることを知った。良きにつけ悪しきにつけ、見常者が「さわる」行為について、これほど敏感になったことは、かつてなかっただろう。「拒触症」は「さわる展示」にとって逆風であるのは確かだが、このピンチは、じつはチャ

ンスにもなり得るのではないか。

　2021年の特別展開催までの1年間の猶予は、ピンチをチャンスに変えるための充電期間である。そもそも、人類にとって"触"とはどのような意味を持つのか。人はなぜさわらなければならないのか。物・者にさわる際、どういったマナー（作法と技法）が必要なのか。これらの根本的な問いに対する僕なりの答えを明らかにした上で、2021年の特別展を迎えたい。先述した新著は、濃厚接触のプロである視覚障害者が、「拒触症」の社会に異議申し立てをする「触発の書」ということができる。

　「ポスト・オリパラ」の文化戦略を提示する特別展になるよう、僕は触発型のワークショップ、研究公演の準備を進めてきた。オリパラが1年延期されたことにより、特別展の基本コンセプトは変更せずに、関連イベントも2021年の開催をめざすつもりである。一方、会期が1年遅れとなったことで、特別展は2025年の大阪・関西万博とのつながりも視野に入れる必要が出てきたと感じている。そこで次項では、特別展から万博に向かう5年間を人類史の中でどのように位置付けることができるのか、具体的な事例に即して考えてみたい。

◉ 点字の歴史を読み解く

　2024年は、ルイ・ブライユによる点字の考案から200周年となる記念の年に当たる。点字は視覚障害者が自力で簡単に読み書きできる触覚文字である。しかし、近年はICTの進展により、視覚障害者が点字を用いずに、パソコンやスマホを介して、多種多様な情報にアクセスすることが当たり前となっている。視覚障害者間で「点字離れ」が進んでおり、全盲者の生活においても、読書・ビジネスなどで点字に頼る割合は低下しているのが現状である。僕のように、わざわざ点字で原稿の下書きを作る（手打ちする）のは少数派（古い世代）といえる。今後、点字ユーザーはさらに減少することが予想される。点字は22世紀に生き残ることができるのだろうか。

　2022年に、点字の週刊新聞『点字毎日』（点毎）が発刊100周年を迎える。点字新聞の発行が100年近く継続されている例は、世界的にもきわめて珍しい。2020年7月には通巻5000号を超えた点毎だが、購読者数は漸減しており、その未来は楽観できない。点毎の歴史を振り返ってみると、点字が単なる文字ではなく、視覚障害者の自立と社会参加の象徴であることがわかる。たとえば第二次大戦前、普通選挙における点字投票の実現、盲学校の各種点字教科書の編集・印刷などで、点毎は大きな役割を果たした。今日でも大学入試をはじめ、公的な試験では点字受験が視覚障害者の権利とみなされている。パソコンやスマホは便利だが、それらを使って投票することはできない。点字の習得が、視覚障害者の市民権拡充と表裏一体である事実は重要だろう。

　点毎と同様に、2022年が視覚障害者の総合福祉施設・日本ライトハウスの創

業100周年であるのは偶然とはいえ、不思議な因縁を感じる。日本ライトハウスは、自らも全盲の岩橋武夫によって設立され、視覚障害者のリハビリテーション（生活・職業訓練）、点字図書館・点字出版などの分野で日本をリードしてきた。1922年に岩橋が「点字文明協会」を開設し、点字のエスペラント語辞典を発行したことが、日本ライトハウスの創業とされている。大正デモクラシーの風潮の下、岩橋のように、エスペラント語を通じて自身の世界を広げる盲青年が各地で活躍した。まさに、点字を読める人（reader）が、視覚障害者コミュニティの指導者（leader）だったのである。

　昨今は音声読み上げ機能を使って、インターネットで辞書を引く視覚障害者が多い。点字の辞典の有用性も忘れられがちだが、外国語の学習では点字の触読（さわって確かめること）が不可欠である。触覚文字である点字の特徴とは何か。僕は、点字に込められた精神を「点字力＝少ない材料から多くを生み出すしたたかな創造力、常識にとらわれないしなやかな発想力」という語で要約している。点字はわずか六つの点の組み合わせで日本語の仮名、アルファベット、数字、さまざまな記号を書き表すことができる。ルイ・ブライユは点の数を絞り込み、最終的に縦3点、横2点の6点で「世界」を表現することに成功した。この「最小化＝最大化」の思想には、情報の量のみを増やすことを重視してきた近代化のトレンドに抗する「したたかさ」が内包されている。

　点字の考案以前、欧米や日本の盲学校では「浮き出し文字」（通常の視覚文字を凹凸化したもの）が使用されていた。多様な手法により制作される「浮き出し文字」は優れた工芸品ともいえるが、それを読み書きするには時間と手間がかかる。19世紀の視覚障害教育の現場は、「文字とは線で表すものだ」「全盲者も見常者と同じ形の文字を使うべきだ」という常識に支配されていた。この常識を覆したのがルイ・ブライユである。「線の文字があるなら、点の文字があってもいい」「視覚に適した文字と、触覚に適した文字は、別の形でいい」。常識を疑い、固定観念を打破する「しなやかさ」は、視覚障害の有無に関係なく、現代の学校教育が見失っている「生きる力」の本質なのではなかろうか。

　1990年代以降、日本の小中学校で点字の体験学習に取り組むケースが増えている。各社が発行する小学4年生の国語教科書では、何らかの形で点字が取り上げられるようになった。10歳前後の少年・少女が点字に触れる機会を持つ教育的効果は大きい。視覚文字（漢字仮名交じり文）ではなく、日本語を表音式で書き表す「別の方法」がある。点字を打つ身体運動を通して、この事実を理解すれば、子どもたちの日本語表現力は鍛えられるだろう。

　だが、現在の教育現場では「点字＝目の不自由な人が使う特殊な文字、視覚障害について学ぶバリアフリーの導入」という位置付けで留まっているのが残念である。誤解を恐れずに言うなら、点字は視覚障害者の専有物であるという常識を覆したいと僕は夢想している。僕の真意は、点字を人類共通の知的財産にするこ

とである。僕は「点字＝触文化への気づき、触文化からの築きを促すユニバーサルなツール」と定義している。触文化とは、直接的には「さわらなければわからないこと、さわって知る事物の豊かさ、おもしろさ」を指す。さらに僕は博物館での「さわる展示」の試行錯誤を経て、触文化とは「物の背後に広がる目に見えない世界を身体で探る手法」とも考えるようになった。

点字には触文化のエッセンスが凝縮されている。2022〜24年の点字関連の記念行事をきっかけとして、「点字力」の再評価が進むことを期待したい。点字の体験学習を通じて、したたかでしなやかな世界観を持つ児童、新たな触文化の担い手が成長する。そうなれば、22世紀へとつながる点字の未来を切り開くことができるだろう。

◉ 人類の進歩と調和の先にあるもの

前項で紹介した『点字毎日』、日本ライトハウスは、いずれも大阪を拠点としている。大阪は「点字力」を発揮するのに適した風土を持っているのかもしれない。2021年の国立民族学博物館のユニバーサル・ミュージアム展を契機として、大阪から触文化を宣揚する大きな流れを創出したい。そして、この流れは2025年の大阪・関西万博にリンクするというのが、僕の壮大な（無謀な？）プランである。これまでの万博と、点字・視覚障害者とは直接的な関係がなかったが、2025年の万博では触文化が重要テーマになり得ると僕は確信している。

1970年の大阪万博は、6400万人以上の来場者を集めた。この国家的な大事業は、日本の高度経済成長のクライマックスともいえる。当時、海外旅行を楽しむ日本人はまだまだ少なかったが、大阪の万博会場に行けば、世界の珍しい物を見ることができた。20世紀の万博では、過去と未来（時間）、自国と他国（空間）を簡単に移動できるのが魅力だった。しかし、21世紀の万博では、珍しい物を見せるだけでは人々を集めることができない。ここでクローズアップされるのが、ミュージアムにおける「さわる展示」の蓄積である。世界（国）を見せる万博から、世界観（人）に触れる万博へ。僕は2021年のユニバーサル・ミュージアム展を大阪・関西万博の前哨戦ととらえ、特別展の成果を2025年につなげていきたいと願っている。

2025年の万博のテーマは「いのち輝く未来社会のデザイン」（Designing Future Society for Our Lives）である。「Our Lives」と宣言される時、その「私たち」とは誰なのか。おそらく、過去の万博において障害者、とくに視覚障害者が意識されることは少なかっただろう。僕は「Our Lives」という表現に反発と希望を感じている。2025年の万博では、種々雑多な人々が「Our Lives」に参入する。いや、マジョリティから排除されてきたマイノリティが、「Our Lives」の常識を改変するという方が適当かもしれない。

1970年の万博のテーマは「人類の進歩と調和」である。この万博の跡地に建て

られた国立民族学博物館では文化相対主義に基づき、人類の共生の可能性が模索されてきた。人種・性別・国籍・宗教など、共生の課題は多いが、「障害」が民族学・文化人類学の研究対象となることはほとんどなかった。残念ながら1970年の段階では、障害者は「人類の進歩と調和」の埒外にいたともいえよう。障害者は、いわば「最後のマイノリティ」なのである。

1980年代以降、障害者と健常者の共生をめざす国際的な気運が少しずつ高まっている。福祉分野で共生が論じられる際、冠として使われるのが「障害の有無に関係なく」という語である。「障害がある人」と「障害がない人」の共生を探究するという論理は、「障害」の存在を前提としている。これでは「障害者／健常者」という二項対立の常識を乗り越えることができない。

僕は「さわる展示」の普及と開発を通して、見常者を触常者化する実験を積み重ねている。これまで、僕は「触常者＝さわることに依拠する生活を送る人」を視覚障害者の代替概念として用いてきた。比喩的な言い方になるが、2025年の万博に触文化を取り入れるためには、「目の見える触常者」を増やさなければならない。2021年の特別展は「障害者／健常者」という従来の区分を打ち破り、「目の見えない触常者」と「目の見える触常者」の世界観が真の意味で触れ合う（相互接触する）交流の場となるだろう。

見常者に触文化の価値を再認識してもらうという点で、一連のコロナ禍はプラスに働くのではないかと僕は考えている。コロナ禍が終息するまで、「さわる展示」にとって厳しい状況が続くのは間違いない。だが、手指消毒を徹底し、優しく丁寧に展示物に触れる「さわるマナー」が定着すれば、「ポスト・コロナ」時代のユニバーサル・ミュージアムは一歩前進できるはずである。

2021年秋の特別展は、人類が「拒触症」を脱却するための起爆剤となるだろう。今後の「さわる展示」はどこに向かうのか。1年延期でパワーアップした特別展が、コロナウイルスに負けぬしたたかさ、しなやかさを提示できれば幸いである。さらに、「拒触症」を制圧した触常者たちが、どんな形で2025年の万博にコミットするのか。大阪在住の視覚障害者（目の見えない触常者）である僕にとって、どうやらこの5年が正念場になりそうだ。

【付記】特別展にお越しいただいたみなさん、本図録を手に取ってくださった方々にお礼申し上げる。今回の特別展は僕自身、およびユニバーサル・ミュージアム研究会の活動の「とりあえずのまとめ」として企画された。いうまでもなく、ユニバーサル・ミュージアムに関する研究と実践は始まったばかりである。今回の特別展が日本におけるユニバーサル・ミュージアム運動を加速させるきっかけになればと願っている。本図録を締め括るに当たって、まだユニバーサル・ミュージアム論の「結語」を述べる段階ではなく、僕にはその力もない。しかし、結語の代わりに「明日に向かう手がかりとなる決語」として、この拙稿を図録末尾に掲載することとした。本特別展に関わる各人各様の「手」から、接触と触発の連鎖が広がっていくことを期待しつつ……！

ユニバーサル・ミュージアム研究会のあゆみ
History of the Study Group Working on Universal Museums

国立民族学博物館でのユニバーサル・ミュージアムへの取り組み

2006 3.9-9.26

【企画展】「さわる文字、さわる世界―触文化が創りだすユニバーサル・ミュージアム」
国立民族学博物館／大阪

9.23-9.24

【シンポジウム】「ユニバーサル・ミュージアムを考える〜“つくる”努力と“ひらく”情熱を求めて」＊
国立民族学博物館／大阪

第1期　科研費プロジェクト
【誰もが楽しめる博物館を創造する実践的研究―視覚障害者を対象とする体験型展示の試み】2009.7-2012.3

2009 7.18

【取材】「縄文土器プロジェクト」取材（宮本ルリ子）
兵庫県丹波の森公苑／兵庫

8.1-8.3

【取材】「縄文土器プロジェクト」取材（宮本ルリ子）
兵庫県丹波の森公苑／兵庫

9.13

【講座・体験】「さわる五感の挑戦Part4」講座と体験「雅な香を楽しむ」（早川光菜）
吹田市立博物館／大阪

10.2

【ワークショップ】「さわる五感の挑戦Part4」ワークショップ「埴輪土鈴をつくる」（宮本ルリ子）
吹田市立博物館／大阪

2010 1.29-1.31

【研究会】「縄文との接触―三内丸山遺跡のタッチツアー」縄文土器の触学　青森県三内丸山遺跡
「さわる力、さわる心―だれもが楽しめる博物館を創造するために」公開講演会（小山修三・広瀬浩二郎）　青森県三内丸山遺跡・縄文時遊館
「縄文の触感―さわって知る土器、つくる土器」ワークショップ　青森県立盲学校共催（誉田実）　青森県三内丸山遺跡・縄文時遊館
「縄文から未来へ―感覚の多様性を呼び覚まそう」見学　青森公立大学・国際芸術センター、青森県立美術館 他
青森県内の博物館施設／青森

3.5-3.6

【研究会】「ともに活かす社会を求めて―視覚障害者との共学、共楽」公開講演会
「『共活』をめざす大学の教育実践―ICUにおける視覚障がい学生の受け入れと支援体制」
講演（吉野輝雄）
「共活社会を拓くフィールドワーク―大学と博物館をつなぐもの」講演（広瀬浩二郎）
「素材の魅力を味わう」体験講座（原礼子）
「ともに愕く展示を創るために―障害者支援から異文化間コミュニケーションへ」討論会
国際基督教大学博物館湯浅八郎記念館／東京

6.26-6.27

【研究会】「さわる五感の挑戦」企画展の触学（五月女賢司）
「みること、さわること」討論会
吹田市立博物館／大阪
【研究会】滋賀県立陶芸の森（野外作品、登り窯等）の触学
「わくわくミュージアム―ちょっと不思議で楽しい"やきもの"」特別企画展鑑賞・触学
「一期一会の触文化」特別観覧塾ワークショップ
「さわることの意味―私の制作活動から」公開講演会（犬塚定志）
「さわってつくる、つくってさわる」陶芸ワークショップ（宮本ルリ子）
「触常者は何をみているか、見常者は何をみていないか」総括討論
滋賀県立陶芸の森／滋賀

2011 2.24-2.26

【研修会】「博物館と視覚障害者をつなぐこと」研修（広瀬浩二郎）
北九州視覚特別支援学校・九州歴史資料館／福岡

3.12-3.13

【研究会】美濃加茂市民ミュージアムの展示見学
「来館者の意味形成に寄与する有効な展示法について」事例報告（大高幸）
「五感を刺激する場として博物館ができること」事例報告（藤村俊）
「岐阜から世界へ」戦略会議　討論会
「さわる文化への招待―触学・触楽・触愕の体験的博物館論」公開講演会（広瀬浩二郎）
「壁を壊せ―縄文人、オーストラリア先住民、そして視覚障害者」公開講演会（小山修三）
美濃加茂市民ミュージアム／岐阜

7.2-7.3

【研究会】「さわって創るvs創ってさわる」「まん○ねん土でみんなとつながる！」ワークショップ（宮本ルリ子）
滋賀県立陶芸の森／滋賀
【研究会】「何のためのレプリカかvs誰のためのレプリカか」ワークショップ（鈴木康二）
「一人でみるvs二人でみる」安土城考古博物館館内見学・触学
安土城考古博物館／滋賀

10.29-10.30

【公開シンポジウム】「ユニバーサル・ミュージアムの理論と実践―博物館から始まる『手学問』のすゝめ」**
「ユニバーサル・ミュージアムとは何か」趣旨説明（広瀬浩二郎）

「壁を壊せ―縄文人、アボリジニ、そして視覚障害者」講演（小山修三）

「"さわる"力が地域を変える―盲学校・県立美術館・三内丸山遺跡の取り組み」発表（増子正）

「湯浅八郎と民芸品コレクション―さわって味わう展示の魅力」発表（原礼子）

「やきもの、アート、コミュニケーション―触って"みる"こと」発表（三浦弘子・宮本ルリ子）

「人が優しい『市民ミュージアム』―年齢・国籍・障害にこだわらない交流の場として」発表（藤村俊）

「レプリカ展示の意義と限界―"さわる"ことで何がわかるのか」発表（鈴木康二）

「視覚障害者の博物館利用―私の経験と研究から」コメント（半田こづえ）

「フィーリングワーク入門―触学・触楽・触愕の体験的博物館論」講演（広瀬浩二郎）

「盲学校における社会科教育」発表（岩崎洋二）

「文化、歴史探訪の手がかりとしての"さわる絵画"の可能性―イタリアの取組に学ぶ」発表（大内進）

「さわれないものを理解するための技法―"さわる絵画""さわる展示パネル"制作の立場から」発表（柳澤飛鳥）

「触覚でとらえる宇宙―触帛者からのアプローチ」コメント（小原二三夫）

「とらえ方と伝え方―見常表現者からのアプローチ」コメント（安芸早穂子）

「梅棹忠夫の博物館経営論を継承・発展するために―国立民族学博物館とJICA横浜海外移住資料館」講演（中牧弘允）

「触れる写真展の挑戦」発表（真下弥生）

「ニューヨークのミュージアムにおける視覚障害者の学びとエデュケーターの役割」発表（大高幸）

「『さわる展示』の回顧と展望」発表（五月女賢司）

「子ども向け暗闇体験プログラムの教育的効果」発表（石川梨絵）

「ロビー展『仮面の世界へご招待』がもたらしたもの―さわって学ぶ展示の重要性」発表（大河内智之）

「ハンズオンから手学問へ―博物館の新たな展示手法を求めて」コメント（加藤つむぎ）

「博物館情報論から考えるユニバーサル・ミュージアム」総括（及川昭文）

国立民族学博物館／大阪

2012 3.24-3.25

【研究会】「さわる世界に遊ぶ」民博「世界をさわる」コーナーの触学
合評会
国立民族学博物館／大阪
【研究会】「世界をさわる手法を究める」
倉敷美観地区の「まちあるき」、大原美術館での鑑賞・触学
観光の「ユニバーサル・デザイン化」についての自由討論
大原美術館／岡山

第2期共同研究プロジェクト
【触文化に関する人類学的研究―博物館を活用した"手学問"理論の構築】2012.10-2015.3

2012 11.10

【視覚障害者文化を育てる会（4しょく会）】「色にさわる、色を創る、色で伝える」触察、創作、伝達（ワークショップ）
吹田市立「夢つながり未来館」／大阪

11.11

【研究会】「共同研究の趣旨と目標」発表（広瀬浩二郎）

「触る街並み観光の効果に関する基礎的研究」発表（石塚裕子）

「都市のモニュメント調査から」発表（大石徹）

「公園の博物館的機能とユニバーサルデザイン」発表（堀江典子）

「野外レクリエーションの質を問う」発表（山本清龍）

国立民族学博物館／大阪

2013 3.2-3.3

【研究会】「湯浅八郎と民芸品コレクション」発表（原礼子）

「文化財の修復と複製―府中工房の活動から」発表（堀江武史）

「感じる手（obsidian）」ワークショップ（堀江武史）

「視覚障害者の大学進学―過去・現在・未来」発表（尾関育三）

「体験発表Ⅰ　1970年代の状況」発表（半田こづえ）

「体験発表Ⅱ　1980-1990年代の状況」発表（高橋玲子）

「体験発表Ⅲ　1990-2000年代の状況」発表（安原理恵）

「総括　インクルーシブ教育の未来を展望する」発表（増子正）

国際基督教大学博物館湯浅八郎記念館／東京

7.6

【見学会】「宇治市におけるユニバーサル・ツアー」宇治観光ボランティアによるガイドツアー

京都府宇治市平等院ほか／京都

7.7

【研究会】「観光・まちづくりのユニバーサル・デザイン化―宇治を事例として」事例報告（三間茂、岸田春二）

「大阪の水辺再生プロジェクトとユニバーサルデザイン」事例報告（山根秀宣）

「緑地・公園のユニバーサルデザイン―肢体不自由者の立場から」事例報告（美濃伸之）

「観光地箱根における教育普及活動―彫刻の森美術館での実践事例について」事例報告（小林俊樹）

「観光型ミュージアムと大学の連携―キュレーターの"たまご"プロジェクトの実践に関する事例研究」事例報告（篠原聰）

「観光・まちづくりのユニバーサル化に向けて1」コメント（石塚裕子）

「観光・まちづくりのユニバーサル化に向けて2」コメント（山本清龍）

国立民族学博物館／大阪

2014 7.6

【研究会】「『縄文文化にさわる』―ワークショップの実践事例報告1」事例報告（さかいひろこ）

「『縄文文化にさわる』―ワークショップの実践事例報告2」事例報告（堀江武史）

「『疱瘡絵にさわる』展覧会の実践事例報告」事例報告（寺岡茂樹）

国立民族学博物館／大阪

11.29

【4しょく会】「歩いて、探って、創る大阪のまち」空堀まちなみ井戸端会によるガイドツアー

空堀商店街／大阪

11.30

【研究会】「『アート＆アーケオロジー』の可能性1」事例報告（安芸早穂子）

「『アート＆アーケオロジー』の可能性2」事例報告（村野正景）

「公園のユニバーサルデザイン―その現状と課題」事例報告（堀江典子）

「視覚障害者の芸術鑑賞1―彫刻作品の触察」事例報告（半田こづえ）

「視覚障害者の芸術鑑賞2―絵画作品へのアプローチ」事例報告（真下弥生）

総合討論

国立民族学博物館／大阪

2015 2.28-3.1

【研究会】「聴く数学・触る物理―理科教育のバリアについて考える」事例報告（吉田武）

「視覚障害教育と博物館利用」事例報告（増子正）

「空間情報サービスのユニバーサル・デザイン―博物館における視覚障害者誘導システム」事例報告（古本浩二）

「漆器に触る」触学（原礼子）

「縄文の色―赤と黒」講演（小山修三）

「ワークショップの可能性―レプリカのその後」事例報告（鈴木康二）

「身体を刺激する場としての博物館」事例報告（藤村俊）

「『つちっこ！プログラム』(普及事業）の触る展示とワークショップ事例報告」事例報告（宮本ルリ子）

「宇治の世界遺産・触って散歩ツアーについての考察」事例報告（五月女賢司）

「大阪空堀のまちあるき体験の評価―ユニバーサルな楽しみ方の提案に向けて」事例報告（山本清龍）

「触常者も見常者も満喫できる娯楽施設―マーダーロッジの事例」事例報告（大石徹）

「共同研究の回顧と展望―総合討論」

国際基督教大学博物館湯浅八郎記念館／東京

7.17-7.18

【触学ツアー】「展示室内と教育普及の触るプログラム体験」

MIHO MUSEUM／滋賀

【触学ツアー】町中の変身タヌキを触るツアー

信楽町内／滋賀

【見学会】「土・祈り・イマジネーション…岡本太郎の言葉とともに」特別展の触学

「つちっこ！なるほど！やきものコーナー」の触学

【公開講演会】土と身体性―今、触ることとは

「活動の歩みと『つちっこ公開講座＆実験ワークショップ』について」事例報告（滋賀県立陶芸の森・世界にひとつの宝物づくり実行委員会）

「美術教育に必要な視覚の解体について」講演（大嶋彰）

「"土"の響きを求めて―『障害』から生まれる新たな風土論」講演（広瀬浩二郎）

「コミュニケーションツールとしての触覚・土『タヌキ変身プロジェクト～町なかで触って楽しむタヌキづくり』実験ワークショップ（宮本ルリ子）

滋賀県立陶芸の森／滋賀

11.28-11.29

【公開シンポジウム】「ユニバーサル・ミュージアム論の新展開―展示・教育から観光・まちづくりまで」＊＊＊

セッションⅠ「美術館における多様な鑑賞プログラム―視覚障害者支援からユニバーサル・

ミュージアムへ」（コーディネーター：大高幸）

「対話と五感を用いた教育プログラムの立案―美術館と盲学校の連携事業から」発表（岡本裕子）

「さわるアートブック制作の課題と展望」発表（藤島美菜）

「絵画への触覚的アプローチ―その限界と可能性」発表（井口智子）

セッションⅡ「さわる展示を創る―誰もが楽しめる博物館とは何か」（コーディネーター：中村千恵）

「触察による疱瘡絵の理解―立体コピーを活用した移動展示の試み」発表（寺岡茂樹）

「実物をさわる体験―来館者の思いとその表現」発表（藤村俊）

「さわる展示の未来―南山大学人類学博物館の挑戦」発表（黒澤浩）

「ユニバーサル・ミュージアム論を取り入れた博物館実習」コメント（篠原聰）

「学生のアイデアが博物館を変える!?―さわる展示の実践に向けて」コメント（原礼子）

セッションⅢ「博物館と社会をつなぐワークショップ―『見えない世界をみる』感性を育むために」（コーディネーター：鈴木康二）

「遺跡を感じる―さわって楽しむ考古学の魅力」発表（さかいひろこ）

「縄文人の暮らしと現代アート―歴史を再発見・再創造する」発表（堀江武史）

「モノと人との対話を引き出す触発型ワークショップ―第五福竜丸展示館・触察ツアーを事例として」発表（真下弥生）

「全盲者の耳、ろう者の目―『障害』から生まれる身体知」対談（広瀬浩二郎・相良啓子）

セッションⅣ「博物館から観光・まちづくりへ―今、なぜユニバーサルデザインなのか」（コーディネーター：堀江典子）

「ユニバーサルな観光地をめざして―北海道の大自然を体感するハートフルツアーの取り組み」発表（三木亨）

「ともに歩く、ともに楽しむ、ともに創る―目に見えない"大阪"を探るまちあるきプランの企画」発表（山根秀宣）

「被災地ツーリズムのユニバーサル化に向けて―福島県いわき市の復興支援を通して考える」発表（石塚裕子）

「娯楽・余暇の幅を拡げる―見えない恐怖を共遊する『マーダーロッジ』の衝撃」コメント（大石徹）

「伝える手、つなげる手―制作者の立場から」コメント（宮本ルリ子）

総括＆総合討論「"先"を見通す洞察力―先史時代研究の先駆者が語る明日のユニバーサル・ミュージアム」（小山修三）

国立民族学博物館／大阪

第3期共同研究プロジェクト
【「障害」概念の再検討―触文化論に基づく「合理的配慮」の提案に向けて】2016.10-2019.3

2016 11.26

【4しょく会】「勾玉づくりワークショップ」
京都市考古資料館／京都

11.27

【研究会】「新規共同プロジェクトの意義と目標」（広瀬浩二郎）

「ユニバーサル・ミュージアム研究の回顧と展望」（小山修三）

「『歴史』を体感する作法と手法―日光江戸村・太秦映画村のフィールドワークから考える」事例報告（ハイディ・ラーム）

「わかりやすい触知図とは何か―手探りと手作りの現場から」事例報告（さかいひろこ）

「ユニバーサル・ツーリズムの実践的研究―いわきの過去・現在・未来を感じるツアーの立案」事例報告（石塚裕子）

国立民族学博物館／大阪

2017 3.4

【ワークショップ】「色名のない絵の具をつくる」ワークショップ（堀江武史）

国際基督教大学博物館湯浅八郎記念館／東京

3.5

【研究会】「視覚障害教育と博物館利用」事例報告（増子正）

「ユニバーサル・ミュージアム研究の展望―私の卒業論文から」事例報告（山田菜月）

「美術館事業の幅を広げる合理的配慮―美術館ワークショップについて考えてみる」事例報告（岡本裕子）

「美術鑑賞の新たな可能性―触常者と創る美学研究の未来」事例報告（篠原聰）

「触察展示の意義―博物館における『合理的配慮』の検討に向けて」事例報告（原礼子）

「WS『ドッキー』の紹介」事例報告（下島綾美）

国際基督教大学博物館湯浅八郎記念館／東京

7.15

【ワークショップ】「触感分類法入門」ワークショップ（岡田菖・近藤萌花・中田汐里）

南山大学人類学博物館／愛知

7.16

【研究会】「究極の『さわる展示』を求めて―南山大学人類学博物館の未来」事例報告（黒澤浩）

「考古展示のユニバーサル化の試み―橿原考古学研究所附属博物館の現状と課題」事例報告（北井利幸）

「生き物に触れる―三重県総合博物館・カモシカ展を事例として」事例報告（田村香里）

「発掘から発信へ―『ふるさと考古学講座』が地域を活性化する」事例報告（さかいひろこ）

「歩く、さわる、感じる―ミュージアムを飛び出して、遺跡に出かけよう」事例報告（藤村俊）

「何を、どうさわるのか―博物館と地域をつなぐ実践に向けて」総合討論

南山大学人類学博物館／愛知

7.17

【見学会】「古墳体感ツアー」

しだみ古墳群／愛知

11.18

【4しょく会】「描いてみよう、さわってみよう―私たちの『超自由戯画』」まんがワークショップ（さかいひろこ）

長岡京市中央生涯学習センター／京都

11.19

【研究会】「マンガの伝え方・感じ方―『誰のためのマンガ展？』の成果と今後の課題」事例報告（村田麻里子）

「創る・使う・活かす―鑑賞ツールとしての触図の可能性」事例報告（真下弥生）

「化石は語る―自然史系博物館におけるハンズオン展示・ワークショップの試み」事例報告（安曽潤子）

「被災地ツーリズムのユニバーサル化に向けて―いわきでのUT実践の中間報告」事例報告（石塚裕子）

「誰が、何を、どう伝えるのか」総合討論（広瀬浩二郎）

国立民族学博物館／大阪

2018 3.3

【ワークショップ】「民族楽器の体験」MMP（みんぱくミュージアムパートナーズ）による体験プログラム

国立民族学博物館／大阪

3.4

【研究会】「触る・聴く・語る―視覚障害者のミュージアム体験をより豊かにするために」事例報告＆ワークショップ（半田こづえ・安原理恵）

「誰が、いつ、何をすべきか―博物館におけるワークショップで『人』が果たす役割について」事例報告（鈴木康二）

「美術鑑賞の新たな可能性を拓く―京都国立近代美術館の挑戦」事例報告（松山沙樹）

「『触る・聴く・語る』の先にあるもの」総合討論（広瀬浩二郎）

国立民族学博物館／大阪

7.14-7.15

【ワークショップ】「素材の言葉、形の言葉」ワークショップの事前打ち合わせ（半田こづえ）

「世界の形象土器」講演、ワークショップ（作品鑑賞→作品制作→作品鑑賞→インタビュー）

滋賀県立陶芸の森／滋賀

7.16

【研究会】「ごみ処理施設からユニバーサル・ミュージアムを考える」事例報告（堀江典子）

「大切なのは考え抜くこと―映画の副音声を作るために」事例報告（大石徹）

「考古学から生まれるアート―縄文遺物と現代美術の遭遇」事例報告（堀江武史）

「感覚の多様性を探る―『さわって考える』本作りとワークショップの実践から」事例報告（桑田知明）

「『常識』を再考する―枠に惑わされていてはワクワクする発想は生まれない」総合討論（広瀬浩二郎）

国立民族学博物館／大阪

11.10

【研究会】「陶芸に触れる―つちっこプログラムの実践を通して」事例報告（宇野晶）

「江戸東京博物館におけるユニバーサル・ミュージアムの取り組み―課題と展望」事例報告（松井かおる）

「インクルーシブ・ミュージアムとは何か―ヨーロッパの最新事例から」事例報告（安曽潤子）

「『ユニバーサル・ミュージアム』を展示する―『ポスト・オリパラ』を目指す文化戦略」講演（広瀬浩二郎）

国立民族学博物館／大阪

11.11

【4しょく会】「ポップアップ絵本の魅力」講演（桑田知明）

「飛び出すトーテムポール」ワークショップ（作品触学→作品制作→鑑賞）

国立民族学博物館／大阪

2019 3.2

【研究会】「信楽ワークショップを振り返って1—制作者の立場から」報告（宮本ルリ子）

「信楽ワークショップを振り返って2—触察動作の分析」報告（山本清龍）

「信楽ワークショップを振り返って3—参加者の会話分析」報告（半田こづえ）

「江戸東京博物館の展示見学、触察展示の検証」触学報告（松井かおる）

江戸東京博物館／東京

3.3

【研究会】「事例紹介1—キッズプラザ大阪の触察展示とワークショップ」事例報告（石川梨絵）

「事例紹介2—わらべ館の触察玩具の活用」事例報告（長嶺泉子）

「事例紹介3—岡山県立美術館の触察キットとワークショップ」事例報告（岡本裕子）

「事例紹介4—美濃加茂市民ミュージアムの体感展示の新展開」事例報告（藤村俊）

「ワークショップを作る—ファシリテーターの役割再考」事例報告（大高幸）

「平面イメージの協働探究のステップ—昭和初期の男物和服柄を例として」ワークショップ（大高幸）

「事例紹介5—南山大学人類学博物館の新たな展示構想」事例報告（黒澤浩）

「私とICU—『ひとが優しい博物館』を求めて」事例報告（原礼子）

「共同研究の成果発表に向けて」総合討論（広瀬浩二郎）

国際基督教大学博物館湯浅八郎記念館／東京

第4期科研費プロジェクト
【触察の方法論の体系化と視覚障害者の野外空間のイメージ形成に関する研究】2018-2020

2019 7.13

【研究会】「信楽ワークショップでの制作作品について」触察インタビュー

国立民族学博物館／大阪

7.14-7.15

【研究会】「歩いて、触れて、創る」射真ワークショップ（まちあるき→触察→採取→粘土制作）

「Exchange and Experimentation-Toward a New Generation of Ceramic Art- 交流と実験—新時代の〈やきもの〉をめざして—」展の触学

「地形・地質を感じる試み—ジオパークのユニバーサル化に向けて」事例報告（矢野徳也）

「音で感じる世界観—土地と人の物語」事例報告（安芸早穂子・石村智）

「晴眼者が立体コピーに触れる意義とは—新たな触図活用法の模索」事例報告（岡本裕子）

「『彫刻のある街』をめざして—大学による地域連携プログラムの新展開」事例報告（篠原聰）

「UM研究の回顧と展望—シンポジウム、特別展の準備状況の報告」（広瀬浩二郎）

滋賀県立陶芸の森／滋賀

11.3-11.4

【公開シンポジウム】「日本におけるユニバーサル・ミュージアムの現状と課題―2020オリパラを迎える前に」

「『未開の知』に触れる―ユニバーサル・ミュージアム研究の回顧と展望」講演（小山修三）

セッション I 「彫刻を超克する―制作と鑑賞の新たな地平」（コーディネーター：篠原聰、パネリスト：冨長敦也、北川太郎、片山博詞、高見直宏）

セッション II 「アートで対話を拓く―自己と他者、物と者のコミュニケーションから」（コーディネーター：堀江武史、パネリスト：戸坂明日香、宮本ルリ子、前川紘士、加藤可奈衛）

セッション III 「さわれないものへのアプローチ―映像・風景・宇宙の物語」（コーディネーター：大石徹、パネリスト：亀井岳、安芸早穂子、ヨーコ・ソニア、間島秀徳）

「『+』から『×』へ―鑑賞と制作を組み合わせるワークショップの可能性」講演（半田こづえ）

セッション IV 「博物館を飛び出そう―野外活動のユニバーサル化に向けて」（コーディネーター：山本清龍、パネリスト：宇野晶、さかいひろこ、藤村俊）

「『合理的配慮』再考―世界の感触を楽しむために」講演（広瀬浩二郎）

セッション V 「触図活用のABC―アーティスト、視覚障害者、学芸員の協働」（コーディネーター：真下弥生、パネリスト：桑田知明、松山沙樹、岡本裕子）

セッション VI 「不滅のユニバーサル・ミュージアム―私たちが描く22世紀の博物館像」（コーディネーター：黒澤浩、パネリスト：鈴木康二、藤島美菜、堀江典子）

総合討論（コーディネーター：原礼子）

国立民族学博物館／大阪

2020 2.29-3.1

【研究会】「江戸東京博物館常設展示における音声ガイドの現状と課題」事例報告（松井かおる）

「民博特別展の中間報告」報告（広瀬浩二郎）

「実際には見たことがない江戸のまちを想像する」（まちあるき→触察→フロッタージュ）

人形町区民館／東京

2021 9.2-11.30

【特別展】「ユニバーサル・ミュージアム―さわる！"触"の大博覧会」

国立民族学博物館／大阪

【参考文献】

1999.3.20 神奈川県立生命の星・地球博物館編『ユニバーサル・ミュージアムをめざして ── 視覚障害者と博物館』

2007.4.8 広瀬浩二郎編著『だれもが楽しめるユニバーサル・ミュージアム ── "つくる"と"ひらく"の現場から』読書工房*

2009.5.10 広瀬浩二郎著『さわる文化への招待 ── 触覚でみる手学問のすすめ』世界思想社

2012.5.23 広瀬浩二郎編著『さわって楽しむ博物館 ── ユニバーサル・ミュージアムの可能性』青弓社**

2016.8.31 広瀬浩二郎編著『ひとが優しい博物館 ── ユニバーサル・ミュージアムの新展開』青弓社***

2020.1.31 広瀬浩二郎著『触常者として生きる ── 琵琶を持たない琵琶法師の旅』伏流社

2020.10.27 広瀬浩二郎著『それでも僕たちは「濃厚接触」を続ける！ ── 世界の感触を取り戻すために』小さ子社

作成：原礼子　協力：さかいひろこ

出展作品・資料リスト
List of Works

※No.欄:「前」…9月2日～10月12日、
「後」…10月14日～11月30日のみ展示

No.	作家／artist	タイトル／title	制作年	点数	サイズ (cm)	素材／技法／所蔵

0. 試触コーナー　—なぜさわるのか、どうさわるのか—

No.	作家／artist	タイトル／title	制作年	点数	サイズ (cm)	素材／技法／所蔵
0-2a		国宝・興福寺仏頭レプリカ National Treasures Buddha Head of Kofukuji Temple（Replica）		1	W75×D70×H95	FRP樹脂／ 近鉄不動産株式会社所蔵
0-2b	三木製作所 Miki Seisakusho Co., LTD.	立体世界地図 3D World Map	2005	1	W200×D125×T0.35、縮尺2000万分の1、比高8倍	アルミ合金／使用データ：NASA スペースシャトル SRTM-3 90mメッシュ、加工：マシニングセンターによる切削加工（R0.75mm）
0-2c	三木製作所 Miki Seisakusho Co., LTD.	富士山立体地図 3D Map of Mt. Fuji	2021	1	W66×D40×T3.6、縮尺18万分の1、比高1.7倍	アルミ合金／使用データ：国土地理院 航空レーザ測量によるDEM（数値標高モデル）50mメッシュ、加工：マシニングセンターによる切削加工（R0.75mm）
0-2d	片山博詞 Hiroshi Katayama	触れるひと A person who touching for hope	2020	1	W60×D60×H96	FRP樹脂
0-3	わたる（石川智弥＋古屋祥子） WATARU（Tomoya Ishikawa+Shoko Furuya）	てざわりの旅 trip of the tactile	2021	1	W75×D90×H175 （木彫像部分）	空間インスタレーション・ミクストメディア（楠・シリコン樹脂・蛍光顔料）／技術協力：株式会社愛和義肢製作所、書（毛筆文字）：桐生眞輔（京都芸術大学）、平曲：CD『琵琶法師の世界 平家物語』（演奏：今井勉、レーベル：EBISU）

1. 彫刻を超克する

No.	作家／artist	タイトル／title	制作年	点数	サイズ (cm)	素材／技法／所蔵
1-1-3	片山博詞 Hiroshi Katayama	時の流れ Time flow	1987	1	W44×D44×H44	石膏
1-1-4	片山博詞 Hiroshi Katayama	見えないものに目を注ぐ Focus on the unseen	2012	1	W91×D85×H158	FRP樹脂・木・金箔
1-1-5	片山博詞 Hiroshi Katayama	不屈のひと（大関魁皇頭像） An indomitable warrior (Ozeki Kaio head statue)	2014	1	W45×D38×H58	ブロンズ
1-1-1	片山博詞 Hiroshi Katayama	渇くひと A person who thirsts for hope	2015	1	W50×D60×H140	FRP樹脂
1-1-2	片山博詞 Hiroshi Katayama	Air（アリア） Air（Aria）	2021	1	W57×D30×H92	FRP樹脂
1-2a	冨長敦也 Atsuya Tominaga	Ninguen	2017	1	W300×D300×H353	イタリア産トラバーチン・木・鉄・映像／映像編集：亀井岳

I-2b	冨長敦也 Atsuya Tominaga	Love Stone Project 2014-15				
		実施場所(以下同):ときわ公園(山口県宇部市)	2014	1	W68×D103×H10	イタリア産大理石
		別府駅北高架商店街(大分県)	2014	1	W32×D30×H14	イタリア産大理石
		佐喜眞美術館(沖縄県宜野湾市)	2014	1	W22×D28×H18	旧ユーゴスラヴィア産トラバーチン
		神戸市立友生支援学校(兵庫県神戸市)	2014	1	W32×D42×H27	イタリア産トラバーチン
		中ノ島公園(大阪府)	2014	1	W67×D95×H27	イタリア産白大理石
		心の花美術館(長野県上田市)	2014	1	W28×D32×H12	イタリア産トラバーチン
		ギャラリーレタラ(北海道札幌市)	2014	1	W28×D34×H19	イタリア産トラバーチン
		アフリカンアートミュージアム(山梨県北杜市)	2014	1	W20×D41×H12	アフリカ産黒御影石
		金沢美術工芸大学(石川県金沢市)	2014	1	W26×D27×H15	ベルギー産黒大理石
		セントラルパーク(アメリカ ニューヨーク)	2014	1	W27×D20×H19	イタリア産トラバーチン
		高砂市立鹿島中学校(兵庫県高砂市)	2014	1	W28×D42×H11	イタリア産白大理石
		豊中市立第七中学校(大阪府豊中市)	2014	1	W42×D40×H15	イタリア産大理石
		ギャラリー島田(兵庫県神戸市)	2014	1	W45×D36×H21	旧ユーゴスラヴィア産トラバーチン
		加古川市立氷丘小学校(兵庫県加古川市)	2014	1	W40×D30×H25	イラン産トラバーチン
		イオンモール石巻(宮城県石巻市)	2014	1	W38×D32×H10	イタリア産大理石
		原田城跡。旧羽室家住宅(大阪府豊中市)	2014	1	W27×D28×H16	能勢黒御影石
		おたや階段下ポケットパーク(富山県八尾市)	2014	1	W26×D28×H35	イラン産トラバーチン
		金沢市民芸術村(石川県金沢市)	2014	1	W22×D45×H22	イラン産トラバーチン
		金沢星稜大学(石川県金沢市)	2014	1	W22×D43×H13	イタリア産大理石
		ベトナム芸術大学(ベトナム ハノイ)	2014	1	W25×D25×H10	イタリア産大理石
		名村造船所(大阪府大阪市)	2014	1	W28×D28×H12	イタリア産大理石
		清心寮(大阪府堺市)	2014	1	W24×D24×H9	イタリア産大理石
		新長田商店街(兵庫県神戸市)	2015	1	W25×D23×H18	本御影石
		カフェギャラリーリンデン(神奈川県横浜市)	2015	1	W22×D20×H11	イラン産トラバーチン
		渋谷ヒカリエ(東京都渋谷区)	2015	1	W19×D21×H12	イタリア産トラバーチン
	Art&Nepal	Love Stone Map		1	W270×H180、W270×H180	合板
屋外-1	冨長敦也 Atsuya Tominaga	Love Stone Project-UM	2021	1	W70×D170×H60、W67×D130×H45、W60×D113×H27	イラン産トラバーチン・トルコ産トラバーチン・旧ユーゴスラヴィア産トラバーチン
I-3-1	高見直宏 Naohiro Takami	ニューホライズン New Horizon	2021 (再制作)	1	W220×D105×H110	木・ミクストメディア
I-3-2	高見直宏 Naohiro Takami	群雲—エクトプラズムの群像 Gathering Clouds1—The sculptured group of ectoplasm	2021 (再制作)	1	W80×D59×H186	木・ミクストメディア
I-3-3	高見直宏 Naohiro Takami	叢雲—エクトプラズムの群像 Gathering Clouds2—The sculptured group of ectoplasm	2021	1	W68×D59×H172	木・ミクストメディア

1-4-1	田代雄一 Yuichi Tashiro	おいらの名前は野良猫とら My name is stray cat tora	2010	1	W40×D18×H45	木（楠）／木彫
1-4-2	田代雄一 Yuichi Tashiro	たまごからうまれたかったコアラ Koala I wanted to be born from an egg	2021	1	W20×D38×H30	木（楠）／木彫
1-4-3	田代雄一 Yuichi Tashiro	たまごからうまれたかったカピバラ Capybara I wanted to be born from an egg	2020	1	W20×D20×H40	木（楠）／木彫
1-4-4	田代雄一 Yuichi Tashiro	僕はたまーに立派ガエル I'm a good frog sometimes	2021	1	W50×D45×H50	木（楠）／木彫
1-5	北川太郎 Taro Kitagawa	時空ピラミッド Space-time pyramid	2016	2	W110×D110×H160 /W110×D80×H175	花崗岩・ボンド／協力：コニシ株式会社
屋外-2	北川太郎 Taro Kitagawa	厚みある時間 Tienpo profundo	2010	1	W145×D275×H225	安山岩

2. 風景にさわる

2-1-1	矢野徳也・さかいひろこ Tokuya Yano, Hiroko Sakai	ユニバーサル触地図（信楽全体図） Universal 3D and Tactual Map (Geology and topography of the Shigaraki region)	2021	1	W27.3×D37.2×H5.3 凡例：W20.1×D13.6×H3.9	陶土／陶器／協力：滋賀県工業技術総合センター 信楽窯業技術試験場、鈴木康二、半田こづえ、広瀬浩二郎
2-1-2	矢野徳也・さかいひろこ Tokuya Yano, Hiroko Sakai	ユニバーサル触地図（窯元散策路） Universal 3D and Tactual Map (The Kiln walking path of the central Shigaraki)	2021	1	W38.7×D26.7×H6.1 凡例：W20.5×D14×H3.7	陶土／陶器／協力：滋賀県工業技術総合センター 信楽窯業技術試験場、半田こづえ、広瀬浩二郎
2-1-3	矢野徳也・さかいひろこ Tokuya Yano, Hiroko Sakai	ユニバーサル触地図（滋賀県立陶芸の森） Universal 3D and Tactual Map (The Shigaraki ceramic cultural park)	2021	1	W27.7×D38.9×H7.0	陶土／陶器／協力：滋賀県工業技術総合センター 信楽窯業技術試験場、半田こづえ、広瀬浩二郎
2-1-4		歴史的登窯標本 Historical Climbing Kiln (noborigama) Specimens		6	W20×D15×H14ほか	木・硬質発泡樹脂・陶器片等
2-1-5		信楽 大壺 Large Jar Shigaraki Ware		1	W36×D36×H44.5	陶土／陶器
2-1-6		つぎざや Stacking Saggar		1	W23×D23×H28.5	陶土／陶器／公益財団法人滋賀県陶芸の森所蔵
2-1-7		信楽 壺 Jar Shigaraki Ware		1	W15×D15×H23.5	陶土／陶器／公益財団法人滋賀県陶芸の森所蔵
2-1-8		信楽 火鉢 Hibachi Brazier Shigaraki Ware		1	W58×D58×H35	陶土／陶器／公益財団法人滋賀県陶芸の森所蔵
2-1-9		信楽 タヌキ Tanuki Shigaraki Ware		1	W39×D22.5×H60	陶土／陶器／公益財団法人滋賀県陶芸の森所蔵
2-2	ユニバーサル・ミュージアム研究会 The Study Group Working on Universal Museums	信楽射真ワークショップ作品 Touchable Scenery: Our Impression and Expression of Shigaraki	2019	44	W20×D24×H17ほか	陶土／陶器／協力：滋賀県立陶芸の森・世界にひとつの宝物づくり実行委員会、しがらき観光ボランティア協会
2-3	酒百宏一 Koichi Sakao	LIFE works @ 大阪 #2020-2021 LIFE works @ Osaka #2020-2021	2020-2021	10	各W18.2×H18.2／什器W205×D17×H30	紙と色鉛筆・ミクストメディア

| 2-4 | 安芸早穂子（企画制作）
Sahoko Aki (planning and production) | 貝塚の樹
A tree on the shell mound | 2020 | 1 | 全体 W540×D300×H200 | |

素材：半立体絵画（アクリル絵具・和紙・木片・貝殻、刺繍：布・糸）、地形モデル（MDF 積層材（NC 旋盤旋削）・飽和ポリエステル樹脂）、年輪台と根っこパネル（丸太・木の根・貝殻・木材・粘土）、掘り棒と石斧レプリカ（クリの木・流木・石）
制作参加者：尾﨑耕将（木工職人）、gwai（服飾作家）、杉江薫（生け樹作家）、石津勝（空間デザイナー）、渡辺健多（大阪芸術大学デザイン学科副手）
協力：早川裕弌（地球科学者）、石村智（無形文化研究者）、南相馬市文化財課、御所野縄文博物館、まいぶんKAN

3. アートで対話を拓く

3-1-1	前川紘士 Koji Maekawa	かたちの合成 from 両手 Synthesis of form from hands	2018	14	各 W16×D40×H16	陶・和紙／協力：丹後和紙田中製紙工業所、ウズマキスタジオ、KUSUNOKI WORKS
3-1-2	前川紘士 Koji Maekawa	触る線のドローイング（ボリューム2） Touchable line drawings (Volume 2)	2019-2020	12 29	A1（59.4×84.1）A2（42.0×59.4）	カプセルペーパー・ボード紙／協力：松本興産株式会社
3-1	加藤可奈衛 Kanae Kato	くっつける住処 Stick! Stick! Home	2021	1	1ピース：∅60-80×H100-120による複数構成	梱包用緩衝材（工業用でんぷん）・ダンボール
3-3	島田清徳 Kiyonori Shimada	境界 division - m - 2021	2019	1	W350×L1200×H460	ナイロン／ミシン縫製
3-4	間島秀徳 Hidenori Majima	Kinesis No.743（dragon vein）	2021	1	W680×H250	パネル（高知麻紙）・水・墨・アクリル・顔料・樹脂膠
3-5	松井利夫 Toshio Matsui	つやつやのはらわた glossy internal organs	2021	1	W35×D80×H50	粘土・漆・籾殻・オウバク・ドクカツ・センキュウ・シャクヤク・チンピ・ヨモギ・ベニバナ／陶胎漆器
3-6-1	守屋誠太郎 Seitaro Moriya	attitude I	2011	1	W57xD44×H66	楠・真鍮・アルミ／木彫・鋳造
3-6-2	守屋誠太郎 Seitaro Moriya	attitude II	2012	1	W50xD30×H25	楠・真鍮・アルミ／木彫・鋳造
3-6-3	守屋誠太郎 Seitaro Moriya	attitude III	2012	1	W40xD30×H25	楠・アルミ／木彫・鋳造
3-6-4	守屋誠太郎 Seitaro Moriya	attitude IV	2012	1	W60xD60×H220	楠・真鍮／木彫・鋳造
3-6-5	守屋誠太郎 Seitaro Moriya	attitude VI	2013	1	W50xD40×H23	ステンレス・鉄・牛革／鍛金
3-6-6	守屋誠太郎 Seitaro Moriya	attitude IX	2013	1	W90xD90×H190	ステンレス・鉄／鍛金
3-6-7	守屋誠太郎 Seitaro Moriya	attitude X	2015	1	W50xD30×H20	アルミニウム・真鍮・ウール／鋳造・ミクストメディア
3-6-8	守屋誠太郎 Seitaro Moriya	attitude XII	2016	1	W30xD25×H40	ステンレス・鉄・牛革／鍛金
3-7	宮本ルリ子 Ruriko Miyamato	思考する手から感じる手へ、そして… The Hands from Thought to Sense, and then …	2020	6	各 W35×D30×H30	磁土・木／泥漿鋳込制作／木製ブラックボックス作成：森本新平（STUDIO901）／手の原型協力者：①キャサリン・サンドナス（Katherine Sandnas）②矢野徳也 ③邵婷如（Shao Ting-Ju）④⑤広瀬浩二郎

4. 歴史にさわる

4-1	岡本高幸 Takayuki Okamoto	とろける身体—古墳をひっくり返す Melt in the canyon of a tub – Turn inside out the tumulus	2021	1	W124×D184.5× H46.5	ポリエステル樹脂・木材・ヒーター／古墳図面データ提供：百舌鳥・古市古墳群世界文化遺産登録推進本部会議／協力：株式会社ナカガワ工業
4-2	石原道知（資料提供） Michitomo Ishihara	埼玉県北本市デーノタメ遺跡出土縄文時代の漆塗腕輪の「さわれる複製資料」 "Touch Replica" of lacquered bangle from the Jomon period from Denotame site, Kitamoto City, Saitama Prefecture				
4-2-2		実物大の複製	2019	1	W0.21×D0.95× H0.55	ツノガイ、3次元計測、複製作成：小池雄利亜（株式会社Koike）機種：デジタイザー（smart SCAN-HE）
4-2-3		拡大模型	2019			
4-2-1		ツノガイの貝殻				千葉県で採取
4-2-4		大きさを推定して復元した腕輪	2020	1		竹・漆・水銀朱／作成：中野稚里
4-3	大塚オーミ陶業株式会社 Otsuka Ohmi Ceramics Co., Ltd.	陶板による「キトラ古墳壁画」複製 Ceramic Board Reproduction of the Kitora Tomb Stone Chamber				
4-3-1		天井 天文図（部分）	2010	1	W60×H60×T3.5	陶
4-3-2		東壁 青龍図（部分）	2010	1	W60×H60×T3.5	陶
4-4-1	堀江武史 Takeshi Horie	服を土偶に Dress the Dogu	2020	10	各W16×H23	新潟県津南町道尻手遺跡出土土偶複製品（実物は津南町教育委員会所蔵）を使用／合成樹脂・毛糸・紙・布・紐・ビーズ・獣皮・鮭皮・金属／5名の協力により再制作
4-4-2	堀江武史 Takeshi Horie	太陽の面（Side A, Side B） Mask of the Sun (Side A, Side B)	2012	2	各W19×H34	合成樹脂・アクリルガッシュ・太陽の塔モザイクタイル
4-5-1		雲中供養菩薩像南21号（京都・平等院）レプリカ Praying Bosatsu on Clouds South figure 21 (Byodoin Temple, Kyoto) (replica)	1993 (原品： 1053)	1	W69×D30×H60	シリコン樹脂／吹田市立博物館所蔵
4-5-2		聖観音菩薩立像（兵庫・鶴林寺）レプリカ Standing Sho-Kannon Bosatsu (Kakurinji Temple, Hyogo) (replica)	1993 (原品： 奈良時代)	1	W35×D35×H103	シリコン樹脂／吹田市立博物館所蔵
4-5-3		阿弥陀如来坐像（大阪・四天王寺）レプリカ Seated Amida Buddha (Shitennoji Temple, Osaka) (replica)	1993 (原品： 平安時代)	1	W35×D35×H60	シリコン樹脂／吹田市立博物館所蔵
4-5-4		聖観音菩薩立像（奈良・薬師寺）レプリカ Standing Sho-Kannon Bosatsu (Yakushiji Temple, Nara) (replica)	1993 (原品： 奈良時代)	1	W90×D90×H235	シリコン樹脂／吹田市立博物館所蔵
4-5-5	西村公朝 Kocho Nishimura	ふれ愛観音像 Fure-ai Kannon	1991	1	W50×D45×H99	樹脂・金箔／吹田市立博物館所蔵
4-6	後藤真実（資料提供） Manami Goto	中東・湾岸地域の女性用飾面 The Female Facemask in the Arabian-Persian Gulf/ Middle East				
4-6-1		I2016019（イラン）		1	W29×D12	厚紙に黒の綿生地をミシンで縫い付け、綿生地上に飾面の形に沿って外側から内側にかけて全体を綿糸でミシン縫いしている

4-6-2		I2016015（イラン）	1	W24×D11	黒の綿生地にポリエステル素材の糸で刺繍が施されており、鼻の部分にはプラスチック製の棒が挿入されている
4-6-3		I2016145（イラン）	1	W23×D14	ナイロン素材のベルベット風生地を使用し、中央の鼻部分にはアイスクリームの木の棒が、両端にはナツメヤシの木の枝が挿入されている
4-6-4		I2016078（イラン）	1	W26×D12	インド・ムンバイで製造されたインディゴ染めの綿生地が用いられ、飾面の外枠や目の周りは手縫いされている
4-6-5		O2016026（オマーン）	1	W26.5×D20	ポリエステルのサテン生地が使用され、鼻部分にはプラスチック製の棒が挿入されている
4-6-6		O2020038（オマーン）	1	W28×D9.5	インド・ムンバイで製造されたインディゴ染めの綿生地を使用、両側面と鼻部分には削られたナツメヤシの木の枝が挿入されている
4-6-7		O2016057（オマーン）	1	W26×D10	マスキングテープの上にポリエステル素材のベロア生地が貼られ、飾面の外枠や目の周りがミシンで縫われている
4-6-8		U2019038（アラブ首長国連邦）	1	W24×D15	インド・ムンバイで製造されたインディゴ染めの綿生地を使用、鼻部分にはバングラデッシュ産の竹を細く割いたものが挿入されている
4-6-9		U2018075（アラブ首長国連邦）	1	W19×D9	インド・ムンバイで製造されたインディゴ染めの綿生地を使用、鼻部分にはバングラデッシュ産の竹を細く割いたものが挿入されている
4-6-10		Q2016006（カタール）	1	W25×D12.5	インド・ムンバイで製造されたインディゴ染めの綿生地を使用、鼻部分にはバングラデッシュ産の竹を細く割いたものが挿入されている

5. 音にさわる

5-1	日本点字図書館 （資料提供） The Japan Braille Library	音の絵はがき Sound-picture Postcards 1.郡上八幡盆踊り　2.木曽の馬市　3.寛永寺の除夜の鐘　4.長良川の鵜飼　5.世田谷ボロ市　6.こけしの古里　7.今宮のやすらい祭り　8.蕪島のうみねこたち　9.雪の永平寺参籠　10.神様からの贈物、加賀の菊酒　11.さい果ての風の叫び　12.駅伝ことはじめ、古代の鈴音			
5-2	亀井　岳 Takeshi Kamei	笛吹きボトルの音色 The sound of the whistling bottle	2021	14（笛吹きボトル） W11×D22×H23.5 ほか	土・映像／協力：真世土マウ（岡山県立大学）
5-3	渡辺泰幸 Yasuyuki Watanabe	土の音 The Beat of The Ground			陶／黒陶・白磁
		土の音	2008	各W28×W28×H28	
		土の音	2008	各W48×D48×H20	
		実の音	2015	各W3×D3×H3	

| 5-4 | | 音で感じるスポーツ
The New Pleasure of Sports through Ears
1.硬式野球　2.サッカー　3.バレーボール　4.女子バスケットボール
5.男子バスケットボール　6.卓球　7.ボクシング　8.柔道　9.剣道
10.空手道 | | | | 制作協力：芦屋大学／JBS日本福祉放送 |

6. 見てわかること、さわってわかること

番号	作者	作品名	年	点数	寸法	材質・所蔵
6-1	Yoko-Sonya	想像開花模様／Flowering Imagination	2019-2021	3	各W30.5×H40.6	綿麻・綿・木製ビーズ・植物の種子ビーズ・木製刺繍枠・山岳民族モン族の古布／手縫い・ニードルパンチ
6-2		触察玩具 Tactile Toys				わらべ館（鳥取）所蔵
	若林孝典	ピン面歯車	1995	1	W16×D15×H14.5	木
	若林孝典	クラウン歯車	1995	1	W15×D12×H14	木
	若林孝典	平歯車列	1995	1	W9×D16.5×H17	木
	若林孝典	送りつめ	1995	1	W12×D15×H27.5	木
	若林孝典	遊星ギア	1995	1	W13×D15×H22	木
	若林孝典	ゼネバストップ	1995	1	W13×D21×H13	木
	若林孝典	確動カム	1995	1	W13×D15×H18	木
	若林孝典	玉送り	1995	1	W64×D21×H20	木
	若林孝典	磁石の機構	1995	1	W18×D9×H10	木
	若林孝典	複動づめ	1995	1	W9×D22×H14	木
	デザイン：ザビエル・デ・クリップレー（ネフ社）	エリプソ	1983	1	W7.5×D24.5×H5.5	木・樹脂
	デザイン：オミリ・ロスチャイルド（ネフ社）	マグネフ	1989	1	∅10×L8.5	プラスチック・金属
	デザイン：クルト・ネフ（ネフ社）	タッチテスト	1970	1	W22×D22×H1.5	木・布・ゴム・砂・金属
6-3	マリー・リエス Marie Liesse KYOTOGRAPHIE制作・所蔵	さわる写真 Tactile Photography	2020	5	各W90×D65	写真マリー・リエス　さわる写真 KYOTOGRAPHIE　制作・所蔵／協力：フランス国立盲青年協会・光島貴之・広瀬浩二郎・天田万里奈・小西啓睦・株式会社堀内カラー・2019年度休眠預金を活用した民間公益活動・公益財団法人 信頼資本財団・ロクシタンジャポン株式会社
6-4a	大塚オーミ陶業株式会社 Otsuka Ohmi Ceramics Co., Ltd.	ヒマワリ（ゴッホ）　陶板による複製 Sunflowers：Vincent van Gogh (Ceramic Board Reproduction)	2016	1	W69×H98	陶
6-4b	大塚オーミ陶業株式会社 Otsuka Ohmi Ceramics Co., Ltd.	日傘の女（モネ）　陶板による複製 Woman with a Parasol - Madame Monet and Her Son：Claude Monet (Ceramic Board Reproduction)	2018	1	W82×H101.5	陶
6-4c	大塚オーミ陶業株式会社 Otsuka Ohmi Ceramics Co., Ltd.	風（加山又造）　陶板による複製 A Bird in the Wind：Matazo Kayama (Ceramic Board Reproduction)	2017	1	W82×W101.5	陶
6-5		フランス製の「さわるポスター」 A Tactile Poster Made in France	2018	1	W310×H150	紙・布・ロープ／株式会社良品計画所蔵

6-6a 後	池松　奏 Kanade Ikematsu	バベルの塔（ピーテル・ブリューゲル）二次創作 The Tower of Babel（Pieter Bruegel）Reproduction	2021	1	W74.5×D40×H60	粘土・ダンボール・銅板・綿・フェイクモスシート・アクリルガッシュ・メディウムシート
6-6b 後	稲岡莉々 Riri Inaoka	叫び（エドヴァルド・ムンク）二次創作 The Scream（Edvard Munch）Reproduction	2021	1	W73.5×D12×H91	粘土・メディウム・麻糸・レジン・シュロ縄・スチレンボード・すべり止めシート
6-6c 前	小野一葉 Kazuha Ono	糸杉のある麦畑（フィンセント・ファン・ゴッホ）二次創作 Wheat Field with Cypresses（Vincent van Gogh）Reproduction	2021	1	W90.9×D1.5×H72.1	布・毛糸・針金・メディウム・アクリルガッシュ・羊毛・フェルト
6-6d 後	小幡咲奈 Sana Obata	夜のカフェテラス（フィンセント・ファン・ゴッホ）二次創作 Café Terrace at Night.（Vincent van Gogh）Reproduction	2021	1	W65.5×D25×H81.0	ダンボール・毛糸・ビーズ・刺繍糸・フェルト
6-6e 前	何　淳怡 Ka Zyuni	大家族（ルネ・マグリット）二次創作 The Large Family（Rene Magritte）Reproduction	2021	1	W49.6×D30×H61.4	アルミ板・粘土・コットンパフ
6-6f 前	桐畑百花 Momoka Kirihata	赤子（ゆりかご）（グスタフ・クリムト）二次創作 Baby（Cradle）（Gustav Klimt）Reproduction	2021	1	W110.4×D40×H110.9	板・布・綿・樹脂
6-6g 前	高　美遥 Miyou Kou	鎖に繋がれた犬のダイナミズム（ジャコモ・バッラ）二次創作 Dynamism of a Dog on a Leash（Giacomo Balla）Reproduction	2021	1	W109.9×D10×H89.9	板・布・スタイロフォーム・粘土・バネ・ダンボール・アクリルガッシュ
6-6h 後	佐々木侑子 Yuko Sasaki	聖トマスの懐疑（カラヴァッジオ）二次創作 Incredulità di San Tommaso（Caravaggio）Reproduction	2021	1	W146×D2.5×H107	ダンボール・アクリル絵の具・樹脂粘土・ペン
6-6i 前	竹内柊祐 Shusuke Takeuchi	斑猫（竹内栖鳳）二次創作 Hanbyo（Seiho Takeuchi）Reproduction	2021	1	W101×D10×H81	布・綿・発泡スチロール
6-6j 前	中島　萌 Moe Nakajima	画家の寝室（フィンセント・ファン・ゴッホ）二次創作 Bedroom in Arles（Vincent van Gogh）Reproduction	2021	1	W90×D82×H72	粘土・段ボール・メディウム・アクリルガッシュ・バルサ材・布・毛糸・PPシート
6-6k 前	長谷川優羽 Yu Hasegawa	真珠の耳飾りの少女（ヨハネス・フェルメール）二次創作 Girl with a Pearl Earring（Johannes Vermeer）Reproduction	2021	1	W39×D10×H44	ウレタン樹脂・布・石粉粘土・アクリルガッシュ
6-6l 後	馬場まゆみ Mayumi Baba	白紙委任状（ルネ・マグリット）二次創作 Carte Blanche（Rene Magritte）Reproduction	2021	1	W65.1×D2×H81.3	
6-6m 前	古草舞也子 Mayako Furukusa	ベッドにて（エドゥワール・ヴュイヤール）二次創作 In Bed（Édouard Vuillard）Reproduction	2021	1	W92×D8×H74	紙・紙粘土・スチレンボード
6-6n 後	矢野陽太 Yota Yano	出を待つ（道化師）（鴨居玲）二次創作 Wait for the departure（Rei Kamoi）Reproduction	2021	1	W66×D8×H48	アクリル絵具・ラッカー塗料・釘・パンチングメタル
6-6o 後	吉村英珠 Yoshimura Manami	ゴルコンダ（ルネ・マグリット）二次創作 Golconda（Rene Magritte）Reproduction	2021	1	W100×D7×H81	アクリル絵具・メディウム・布・スチレンボード

6-6p 後	藤岡未唯 Miyu Fujioka	通りの神秘と憂愁（ジョルジュ・デ・キリコ）二次創作 Mystery and Melancholy of a street (Giorgio de Chirico) Reproduction	2021	1	W73×D21×H87	ダンボール・発泡スチロール・アクリル絵の具・紙粘土・麻紐
6-7	戸坂明日香 Asuka Tosaka	彫刻『神奈川沖浪裏』 Dive into Katsushika Hokusai's Wave	2021	1	W80×D60×H60	Jesmonite（水性樹脂）・芯材（ステンレス・麻・木）／彫塑
6-8a	桑田知明 Chiaki Kuwata	解説本：さわれないものをさわる Touch the untouchable	2021	1	W15×H15×T1.5	紙・布・樹脂／ポップアップブック
6-8b	桑田知明 Chiaki Kuwata	Wrap Pop	2015	1	W20×H20×T3	紙・布・樹脂／ポップアップブック
6-8c	桑田知明 Chiaki Kuwata	Distance	2016	1	W40×H19×T2	紙・布・樹脂／ポップアップブック
6-8d	桑田知明 Chiaki Kuwata	Ontology	2019	1	W20×H20×T3	紙・布・樹脂／ポップアップブック
6-8e	桑田知明 Chiaki Kuwata	はっぱ2冊セット Leaf-Two sets	2011	1	W10.5×H22×T2	紙・布・樹脂／ポップアップブック
6-8f	桑田知明 Chiaki Kuwata	こわれてひとつに Become one	2021	1	W10.5×H10.5×T3	紙・布・樹脂／ポップアップブック
6-8g	桑田知明 Chiaki Kuwata	にじ Rainbow	2018	1	W20×H20×T3	紙・布・樹脂／ポップアップブック
6-9a	真下弥生 Yayoi Mashimo	触察本　小川未明『野ばら』 Tactile book, Mimei Ogawa, *Nobara* (*A Wild Rose*)	2021	1	W19.4×H26.7×T7.5	革
6-9b	真下弥生 Yayoi Mashimo	触察本　『山之口貘詩選集』 Tactile book, *Selected Poems of Baku Yamanoguchi.*	2021	1	W20×H27.5×T4	紙・布・紐など
6-10a	伊藤鉄也 Tetsuya ITO	『変体仮名触読字典』 A Learner's Dictionary for Variant Forms of Kana Letters (the Japanese Syllabary)：How to Read by Touch	2017	1	W27.5×H31.5×T5	
6-10b	伊藤鉄也 Tetsuya ITO	『触読例文集』 Illustrative Sentences: How to Read Variant Forms of Kana Letters (the Japanese Syllabary) by Touch	2017	1	W27.5×H31.5×T5	
6-11a	広瀬浩二郎(資料提供)	触図冊子　世界の感触―国立民族学博物館所蔵資料から How to Touch the World: Exploring Tactile Materials at the National Museum of Ethnology		1		協力：点字・触図工房BJ
6-11b	広瀬浩二郎(資料提供)	国内で市販されている主な「さわる絵本」 Picture Books for Touch Published in Japan		22		各出版社より寄贈

『さわってごらん だれのかお?』(岩崎書店)　『サワッテゴラン ナンノハナ?』(岩崎書店)
『さわってごらん いまなんじ?』(岩崎書店)　『これ、なあに?』(偕成社)
『じゃあじゃあびりびり』(偕成社)　『ちびまるのぼうけん』(偕成社)
『ノンタンじどうしゃぶっぶー』(偕成社)　『あらしのよるに』(講談社)
『こぐまちゃんとどうぶつえん』(こぐま社)　『しろくまちゃんとほっとけーき』(こぐま社)
『さわるめいろ』(3冊セット、小学館)　『テルミ 232号』(小学館)
『テルミのめいろ』(小学館)　『てんじつき さわるえほんシリーズ きかんしゃトーマス』(小学館)
『てんじつき さわるえほんシリーズ どらえもん』(小学館)　『どちらが おおい? かぞえるえほん』(小学館)
『さわってたのしむどうぶつずかん』(BL出版)　『ぐりとぐら』(福音館書店)
『ぞうくんのさんぽ』(福音館書店)　『さわって学ぼう点字の本』(3冊セット、ポプラ社)
『ゾウさんのハナのおはなし』(ユニバーサルデザイン絵本センター)　『いないいないばあ』(童心社)

6-11c	広瀬浩二郎(資料提供)	視覚障害者に貸し出される点訳絵本 Picture Books with Braille for Visually-impaired Readers	6	てんやく絵本ふれあい文庫製作・同文庫より寄贈
		『オチツケオチツケこうたオチツケ』(岩崎書店) 『がんばれひめねずみ』(新日本出版社) 『くいしんぼさんのうた』(童心社) 『11ぴきのねことあほうどり』(こぐま社) 『ノンタン！サンタクロースだよ』(偕成社) 『ゆうたとさんぽする』(あかね書房)		
6-11d	広瀬浩二郎(資料提供)	海外の「さわる絵本」 Picture Books for Touch from Foreign Countries	4	『Counting』以外はてんやく絵本ふれあい文庫より寄贈／日本語・日本語点字訳のものを含む
		『Counting』(英国・DK社) 『きょうは』(韓国点字図書館) 『くろすけと地中の友達』(韓国点字図書館) 『触れば見える世界 凹凸世界地図』(韓国点字図書館)		
6-11e	広瀬浩二郎(資料提供)	点字カレンダー Wall Calendars with Braille		株式会社ゼネラルアサヒ発行・同社より寄贈

出展・執筆者プロフィール（掲載順、2021年9月1日現在）
Profiles of Contributors

吉田 憲司　よしだ けんじ

国立民族学博物館長。2017年4月から現職。アフリカを中心とした儀礼や仮面の研究を進めるとともに、ミュージアム（博物館・美術館）における文化の表象のあり方を研究している。主な著書に『仮面の世界をさぐる　アフリカとミュージアムの往還』、『文化の「発見」』、『宗教の始原を求めて』など。

広瀬 浩二郎　ひろせ こうじろう

国立民族学博物館准教授。1967年東京都生まれ。13歳の時に失明。筑波大学附属盲学校から京都大学に進学。2000年、同大学院にて文学博士号取得。専門は日本宗教史、文化人類学。最新刊の『それでも僕たちは「濃厚接触」を続ける！』（小さ子社）など、著書多数。京都新聞主催「日本人の忘れもの知恵会議」で、2021年の対談ホスト（全5回）を務める。

https://pr.kyoto-np.jp/campaign/nwc_wise/conversation/conv_2104.html

https://pr.kyoto-np.jp/campaign/nwc_wise/forum/forum_2104.html

小山 修三　こやま しゅうぞう

国立民族学博物館名誉教授。1939年香川県生まれ。Ph.D（カリフォルニア大学）。専攻は、考古学、文化人類学。狩猟採集社会における人口動態と自然環境への適応のかたちを研究。主な著書に『狩人の大地―オーストラリア・アボリジニの世界―』、『縄文学への道』、『縄文探検』、『森と生きる』など。2004〜2012年に吹田市立博物館館長をつとめた。

半田 こづえ　はんだ こづえ

筑波大学大学院人間総合科学研究科博士課程満期退学。博士（芸術）。国際基督教大学在学中米国ミネソタ州立美術館で、彫刻に触れて鑑賞したことをきっかけに美術に関心を寄せるようになる。フィラデルフィア美術館教育部にてインターン。研究テーマは触れる芸術鑑賞、ミュージアム・アクセシビリティ。明治学院大学非常勤講師。

第0章　試触コーナー ―なぜさわるのか、どうさわるのか―

三木 繁親　みき しげちか

1960年大阪市生まれ。大阪府立高専卒、大阪市立大学大学院修了。精密金型・エンボスロールを製作する三木製作所の代表取締役。趣味は登山と大型ヒューマノイドロボットの開発。町工場の仲間と一緒にモノづくりの楽しさを子供たちに伝えている。
（株）三木製作所 URL: https://www.mikiss.co.jp/
4mロボットプロジェクト URL: https://4mrobot.com/

わたる

石川智弥と古屋祥子によるアートユニット。2016年より立体作品や舞台美術の制作等を手掛ける。
石川智弥　美術作家。1973年千葉県生まれ。立教大学理学部物理学科卒業。東京藝術大学大学院美術研究科先端芸術表現専攻修了。
古屋祥子　彫刻家。山梨県立大学准教授。1976年山梨県生まれ。東京藝術大学大学院美術研究科美術教育専攻後期博士課程単位取得退学。

第1章　彫刻を超克する

片山 博詞　かたやま ひろし

1963年熊本県生まれ。2006年福岡市美術館にて視覚だけに頼らず触れて鑑賞できる彫刻展を開催。以来「触」をコンセプトに、彫刻展、ワークショップ、さらに彫刻と音楽、また朗読との融合を図ったコラボレーションを、美術館ほか病院、老人ホームなどアウトリーチで展開。2018年福岡女子大学特別公開講座「感性がひらかれるとき　触常者 広瀬浩二郎×彫刻家 片山博詞」開催。

冨長 敦也　とみなが あつや

1961年大阪市生まれ。1986年金沢美術工芸大学大学院美術工芸研究科修了。国内外において原始的な手法で石を彫る制作を行う。1997年ポーラ美術振興財団在外研修助成を受けイタリアに滞在、制作（〜98年）。2013年Love Stone Projectを世界各地で開始。第25回UBEビエンナーレ（現代日本彫刻展）にて大賞受賞（宇部市）。国内外で個展。

高見 直宏　たかみ なおひろ

1973年東京都生まれ。2002年東京藝術大学大学院美術研究科彫刻専攻修了。学生時代に網膜色素変性症であることが発覚し、その後症状の進行に応じて、徐々に写実ではないイメージの形を追うようになる。主に木を素材とした彫刻を制作、発表している。

田代 雄一　たしろ ゆういち

1978年福岡市生まれ。2003年九州産業大学大学院芸術学部美術科彫刻専攻修了。木彫りで動物達の夢の国『ANIMAL KINGDOM』をテーマに、人の記憶に残る・心を揺さぶる作品を心掛け動物彫刻家として活動。2015年に到津の森公園にて開催した個展を機に、35年振りに幼稚園の恩師である藤井健二牧師先生に再会。当時から全盲だった藤井先生の勧めもあり、それ以降の個展や展示などで作品をさわれる展示活動をしている。
http://www.yuichitashiro.com

北川 太郎　きたがわ たろう

石を使った彫刻を制作している。文化庁新進芸術家在外研修員（3年派遣員）としてペルーにて制作研究。国内外で受賞多数。

篠原 聰　しのはら さとし

東海大学教職資格センター准教授・松前記念館マネージャー。1973年東京生まれ。専門は博物館学、美学・美術史、日本近代美術思想史。学生や市民、近隣自治体とともに屋外彫刻のメンテナンス活動を展開。神奈川県との共同事業「ともいきアート」にも取り組んでいる。

安曽 潤子　あんそ じゅんこ

インクルーシブミュージアム代表。小さい頃に図鑑で見た「変な形の生物」が不思議で、ハンマー片手に「化石」を探す「古生物学」の道に。日本初の化石を見つけて日本地質学会小藤賞受賞。学芸員等として博物館に10年以上勤務し、現在は大学で教えたり、全国の博物館で誰もが楽しめるようになるための研修やワークショップを行っている。著書多数執筆中（頭の中で）。
http://slack-geo.blog.jp/

第2章　風景にさわる

矢野 徳也　やの とくや

茨城大学大学院理学研究科了。自然環境や地質学の学習・研究支援を行う。水質と生物多様性回復を目指す実験的水田を管理。東邦大学訪問研究員、筑波山地域ジオパーク認定ジオガイド。

さかい ひろこ

1965年茨城県生まれ。縄文まんが家・イラストレーター＆乳がんサバイバー。遺跡と人を結ぶ仕事がライフワーク。「ふるさと考古学―遺跡と人のワークショップ―」座長。web『全国子ども考古学教室』イラスト担当。遺跡のブックレット作成『弥生のムラ湯舟沢』2016、『なじょもん縄文冒険BOOK』2017、『動く博物館　陸平貝塚』2019。
全国子ども考古学教室　https://kids-kouko.com
Facebook https://www.facebook.com/jomonkasumigaura/

宇野 晶　うの あき

大阪市出身。京都精華大学美術学部造形学科陶芸専攻卒業。現在、世界にひとつの宝物づくり実行委員会（滋賀県立陶芸の森内）の調整員として、ねんどを素材とした教育普及活動（つちっこプログラム）に従事。
滋賀県立陶芸の森HP　https://www.sccp.jp/
つちっこプログラム公式YouTube　https://www.youtube.com/channel/UCCT2xu-JeK9DVJfgAV0Yhvg
つちっこプログラムInstagram　https://www.instagram.com/tsuchicco_program/

酒百 宏一　さかお こういち

1968年金沢市生まれ。東京藝術大学大学院美術研究科デザイン専攻修士課程修了。フロッタージュという描画技法により、人や土地の営みの記憶をかたちにする活動を各地域により展開している。現在東京工科大学デザイン学部教授。
https://koichisakao.org/

安芸 早穂子　あき さほこ

考古学の学術的復元イメージを専門に制作する画家、イラストレーター。縄文時代など古代の暮らしや景観を研究者と共に復元する傍ら各地の遺跡、博物館で文化遺産をユニークに体感するアートと考古学協働のワークショップをプロデュース。東京大学空間情報科学研究センター協力研究員。京都市立芸術大学日本画科卒。
HP精霊の縄文トリップから　http://www.tkazu.com/saho/

山本 清龍　やまもと きよたつ

1973年高知県生まれ。東京大学助教、岩手大学准教授を経て、2017年10月より現職。造園学と観光学を専門領域とし、自然体験の空間計画の研究を進めており、中でも2008年頃より小林修らと視覚障害者との協働による森林ESDの開発に着手し、現在は野外活動、観光体験のユニバーサル化にむけて取り組んでいる。

藤村 俊　ふじむら しゅん

奈良大学文学部（文化財学科）卒。関心は、日本考古学、博物館学。2000年に美濃加茂市民ミュージアムが開館、学芸員として現在に至る。主要論著に「身体と五感による学び　ワークショップ・体験学習」（『博物館教育論』2015）、「実物をさわる体験 ─来館者の思いとその表現」（『ひとが優しい博物館』2016）、「博物館で考古学と出会った子どもたち─特に小・中学生との関わりから」（『考古学ジャーナル』no.720、2018）。

第3章　アートで対話を拓く

前川 紘士　まえかわ こうじ

1980年大阪府生まれ。2007年京都市立芸術大学大学院美術研究科彫刻専攻修了。複数の個人的関心に基づく異なるアプローチで、様々な表現や実践、研究を行う。近年の主な活動は、南仏の小さな町での滞在制作や科学者との交流企画への参加、美術館のコレクション展での展示、多様なワークショップ、意識されにくい作品群・資料群の調査、など。

加藤 可奈衛　かとう かなえ

1966年愛知県生まれ、大阪府在住。1991年東京藝術大学大学院美術研究科彫刻修士課程修了、1994年、同博士後期課程単位取得満期退学。粘土などを使った、彫刻・インスタレーション制作を行う。近年は、"人と環境をアートでつなぐ"をテーマに「イエロー・ライン・プロジェクト」を立ち上げ、地域連携活動を模索している。現在、大阪教育大学教授。

島田 清徳　しまだ きよのり

岡山県立大学デザイン学部教授。布を素材としたインスタレーションの他、舞台装置としての展開も手がける。
https://www.facebook.com/Kiyonori.S/

間島 秀徳　まじま ひでのり

1986年東京藝術大学大学院美術研究科日本画修士課程修了。水と身体の関わりをテーマに、国内外の美術館から五浦の六角堂に至るまで、様々な場所で作品を発表。現在、武蔵野美術大学日本画学科教授、美学校講師。
http://hidenori-majima.com

松井 利夫　まつい としお

1955年生まれ。京都市立芸術大学陶磁器専攻科修了後、イタリア政府給費留学生として国立ファエンツァ陶芸高等教育研究所に留学。エトルリアのブッケロの研究を行う。帰国後、沖縄のパナリ焼、西アフリカの土器、縄文期の陶胎漆器の研究や再現を通して芸術の始源の研究を行う。現在 京都芸術大学教授　IAC国際陶芸アカデミー理事　滋賀県立陶芸の森館長。

守屋 誠太郎　もりや せいたろう

2004年、東京藝術大学大学院美術研究科修士課程修了。2014年、女子美術大学大学院美術研究科博士後期課程修了。現在、筑波技術大学講師。
https://seitaufeus.wixsite.com/http

宮本 ルリ子　みやもと るりこ

1987年多摩美術大学大学院美術研究科修了。土をメインの素材に人と関わる創作活動や人が関わることで成立する作品などを手がける。

細矢 芳　ほそや かおり

2006年共立女子大学大学院比較文化研究科修了。2012年よりアーティゾン美術館教育普及部学芸員。学校団体や親子、一般などさまざまな対象に向けたラーニングプログラムの企画・実施に従事。
アーティゾン美術館HP https://www.artizon.museum/

田端 一恵　たばた かずえ

社会福祉法人グロー（GLOW）法人事務局芸術文化部部長、ボーダレス・アートミュージアムNO-MA管理者。岩手県出身。「福祉は究極のサービス業」というコピーに惹かれ、福祉の世界に入る。岩手県内の社会福祉法人で知的障害者入所施設の支援員等を経験し、2009年から滋賀県社会福祉事業団（現グロー）に在職。
https://www.no-ma.jp/

阿部 健一　あべ けんいち

京都大学、国立民族学博物館を経て現在総合地球環境学研究所教授。環境問題の根底には文化の問題がある。地球環境学とは、結局のところ「人と自然の関係学」のことだと考えている。編著書に『生物多様性：子どもたちにどう伝えるのか』昭和堂 2012年、『五感／五環：文化が生まれるとき』昭和堂 2015年、『No Life, No Forest：熱帯林の「価値命題」を暮らしから問う』京都大学学術出版会 2021年。

第4章　歴史にさわる

岡本 高幸　おかもと たかゆき

東大阪出身。美術家。京都市立芸術大学大学院修了。現在大阪芸術大学アートサイエンス学科特任講師。アートにおける新たな身体イメージの獲得が人類進化の重要な要素であると考え、彫刻・平面・インタラクティブ・パフォーマンス等多様な活動を展開。第10回文化庁メディア芸術祭優秀賞、2019年VOCA展入選、第4回Knowledge Innovation Award準グランプリ等。
http://takayuki-okamoto.com

石原 道知　いしはら みちとも
東京藝術大学大学院文化財保存学専攻保存工芸研究室非常勤講師。有限会社武蔵野文化財修復研究所取締役。埋蔵文化財の保存、修復、複製を行う。縄文土器の復元を通して土器の見せ方を研究。修復を通して考えたことを本物の土器片を利用してインスタレーションし美術と考古の境界を探る。

堀江 武史　ほりえ たけし
府中工房主宰、修復家。國學院大學文学部卒業。縄文遺物と現代アートの展示や、「ともに考える」考古学ワークショップを行う。著作「縄文人の暮らしと現代アート」『ひとが優しい博物館』青弓社2016、「縄文土器の修復・複製・復元品の活用」『総覧縄文土器』アム・プロモーション2008、個展『るうびんの壺』浅間縄文ミュージアム2019ほか。

河島 明子　かわしま あきこ
吹田市立博物館学芸員（美術工芸担当）。大阪教育大学大学院修了後、総合研究大学院大学研究生、明石市立文化博物館学芸員等を経て、2018年より現職。西村公朝に関する数多くの資料を所蔵する吹田市立博物館では、関連の展覧会をほぼ毎年開催している。

後藤 真実　ごとう まなみ
1988年東京都生まれ。東京外国語大学・日本学術振興会特別研究員PD／英国エクセター大学アラブ・イスラーム研究所名誉研究員。カタル大学大学院湾岸地域研究修士課程（2015）、エクセター大学大学院アラブ・イスラーム学博士課程（2019）修了。専門は湾岸地域研究、主な関心は湾岸地域の服装・装い、物質文化、女性の民族誌。
https://www.manami-goto.com/

北井 利幸　きたい としゆき
1978年兵庫県西宮市生まれ。龍谷大学大学院文学研究科国史学専攻博士後期課程単位取得満期退学。奈良県立橿原考古学研究所企画学芸部学芸課指導研究員。専門は日本考古学とユニバーサル・ミュージアムの実践的研究。

松井 かおる　まつい かおる
南山大学文学部人類学科卒業。1987年より2021年3月まで東京都江戸東京博物館にて学芸員として勤務。
著書：『日本人の暮らし—20世紀生活博物館』講談社2000（共著）、「博物館と視覚特別支援学校の協力による充実した触察体験—東京都江戸東京博物館とのコラボ—」『視覚障害教育ブックレットvol.45』ジアース教育新社2021（共著）。

立石 信一　たていし しんいち
長野県生まれ。横浜市立大学大学院国際文化研究科博士前期課程修了。国立アイヌ民族博物館研究学芸部展示企画室学芸主査。

第5章　音にさわる

亀井 岳　かめい たけし
美術家、映像作家。2009年『チャンドマニ 〜モンゴル ホーミーの源流へ〜』、2015年『ギターマダガスカル』、2021年『ヴァタ 箱あるいは体』、2019年より、笛吹きボトルをテーマにワークショップや映像作品を制作。

渡辺 泰幸　わたなべ やすゆき
1969年岐阜県生まれ。名古屋造形芸術短期大学プロダクトデザイン専攻。在学中より陶を素材にした音具を制作。越後妻有アートトリエンナーレなど地域と関わるスタイルの作品作りを続ける。関わる全ての体験者に、新しい発見ができる場所を提供したいと考えている。
https://tutinooto.jimdofree.com

永田 砂知子　ながた さちこ
東京藝術大学打楽器専攻卒業。鉄の「波紋音」陶の「土の音」などさまざまなマテリアルの造形作品を演奏する。大阪万博・鉄鋼館ディレクター武満徹に招聘されたフランソワ・バシェが万博に残した音響彫刻を修復するプロジェクトにかかわり、バシェの魅力を広める活動をしている。2015年バシェ協会設立、会長を務める。
http://www.nagatasachiko.com/　http://baschet.jp.net/

大石 徹　おおいし とおる
芦屋大学臨床教育学部教授。専攻は人類学と社会学。専門は、映画監督や文筆家についての作家論。好きな映画監督は、ジョン・カサヴェテス、ニコラス・レイ、ロバート・アルドリッチ、サム・ペキンパーなど。好きな文筆家は、富士正晴、中上健次、中井久夫、チャールズ・ブコウスキー、ジョージ・オーウェルなど。

相良 啓子　さがら けいこ
国立民族学博物館、手話言語学研究担当。山形県生まれ。19歳の時に失聴。英国セントラルランカシャー大学にて手話言語学MPhil取得（2014）。専門は、手話類型論。

第6章　見てわかること、さわってわかること

Yoko-Sonya　ヨーコ・ソニア
芸術家。H.D.K. イェーテボリ大学 修士号取得。個展やワークショップを行いながら国内外で活動中。2019年から現在、誰もが触って鑑賞できる、体感アート作品作りと展示会などの場づくりを中心に活動。
https://www.yokosonya.com

長嶺 泉子　ながみね もとこ
童謡・唱歌とおもちゃの博物館「わらべ館」（鳥取県立童謡館・(鳥取市立) 鳥取世界おもちゃ館) 主任専門員 (おもちゃ担当)。鳥取の郷土玩具や光学・視覚玩具を軸に、おもちゃ全般の調査と展示、ワークショップや講演の企画などを担当している。
https://warabe.or.jp/

天田 万里奈　あまだ まりな
金融業界でのキャリアを経てアート・キュレーターへと転身。日・仏を拠点にフェミニズム、孤立、差別など社会的課題をテーマに制作する美術家達とタッグを組み、美術展やフェスティバルの企画立案を行う。直近では、パブリックアート「NOUS」、小原一真展「Fill in the Blanks」、Marie Liesse展「二つの世界を繋ぐ橋の物語」の企画や、第7回KYOTOGRAPHIEの運営統括を務める。
www.marinaamada.com
Instagram: Marina Amada Art Projects

大杉 栄嗣　おおすぎ えいつぐ
大塚オーミ陶業 (株) 代表取締役社長。大塚オーミ陶業は1973年創業、大型陶板の製造を得意とし、大塚国際美術館 (徳島・鳴門市) の陶板作品製作を担当。近年は高精細な文化財の複製などやきものの新しい可能性を追求している。
https://www.ohmi.co.jp/

辰巳 明久　たつみ あきひさ
専門：ビジュアルコミュニケーションデザイン。京都市立芸術大学美術学部・美術研究科ビジュアルデザイン研究室教授。京都市立芸術大学美術学部デザイン科学。大学卒業後数年でデザイン会社を起業。1997専任講師を経て、2008より現職。2016年グッドデザイン賞などを受賞。著書：『知の方舟』(共著)、『紙-昨日・今日・明日』(共著)。

池松 奏　　いけまつ かなで
稲岡 莉々　　いなおか りり
小野 一葉　　おの かづは
小幡 咲奈　　おばた さな
何 淳怡　　か じゅんい
桐畑 百花　　きりはた ももか
高 美遥　　こう みよう
佐々木 侑子　　ささき ゆうこ
竹内 柊祐　　たけうち しゅうすけ
中島 萌　　なかじま もえ
長谷川 優羽　　はせがわ ゆう
馬場 まゆみ　　ばば まゆみ
古草 舞也子　　ふるくさ まやこ
矢野 陽太　　やの ようた
吉村 英珠　　よしむら まなみ
藤岡 未唯　　ふじおか みゆ
京都市立芸術大学美術学部デザイン科ビジュアルデザイン専攻4回生

戸坂 明日香　とさか あすか
京都芸術大学 文明哲学研究所 准教授。人間の頭蓋骨から生前の顔を復元する「復顔法」の研究をおこなっている。これまでに旧石器時代から現代人まで30人以上の復顔像や復元画を制作しており全国の科学館や博物館で展示を行っている。

桑田 知明　くわた ちあき
1988年兵庫県生まれ。グラフィックデザイナー。京都市立芸術大学ビジュアルデザイン専攻非常勤講師。視覚を用いず情報共有する手法の研究を行なっている。視覚優位分野に、触ることを加えた可能性を広げたいと活動中。ポップアップ絵本作りなどのワークショップも行なっている。
www.chiakikuwa.com/

真下 弥生　ましも やよい
東京を拠点に、障害を持つ人たちとの美術制作・鑑賞の活動を行う。米国ジョージ・ワシントン大学教育学大学院修士課程博物館教育専攻修了。ルーテル学院大学・東京神学大学・東京外国語大学非常勤講師。

伊藤 鉄也　いとう てつや
大阪観光大学学長。1951年島根県生まれ。王朝物語文学研究者。大阪大学大学院博士後期課程中退。1990年高崎正秀博士記念賞受賞。『源氏物語本文の研究』で博士 (文学、大阪大学、2002年)。
HP［古写本『源氏物語』の触読研究］http://genjiito.sakura.ne.jp/touchread/
HP［海外平安文学情報］https://genjiito.org
Blog［鷺水庵より］http://genjiito.sblo.jp/

千葉 美香　ちば みか

日本女子大学文学部国文学科卒業。児童書専門の出版社偕成社で編集に携わる。絵本、読みもの、ノンフィクション、点字つきさわる絵本や手話の絵本など様々なジャンルの本に取り組んでいる。

岡本 裕子　おかもと ゆうこ

岡山県立美術館主任学芸員（美術館教育）。社会の中における美術館の働き（役割）をテーマに、「ひととものの関係」に注目して、文字媒体を超えた本物体験に取り組む。

松山 沙樹　まつやま さき

京都国立近代美術館特定研究員。レスター大学博物館学研究科で美術館教育や来館者調査を学び、2015年より現職。教育普及担当として学校連携や展覧会関連プログラムなど、さまざまな利用者と美術を繋ぐ活動に携わる。2017年度から「感覚をひらく—新たな美術鑑賞プログラム創造推進事業」を主導し、「見る」だけに捉われない鑑賞の可能性を探る実践を行っている。
https://www.momak.go.jp/senses/

日髙 真吾　ひだか しんご

国立民族学博物館人類基礎理論研究部教授。専門は保存科学。日本各地に残されている地域文化の保存と活用の在り方を研究。主な著書『災害と文化財—ある文化財科学者の視点から』千里文化財団2015。編者『継承される地域文化—災害復興から社会創発へ』臨川書店2021。

第7章　ユニバーサル・ミュージアムの未来

黒澤 浩　くろさわ ひろし

1961年東京都生まれ。南山大学人文学部教授。明治大学博物館学芸員を経て、2004年より南山大学准教授、2012年より現職。専門は考古学で、特に弥生時代の土器に関心を持つ。南山大学では人類学博物館の担当教員として、2013年の博物館リニューアルに当たり、全面的な「さわる展示」を実現した。

鈴木 康二　すずき こうじ

（公財）滋賀県文化財保護協会副主幹。NPO法人ちゃいれじ事務局長。佛教大学非常勤講師（博物館教育）。京都教育大学非常勤講師。子育て支援員（地域型保育）。

藤島 美菜　ふじしま みな

愛知県美術館主任学芸員。専門は西洋近代美術史、美術館教育。教員との研究会活動を通して教育活動を行う。地域の人材と連携して、鑑賞学習プログラムやワークショップ等を実施。多様な人たちと美術を楽しむ環境づくりを目指して活動している。

堀江 典子　ほりえ のりこ

佛教大学社会学部公共政策学科准教授。2006年東京都立大学大学院都市科学研究科博士課程修了。博士（都市科学）。著書：『Building Resilient Regions』springer 2019（共著）、『生活者のための地域マネジメント入門』昭和堂2018（共編著）、『環境の意思決定支援の基礎理論』勁草書房2013（共著）、他。

原 礼子　はら れいこ

東京都出身。国際基督教大学卒業。1978年より母校にて博物館開館準備に携わり、1982年より国際基督教大学博物館湯浅八郎記念館にて学芸員として勤務。2019年に退職するまで、主に染織品を中心とした特別展を企画。2004年からは学芸員課程の授業も担当。現在は国際基督教大学非常勤講師。

協力者一覧　　＊個々の作品に関する協力者は出展・作品リストに記載しました

[展覧会]
特別展　ユニバーサル・ミュージアム ── さわる！"触"の大博覧会

[主催]　国立民族学博物館
[協力]　公益財団法人千里文化財団、総合地球環境学研究所
[後援]　朝日新聞社、NHK大阪放送局、京都新聞社、産経新聞社、日本経済新聞社、毎日新聞社、読売新聞社
[協賛]　一般社団法人檸檬新報舎、大塚オーミ陶業株式会社、株式会社ゼネラルアサヒ、錦城護謨株式会社、
　　　　高野山真言宗社会人権局、真言宗西光院
[助成]　公益財団法人朝日新聞文化財団、社会福祉法人産経新聞厚生文化事業団

[実行委員会]
広瀬浩二郎（国立民族学博物館 准教授 実行委員長）、阿部健一（総合地球環境学研究所 教授）、大石 徹（芦屋大学 教授）、
黒澤 浩（南山大学 教授）、篠原 聰（東海大学 准教授）、末森 薫（国立民族学博物館 助教）、園田直子（国立民族学博物館 教授）、
日髙真吾（国立民族学博物館 教授）、山本清龍（東京大学大学院 准教授）

[展示製作]
展示設計：アイデアルデザイン製作所
展示施工：株式会社ゴードー
輸送演示：ヤマトグローバルロジスティクスジャパン株式会社

[図録製作]
編集協力：小さ子社
装丁・デザイン：桑田知明
撮影：平垣内悠人（MILLIEN PHOTOGRAPHIC）

テキストデータ提供のお知らせ

視覚障害、肢体不自由、発達障害などの理由で本書の文字へのアクセスが困難な方の利用に供する目的に限り、本書をご購入いただいた方に、本書のテキストデータを提供いたします。

ご希望の方は、必要事項を添えて、下のテキストデータ引換券を切り取って（コピー不可）、下記の住所までお送りください。

【必要事項】　データの送付方法をご指定ください（メール添付　または　CD-Rで送付）
メール添付の場合、送付先メールアドレスをお知らせください。
CD-R送付の場合、送付先ご住所・お名前をお知らせいただき、200円切手を同封してください。

【引換券送付先】　〒606-8233　京都市左京区田中北春菜町26-21　小さ子社

ユニバーサル・ミュージアム ── さわる！"触"の大博覧会
2021年9月2日　初版発行
2023年10月31日　第2刷

編集　　　　国立民族学博物館
編者　　　　広瀬浩二郎
発行者　　　原　宏一
発行所　　　合同会社 小さ子社
　　　　　　〒606-8233　京都市左京区田中北春菜町26-21
　　　　　　電話 075-708-6834　FAX 075-708-6839
　　　　　　info@chiisago.jp

"UNIVERSAL MUSEUM": Exploring the New Field of Tactile Sensation
Issued September 2, 2021
Edited by National Museum of Ethnology
Editor : Kojiro Hirose
Pbulished by Chiisagosha Publishing LLC.